P9-DBR-317

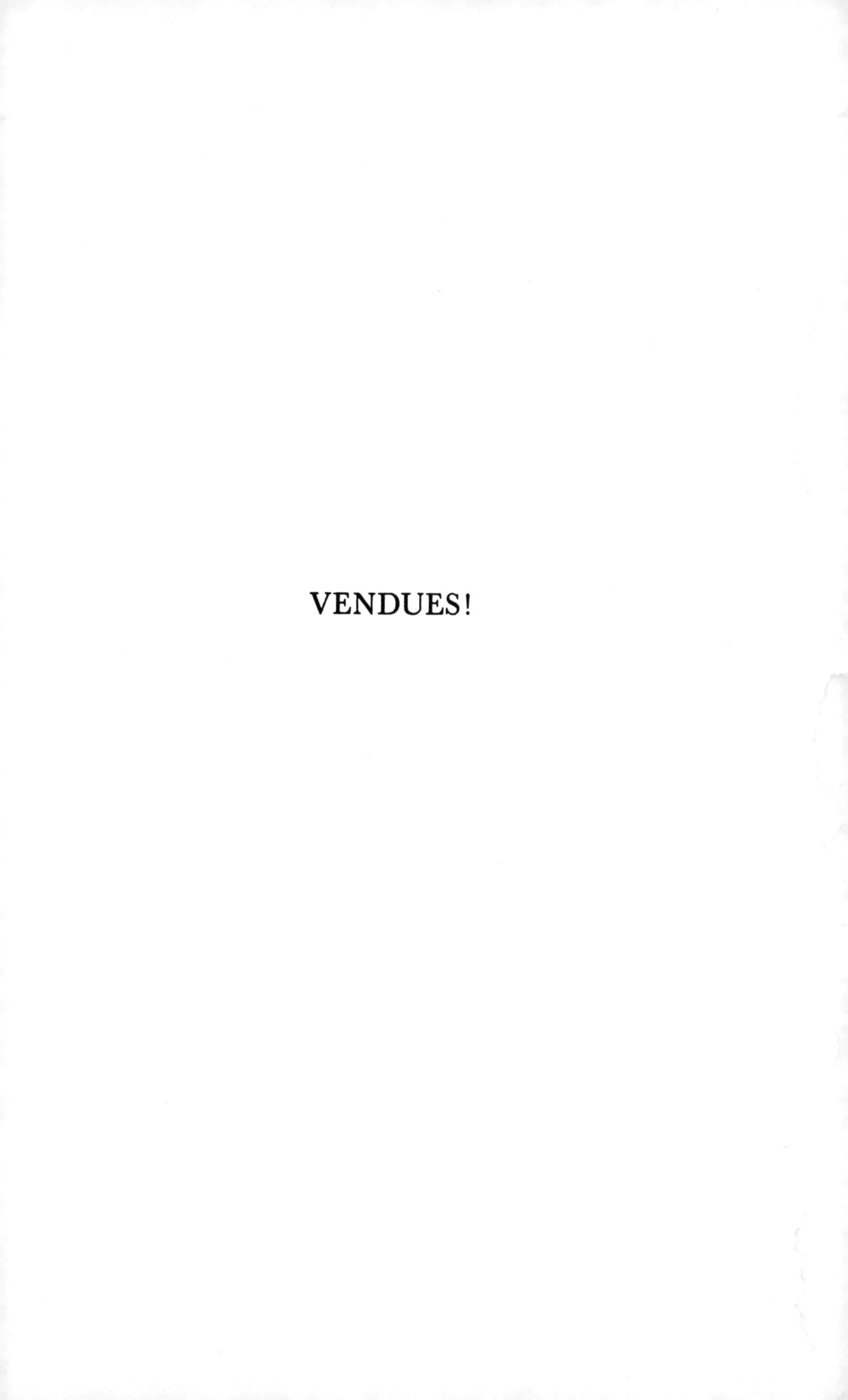

VENDUES!

Betty Mahmoody
présente

Zana Muhsen
et
Andrew Crofts

VENDUES!

Adaptation française de Marie-Thérèse Cuny

document

Ce livre a été publié par Futura Publications, du groupe Macdonald & Co (Publishers) Ltd. Londres et Sydney sous le titre :
SOLD

En 1984, lorsque, avec ma fille de quatre ans, j'ai quitté les États-Unis pour accompagner mon mari à Téhéran, j'avais peur. A cette époque, pourtant, je n'avais jamais entendu parler de femmes retenues en otages par un époux de nationalité différente de la leur, ou d'enfants qu'on enlevait à leur mère. Je ne savais pas non plus que par mon mariage la nationalité iranienne m'était automatiquement échue, ainsi qu'à ma fille, et que nous ne pourrions quitter l'Iran sans la permission de mon mari.

Dix-huit mois plus tard, lorsque nous avons échappé à notre cauchemar, nous étions un cas isolé dans l'esprit des Américains.

Quand j'ai écrit mon histoire et que j'ai voyagé pour la promotion de mon livre, j'ai découvert, aux États-Unis et en Europe, l'existence de drames comparables à celui que j'avais vécu. La plupart de celles qui avaient traversé la même expérience que moi n'osaient en parler, imaginant qu'elles étaient fautives ou que leur cas était unique. C'est cette idée fausse que j'ai voulu combattre.

Aujourd'hui, les pays occidentaux comptent de plus en plus de couples mixtes et beaucoup d'enfants reçoivent la double nationalité. Souvent, des musulmans, comme mon mari ou comme le père de Zana Muhsen, venus s'implanter dans une société occidentale demeurent en désaccord avec la culture de leur pays d'accueil. Certains ne peuvent supporter l'idée d'élever leurs enfants, particulièrement leurs filles, au sein d'une société non-islamique, qu'ils jugent impure. Ils font ce qu'ils pensent être leur devoir : ils enlèvent leurs enfants et les retiennent en otages dans leur pays.

Depuis qu'en 1988, j'ai découvert l'histoire de Zana et de sa sœur Nadia, j'ai souvent pensé à elles. Notre combat pour la liberté a été le même. En apprenant que Zana avait réussi à quitter le Yémen, j'ai ressenti une immense joie et lorsque j'ai su qu'elle écrivait un livre, je n'ai pu en attendre la publication : j'ai demandé une copie des premières épreuves à l'éditeur anglais. Son récit m'a bouleversé.

Le désir tellement naturel de connaître le pays de leur père a plongé Zana et Nadia dans une situation tragique. Ces deux jeunes Anglaises, nées et élevées à Birmingham, parfaitement intégrées à leur milieu, et dont la vie ressemblait à celle de toutes les adolescentes de leur âge ont été vendues par leur père, mariées de force et retenues au Yémen contre leur volonté. Elles ont dû pour survivre s'intégrer à une société arriérée et devenir les esclaves de leur deuxième culture.

Là-bas, brutalement coupées de leur famille, incapables de communiquer avec leur entourage, puisqu'elles ne parlaient pas arabe, elles ont dû vivre chacune dans un village différent. Rien ne résiste à la solitude, pas même la volonté la plus tenace. Rien n'est plus difficile que de reprendre courage lorsque personne n'est là pour vous soutenir... Zana, pourtant, n'a jamais cessé de lutter.

Lorsque j'étais retenue en otage en Iran, j'ai été étonnée moi-même de la force et de la résolution dont j'ai réussi à faire preuve – mais j'étais une femme adulte. Zana, elle, n'était qu'une enfant. Où a-t-elle trouvé un tel courage ?

Zana et Nadia sont restées prisonnières au Yémen pendant sept ans avant que leur affaire ne soit rendue publique. Lorsque les médias ont alerté l'opinion mondiale, le gouvernement yéménite a dû prendre une décision pour sauver la face. Zana n'a pas manqué cette occasion de s'échapper, mais il lui a fallu laisser un fils de deux ans derrière elle pour retrouver l'Angleterre et tenter de sauver sa sœur.

En racontant son histoire, aujourd'hui, Zana donne foi à une réalité que beaucoup ont encore du mal à reconnaître. Elle parle aussi au nom des femmes du tiers monde, qui n'ont jamais eu la chance de témoigner de leur souffrance, parce qu'elles sont opprimées et assujetties.

Chaque fois qu'une voix s'élève contre l'oppression, elle fait écho aux voix qui se sont élevées avant elles, et à celles qui s'élèveront un jour.

Betty Mahmoody

Il s'appelle Mackenzie, je l'appelle Mackie. C'est plus rigolo. Je l'aime et je crois bien qu'il m'aime. Mais à quinze ans, on ne dit pas les choses ainsi.

On dit :

– Je vais te manquer, Mackie ?

– Ouais... Mais toi, tu vas en vacances, c'est super. Moi, je reste à Birmingham tout l'été, c'est galère.

Et puis la danse finie, l'heure venue de se quitter, pour que papa et maman ne fassent pas de scandale, on dit encore :

– Bon, ben salut Mackie...

Et le baiser dit le reste, au coin des lèvres.

– Salut Zana...

Et le regard qui frôle en dit encore un peu plus.

C'était hier, c'était la nuit. A l'aube, à l'aéroport de Londres, après des heures de trajet en bus, une tasse de thé et un beignet constituent ma ration de survie. Papa et maman ne me quittent pas des yeux et je suis affreusement nerveuse.

– Maman ? Si je ne me plais pas là-bas, je pourrai revenir tout de suite ?

– Bien sûr, tu peux revenir quand tu veux Zana... Qu'est-ce qu'il y a ? Tu semblais si heureuse de partir.

– Rien... tout va bien, c'est juste que... si ça ne me plaisait pas...

– Toi qui aimes tant le soleil, ça m'étonnerait... dès que tu seras là-bas, tu oublieras l'Angleterre.

Je me suis bien gardée de poser la question devant papa et ses deux amis, pour ne pas les vexer. Papa m'a laissée partir avec eux au Yémen, son pays natal. Abdul Khada et son fils Mohammed m'invitent dans leur famille, voyagent avec moi, ils sont très gentils et généreux. Une telle question de ma part les aurait sûrement offensés.

Abdul Khada est un ami de mon père, quarante-cinq ans, cheveux noirs frisés, terriblement moustachu et d'une élégance un peu raide. A côté de mon père toujours légèrement voûté, il se tient droit, l'air sûr de lui, dominateur, malgré sa taille relativement modeste. Son fils aîné Mohammed, plus petit, trapu, gros même, semble sympathique, comme souvent les gros, plus amical et chaleureux. En fait le père a un visage rébarbatif, plutôt laid, alors que le fils est agréable. Mohammed est marié et a deux enfants. Je sais peu de chose sur eux à vrai dire. Ce sont surtout les copains de papa.

– Tu as peur de l'avion, Zana ?

– Ça ira maman...

En fait j'ai peur, mais je n'aime pas le dire. C'est mon caractère, je me sens dure, solide dans ma tête. Pourtant ce baptême de l'air, qui va m'emporter à des milliers de kilomètres de chez moi, provoque une sorte de tremblement intérieur, l'impression que le danger me guette, avec un creux à l'estomac, bizarre, comme une boule de vide plutôt. Je ne sais pas comment identifier cette sensation. Disons que ce premier voyage en avion, le premier de ma vie d'adolescente, est impressionnant, mais je ne l'avouerai pas.

– J'aurais préféré partir en même temps que Nadia.

– Ta sœur te rejoint dans quinze jours à peine, et tu ne verras même pas le temps passer.

Maman a confiance en moi, elle me sait raisonnable. Elle vérifie ma tenue en défroissant légèrement ma jupe à fleurs.

– Tu vas profiter du soleil là-bas. Tu m'écriras en arrivant, dès que tu auras vu ton frère et ta sœur. Où est ta valise?

Ma valise est entre mes deux pieds chaussés de sandalettes en cuir. Je n'emporte que des vêtements légers, jupes de rechange et tee-shirts, quelques affaires de toilette, mes précieux livres et ma musique. C'est ma première valise, toute neuve, marron; celle de Nadia est bleue, nous avons fait les grands magasins exprès, la semaine dernière, et j'étais plus gaie qu'aujourd'hui à l'idée de partir en voyage.

Des hommes d'affaires, armés de leurs attaché-cases, courent pour attraper les premiers avions de la matinée. L'aéroport s'anime soudain, le panneau lumineux crépite en affichant des numéros de vols pour le monde entier. C'est un spectacle fascinant que toutes ces petites lumières, elles représentent presque toute la planète, et je me rends compte bêtement, ici, dans cette salle d'attente, que le monde est immense.

Mon père et ses amis reviennent de la terrasse, d'où l'on voit décoller les avions. Papa est assez souriant derrière sa moustache en bataille, les mains dans les poches, le corps légèrement penché en avant, les épaules fléchies, dans son attitude préférée, il discute en arabe avec ses amis. Le sourire est rare chez lui. Son visage et son expression habituelle, moroses, lui donnent plutôt l'apparence d'un être soucieux de nature.

– Zana... Tu seras respectueuse avec mon ami Abdul Khada, montre-toi bien élevée, lorsque tu seras dans sa famille.

– Oui papa.

– C'est bientôt l'heure, allons-y!

Abdul Khada marche devant nous, suivi de son fils Mohammed. Il présente les passeports, les billets, et s'occupe des formalités tandis que j'embrasse maman devant le portillon qui va nous séparer. Ma nervosité augmente. Papa, qui n'est pas du genre tendre et ne m'embrasse qu'aux fêtes carillonnées, se penche pour un baiser rapide, qui effleure à peine ma joue, avec un dernier conseil :

– Je te confie à mon ami Abdul Khada, c'est un homme très respecté chez lui, écoute ce qu'il te dit, obéis. Son invitation est très généreuse... Tu m'entends Zana ?

– Oui papa.

J'entends comme dans un brouillard, des tas d'idées stupides se bousculent dans ma tête : « Et si l'avion tombait ? Et si je me noyais en mer ? Et si j'étais malade dans l'avion ? Et si je décidais de ne pas partir maintenant, d'attendre Nadia ? » Impossible, papa se mettrait dans une colère terrible. Alors je passe sagement la douane et la police, en suivant mes deux guides, je regarde filer ma valise sur le tapis roulant et la vois disparaître derrière les petits rideaux de plastique qui se referment avec un claquement définitif. C'est parti, je me tords le cou pour dire encore adieu à maman. J'aurais aimé qu'elle vienne aussi. Toute seule avec ces deux hommes moustachus, au regard sombre, je me sens vulnérable.

Le terrain immense est devant nous, l'avion au bout de la piste, le vent colle ma jupe à fleurs sur mes jambes. Le souffle un peu coupé, je me retourne pour tenter d'apercevoir encore maman, là-bas derrière les vitres du terminal, mais je ne peux déjà plus distinguer les visages. Je mange mes cheveux à chaque rafale, le goût du shampooing de la veille me reste au coin des lèvres, mélange de vanille et de miel, qui sent les vacances.

Ce voyage sera formidable, super, nous n'avons cessé de nous en persuader avec Nadia, depuis le début. J'ai simplement peur de grimper dans ce grand aigle immobile, qui attend le ventre ouvert de m'avaler tout entière. Plus j'avance et plus il grandit ! Jamais je n'aurais cru qu'un avion était si grand. Je n'en ai jamais vu de près, seulement lorsqu'ils passent dans le ciel de Birmingham, comme des flèches brillantes avec leur queue de vapeur blanche.

Mon cœur bat ; « je pars en vacances, je pars en vacances », je n'arrête pas de me répéter la formule magique. Je pars pour six semaines de soleil, de mer, de liberté, de découvertes, avec des inconnus, dans un pays inconnu. Me voilà lancée dans le monde pour la première fois.

La veille encore, papa disait en nous regardant sortir ma sœur et moi :

– Ne rentrez pas tard ! Faites attention aux garçons ! Ne parlez pas aux inconnus dans la rue !

Il est toujours sévère et pointilleux sur l'éducation de ses filles.

Hier encore j'étais à l'abri, chez nous, dans notre maison, notre quartier, notre ville, avec papa et son autorité, maman et son petit sourire triste. Nadia et moi, nous avons fêté notre départ en vacances avec des copains, et pour une fois, notre père ne s'est pas montré trop exigeant en explications. Plutôt gentil même. Alors que d'habitude, dès que je veux sortir pour aller retrouver mon amie Lynette par exemple, ou simplement m'évader un peu de la maison, il suspecte toujours quelque chose d'anormal. J'ai donc pris le parti de me sauver sans rien dire la plupart du temps, en comptant sur maman pour la suite. S'il savait que je fume, s'il savait que j'ai un flirt... Quelle histoire ! Je prendrais sûrement une claque, et une engueulade, à propos des mœurs dissolues de la jeunesse anglaise. Parfois je le déteste. J'ai quinze ans, j'en aurai seize cet été, et j'aimerais un peu plus de liberté, Nadia aussi. Les filles de notre âge à Birmingham sont bien plus libres avec leurs parents.

En montant cette échelle derrière Abdul Khada, en me retournant encore une fois pour voir le terminal, si loin maintenant, je repense à ma sœur, pour oublier cet avion.

Pauvre Nadia, cette stupide histoire de soi-disant vol à l'étalage l'empêche de partir en même temps que moi. Elle a dû attendre l'autorisation de l'assistante sociale, une bonne femme à lunettes, chargée de la surveiller, et du coup les dates de voyage ne pouvaient plus correspondre. La bonne femme est même venue à la maison, pour se renseigner sur la raison de ces vacances à l'étranger. Maman lui a tout expliqué, les amis de papa, l'occasion de rencontrer nos frères et sœurs, le soleil qui ne nous ferait pas de mal... Il est vrai qu'à Birmingham le soleil nous oublie souvent.

A l'origine, seule Nadia aurait dû partir. Ashia, notre petite sœur, et moi, étions un peu jalouses. Pour Ashia c'était non, elle était trop petite. Moi j'ai insisté. D'abord dans l'intérêt de Nadia. Cela m'ennuyait de la voir partir seule, elle n'a jamais été nulle part sans moi. Ensuite pour le Yémen. Papa nous en parlait comme d'un pays superbe, il vantait la beauté des paysages, les traversées du désert à dos de chameau, les maisons perchées sur les falaises et surplombant la mer bleue, le sable doré, les palmiers, le soleil, les châteaux en haut des dunes, les maisons colorées...

Nous imaginions ce pays comme ces décors merveilleux que l'on voit dans les publicités de sodas ou de barres de chocolat, un endroit de rêve. De plus, en lui annonçant ce voyage, papa avait dit à Nadia :

– Tu pourras monter à cheval, à cru, et galoper au soleil, dans la ferme de mes amis.

J'en rêvais. Comme je rêvais de rencontrer mon frère et ma sœur pour la première fois. Ils sont partis là-bas un jour, bien avant ma naissance, à l'âge de trois et quatre ans, et papa a voulu qu'ils restent chez nos grands-parents. Maman n'était pas d'accord au début, je le sais, elle a même tenté de les faire revenir, mais n'a pas réussi, à cause de leur double nationalité, anglaise et yéménite. Depuis quelques années, elle n'en parle plus, et personne n'évoque ce sujet à la maison. Les aînés de la famille vivent au Yémen, c'est ainsi. A Birmingham, nous sommes cinq : moi, Nadia, Ashia, Tina et notre petit frère Mo, le dernier de la famille.

Je suppose que maman s'est résignée à la volonté de papa, c'est lui l'homme, le mâle, le chef. Ils ne se sont jamais mariés pourtant, depuis toutes ces années, et tous ces enfants. Mais nous nous appelons tous Muhsen, du nom de notre père.

Ainsi moi, Zana Muhsen, je porte un nom et un prénom

yéménite, mais je suis anglaise par tous les pores de ma peau, et tous les recoins de mon cerveau. Nadia est comme moi, et me ressemble sans me ressembler. C'est surtout une question de caractère. Je la sens plus faible et plus naïve que moi.

Pour cette histoire de vol complètement bidon par exemple, je me serais battue de toutes mes forces, griffes et dents dehors. Elle a subi l'injustice. Alors qu'elle avait juste brandi un bracelet, en criant à maman : « Tu me l'achètes ? », le vendeur a prétendu qu'elle l'avait pris à l'étalage pour le voler. Résultat : accusation, juge, tribunal et amende, plus la surveillance de cette assistante sociale. Et papa a très mal pris cette histoire, il ne nous a pas accompagnées au tribunal, mais il n'a cessé de s'en plaindre auprès de ses amis arabes. Il avait « honte » de voir traîner son nom dans la boue. Sa fille était « marquée »... C'était une « sale voleuse », et il allait nous remettre dans le droit chemin, nous enseigner la manière de se comporter comme de véritables femmes arabes! D'après lui, nous étions en danger moral. Interdiction de porter des mini-jupes, interdiction de fréquenter les Noirs et d'écouter de la musique de « nègre »!

J'y songe, ce vendeur était peut-être raciste, comme papa. Nous avons le teint basané Nadia et moi, ainsi que maman, qui est déjà une métisse, née de père pakistanais et de mère anglaise. Cela nous donne un côté « exotique ».

Souvent je demande à maman :

– Mais qu'est-ce qu'il a, contre les Noirs, papa ?

– Je ne sais pas, demande-le-lui...

Je n'ai jamais osé lui poser la question. Simplement j'ai cru comprendre qu'au Yémen les Noirs étaient des esclaves, et qu'il les considérerait toujours comme tels, inférieurs.

Au café-restaurant de papa, lorsque nous aidons au service, pour les plats de frites et de poissons, il nous est permis de parler aux clients noirs, bien obligé! Par contre, dès que nous sommes à l'extérieur, interdiction paternelle de leur adresser la parole... S'il savait que j'ai un petit ami antillais!

Abdul Khada me fait signe de prendre un fauteuil entre une dame et lui. Mohammed s'installe un peu plus loin.

Pour l'instant, je me ronge un ongle et je fumerais bien une cigarette, mais les voyants l'interdisent. L'angoisse du décollage me reprend. L'angoisse de l'inconnu également. Il paraît que nous allons voler pendant dix heures, jusqu'à une escale en Syrie. Puis nous changerons d'avion, pour aller à Sanaa, la capitale du Yémen du Nord. Ville légendaire, mystérieuse et superbe, paraît-il. De là nous gagnerons, je ne sais par quel moyen, le village d'Abdul Khada.

Je me vois déjà étalée au soleil, les yeux dans le ciel, les pieds dans la mer Rouge. Ce sera comme un fabuleux bain de sable, d'eau et de lumière. Nadia et moi, nous reviendrons dorées comme le miel d'acacia, et réchauffées pour longtemps. A la rentrée j'aurai seize ans, je ferai mon apprentissage de puéricultrice. J'adore les enfants. Nadia retournera au collège pour quelque temps encore.

Les réacteurs grondent, je croise les doigts pour conjurer le mauvais sort et entame une conversation nerveuse avec ma voisine. Je dois parler vraiment très vite, car elle me rassure :

– Ne craignez rien, tout ira bien, les réacteurs vont faire encore plus de bruit, ensuite l'avion va rouler sur la piste, il décollera et nous découvrirons toute la ville d'en haut, vous allez voir, c'est magnifique lorsque le ciel est clair.

J'ai les mains moites, les articulations de mes doigts blanchissent, à force de serrer les accoudoirs comme si j'allais m'effondrer à la seconde.

A cette minute j'ai un pressentiment, mais si vague que je ne parviens pas à le définir. Ce doit être la peur du décollage. Après tout, c'est sûrement normal la première fois. Mais maman me manque déjà. Terriblement. Je ne sais pas pourquoi je repense à ce jour où, en courant dans la rue, je me suis fait renverser par une voiture. J'avais cinq ans environ. Je me revois voler en l'air, avec la sensation de traverser le temps et tous les âges du monde. La voiture m'a projetée si haut que je suis retombée sur le sol, la tête en avant et sur les genoux, dans la position d'un fœtus. J'ai entendu arriver l'ambulance, sans bouger, j'étais seule, sur le macadam, avec ma souffrance et ma peur.

C'est mon seul souvenir malheureux jusqu'à présent. J'aime ma vie à Birmingham, j'aime ma famille, mon avenir, mes amis, et Mackie. Et la musique. Comme je ne suis pas près du hublot, la vision planétaire de Londres m'a échappé. Je quitte mon pays en fermant les yeux, jusqu'à ce que l'avion se remette à l'horizontale, et que lentement le tremblement me quitte.

Abdul Khada ronfle déjà à mes côtés. Il va ronfler dix heures durant, jusqu'en Syrie.

Une sensation de chaleur étouffante me prend à la gorge; la poitrine oppressée, je descends l'escalier de l'avion, sans savoir du tout où nous sommes. J'ai cru entendre, quelques minutes avant l'atterrissage, que nous arrivions quelque part, mais sans parvenir à comprendre où exactement. D'ailleurs j'étais bien trop occupée à serrer les dents, pour poser la moindre question à Abdul Khada.

– D'où vient cette chaleur ? Ce sont les réacteurs de l'avion ?

Il éclate de rire.

– C'est le temps, c'est la température normale ici, tu n'es plus dans la vieille et humide Angleterre!

Ma réflexion l'a beaucoup amusé, et il me regarde d'un petit air supérieur.

– Où sommes-nous ?

– En Syrie.

« Qu'est-ce que je fais, moi Zana Muhsen, en Syrie ? Pourquoi ne suis-je pas restée à Sparkbrook avec maman et Nadia ? » J'ai beau regarder autour de moi, je ne vois rien d'anormal, tout le monde marche tranquillement sur la piste en direction des bâtiments de l'aéroport, personne ne semble trouver quoi que ce soit de bizarre. Excepté le fait que respirer devient un exercice pénible. Le nez se dessèche, les poumons se retractent, on s'épuise à chercher de l'air. Alors je me dis : « Bon, du calme, rien ne va de travers, tu vas en vacances, tu fais une escale en Syrie, tu voyages, en fait. Ce sont les surprises du climat. Et Nadia va te rejoindre bientôt. Inutile de s'affoler. »

Je marche comme les autres, avec les autres, pour effacer de mon esprit cette envie brutale de trouver une porte de sortie, quelqu'un à qui dire : « S'il vous plaît, ramenez-moi à la maison. »

Il fait aussi chaud à l'intérieur qu'à l'extérieur, beaucoup de gens déambulent, traînant des valises et des paquets, cherchant leur avion de correspondance, comme nous. Abdul Khada se renseigne, en arabe, et me traduit :

– Il faut attendre, il y a une salle là-bas, l'avion ne sera pas là avant un moment.

Un moment... je pensais que ce seraient quelques minutes, mais les minutes défilent, et se transforment en heures. D'autres gens attendent comme nous, se déplacent, s'allongent sur les banquettes de bois, ils semblent trouver tout cela habituel, normal, je les sens familiers de ce genre d'attentes interminables. Ils n'ont pas mon impatience et ne souffrent pas de cette chaleur torride. Je m'abreuve de Coca-Cola, je transpire et recommence. Chaque bouteille avalée repart en eau, des rigoles de transpiration naissent inlassablement sous mon tee-shirt, la plante de mes pieds colle à l'intérieur de mes sandalettes de cuir, je donnerais n'importe quoi pour prendre une douche fraîche.

Au bout d'une heure ou plus, je décide de me rendre aux toilettes pour me rafraîchir. Abdul Khada me désigne l'endroit – une porte – et, en l'ouvrant, l'odeur me saisit. Une odeur épouvantable. C'est une petite pièce, bourrée de gens qui attendent, et les toilettes sont visibles, de simples trous dans le sol, des immondices partout. Suffoquée, je ressors aussitôt et me précipite vers Abdul Khada pour lui expliquer.

– Il y a sûrement un autre endroit pour les touristes ? Des toilettes propres, normales ?

Il a encore ce rire, dents blanches sous la moustache, comme si j'avais prononcé une stupidité.

– Ne fais pas tant d'histoires!

Il doit me prendre pour une Anglaise prétentieuse, mais comment faire pour se rafraîchir dans un endroit aussi puant? J'en suis sortie si vite que je n'ai même pas eu le temps d'apercevoir un robinet. Il n'y en avait sûrement pas d'ailleurs. De l'eau. On dirait que l'eau n'existe pas.

Je me rassieds, sans rien ajouter, sur le banc de bois. Plutôt mourir que de retourner là-bas.

Le temps ne s'écoule pas ici, il stagne. Nous sommes arrivés en début d'après-midi. Maintenant le soir tombe, et la foule se réduit peu à peu, au fur et à mesure que des avions illuminés attirent des groupes de gens comme des papillons de nuit.

L'aéroport s'étant vidé, les rares conversations résonnent comme dans une église. Abdul Khada et Mohammed ne parlent pas beaucoup, et je me sens de plus en plus déprimée. Nous sommes là depuis sept heures, la nuit est tombée complètement, on ne voit au dehors que quelques lumières rouges ou blanches, je suis écœurée de Coca-Cola, sale, poussiéreuse et j'ai mal à la tête.

Enfin un homme vient nous faire signe de quitter la salle d'attente, et le petit groupe s'ébranle. Je suis contente de faire enfin quelque chose, de bouger, de marcher dans la nuit tiède, mais ce que j'aperçois devant nous n'est pas réconfortant. Un petit avion, rien à voir avec le jumbo jet qui nous a amenés jusqu'ici. Il a l'air si étroit, si fragile. Un petit oiseau vulnérable.

Cette fois je prends place près du hublot qui surplombe l'aile. Malheureusement pour moi, car au moment du décollage, cette aile se met a trembler tellement que je crains de la voir se briser.

Le temps encore une fois s'arrête. Des heures interminables. Lorsqu'une voix nasille enfin dans le haut-parleur, il est cinq heures du matin et nous arrivons à Sanaa. J'ai lu sur un prospectus anglais qu'on appelait parfois cette ville « le toit de l'Arabie ».

Les soubresauts du petit avion ne me font plus peur, puisqu'on arrive. Je regarde le ciel bleu et rose à travers le hublot. Enfin nous sommes arrivés au Yémen, enfin je vais pouvoir me rafraîchir, et revivre un peu.

Sur la piste, l'air qui nous accueille est complètement différent de celui de Damas. Si léger, si pur, qu'il étourdit et essoufle. Cela ajouté à la fatigue de toutes ces heures de voyage, et d'attente sans sommeil et sans nourriture, je me sens complètement ivre.

– Il fait plus frais ici...

Abdul Khada respire à pleins poumons l'air de son pays et dit en souriant :

– Sanaa est la ville la plus fraîche du Yémen, mais il est encore tôt...

– Où allons-nous maintenant ?

– A Taez dans le Sud, ce n'est pas loin de mon village. Tu verras ma famille.

Cet aéroport que nous traversons, dans l'air léger, est construit à l'extérieur de la ville, dans le désert. Rien alentour. Encore une sensation étrange que de se voir marcher sur une piste de béton, avec ce paysage autour de soi.

En arrivant au bâtiment des douanes, je remarque que, dans la file, les voyageurs m'observent avec ostentation. Du moins mes vêtements, pas mon visage. Je porte un tee-shirt de coton et une jupe à fleurs qui recouvre mes genoux, je ne me trouve rien de particulier, et pourtant les regards sont insistants. Surtout ceux des hommes, car les femmes sont peu nombreuses, elles portent le voile et la robe longue. Cette curiosité m'agace un peu.

– Qu'est-ce qu'ils ont à me regarder comme ça ?

Toujours souriant, Abdul Khada me répond négligemment :

– Ne t'en fais pas, il n'y a pas beaucoup de femmes habillées comme toi, par ici, ils n'ont pas l'habitude. Mais dans les villes, il y a beaucoup de femmes modernes, et qui s'habillent bien pire que toi !

« Bien pire que moi ? Je m'habille donc mal, d'une manière indécente ? Vivement que l'on sorte de cet endroit, d'ailleurs j'aimerais voir le désert. »

Ce désert est décevant, il n'a rien du paysage romantique, ondulant, de dunes de sable, tel qu'on le voit dans les films, comme je l'espérais. Je n'aperçois que quelques maisons de pierre délabrées, qui semblent abandonnées, et devant nous des sillons de routes accidentées.

Dix minutes plus tard, un taxi, une grande voiture blanche, s'arrête devant nous pour nous emmener. Il y a six places à l'intérieur. Abdul Khada, Mohammed et moi nous installons à l'arrière. Ce doit être la mode ici d'emmener six personnes d'un coup dans un taxi. J'ai si faim, si soif, si sommeil, et je suis tellement déçue de cette arrivée désertique, et du voyage qui s'annonce, que je ne regarde même pas le paysage. Il paraît que nous devons rouler quatre heures avant d'arriver à Taez.

Les deux hommes discutent en arabe avec le chauffeur, et je somnole, bercée par les cahots de la route, n'ayant ni envie de poser de questions, ni envie de me faire traduire leur conversation. Rien ne m'intéresse, je voudrais récupérer, dormir, dormir, et encore dormir, mais si possible dans un bon lit, et après une douche et un repas convenable. Voilà vingt-quatre heures que je n'ai pu ni me laver, ni manger, ni dormir...

Taez enfin, et déception à nouveau. Tout me paraît minuscule, les rues étroites, les maisons sales, les boutiques qui se touchent les unes les autres, un fouillis inextricable, où l'on ne distingue, a priori, rien de précis ni de remarquable. Le quartier que nous traversons est sale, poussiéreux, et sûrement très pauvre. Les maisons blanches sont en béton, avec des toits en terrasse, et des fenêtres minuscules, grillagées. Et la chaleur, cette maudite chaleur étouffante à laquelle se mêlent les odeurs, les relents d'animaux, les fumées de voitures et les épices.

La voiture est sans cesse ralentie par la foule, qui ne semble guère lui prêter plus d'attention qu'à un âne. Certains conduisent des ânes et des chameaux, d'ailleurs, avec plus de précautions que notre chauffeur sa voiture.

Je n'entends que vacarme, je ne respire que poussière, je ne vois que des détritus partout, des fruits pourris, des restes de nourriture, jetés çà et là dans la rue, écrasés par les roues des voitures et les pieds des passants.

Sur les cartes postales de mon père, les maisons traditionnelles, millénaires, paraissaient superbes, avec leurs couleurs, leurs sculptures de dentelle blanche. Ici, rien de tout cela je ne vois qu'un amas de saletés, d'animaux et de taxis.

Quelques femmes, habillées à l'occidentale, rares; toutes les autres vêtues selon la tradition arabe, voile compris. En fait de modernisme, comme disait Abdul Khada, je ne suis pas loin de représenter le pire.

Au hasard d'un croisement de rue, j'aperçois enfin des maisons aux couleurs étranges, beige, safran, qui accrochent la lumière, puis plus rien que des ruines, des pierres amoncelées sur le sol.

Après la traversée du centre ville, Abdul Khada m'informe en anglais que nous allons chez un ami à lui.

– Nous y resterons pour la nuit, tu as besoin de sommeil, demain nous repartirons pour le village.

– D'accord.

J'aurais accepté n'importe quoi, du moment qu'il était question de s'arrêter quelque part, et de se laver.

La grosse voiture tourne avec difficulté dans une rue si petite que la carrosserie frôle quasiment les maisons, se frayant un chemin au milieu des passants. Je distingue des portes de bois, des fenêtres curieusement ornées de décorations blanches, des murs de brique, ou de pierre, mais il m'est impossible de voir les étages supérieurs, car nous rasons les murs de trop près. Abdul Khada et le chauffeur discutent en arabe, ils semblent chercher la maison. Enfin nous nous arrêtons devant une grande porte marron.

– On est arrivés... dit Abdul Khada, et à l'instant, la grande porte pivote sur elle-même, tandis que nous sortons du taxi, dans la chaleur et la poussière.

L'ami d'Abdul Khada porte un turban rouge enroulé sur le crâne, une chemise et une sorte de jupe longue en coton uni, tombant jusqu'aux chevilles, la *futa*. Il nous accueille sans me prêter beaucoup d'attention, et ne parle pas un mot d'anglais.

Nous pénétrons dans un corridor de béton au sol recouvert d'un linoléum à motifs colorés, puis dans un salon assez grand, où nous marchons sur des tapis, de beaux tapis, aux dessins compliqués et aux tons multiples. Des nattes et des coussins servent de sièges. Il me semble qu'Abdul Khada m'a dit que son ami était assez riche... Ce sont là les seuls signes de richesse apparemment. Avec une télévision dans un coin, et un ventilateur électrique sur une table, qui rafraîchit un peu l'atmosphère.

Je suis tellement fatiguée, j'ai avalé tant de poussière, et tant transpiré, que j'ai les nerfs tendus comme des élastiques, prêts à craquer. L'homme discute un instant avec Abdul Khada et lui indique la salle de bains.

– Tu peux aller te doucher et te changer... Zana.

Je pénètre dans une pièce assez grande, de style occidental, mais toujours ornée du trou en guise de toilette. Peu m'importe du moment que je peux me laver. C'est une vraie douche, et, après avoir enfilé des vêtements frais, je me sens un peu mieux. Dans le salon, les hommes se sont assis pour bavarder, et se lèvent tous ensemble à mon arrivée. Abdul Khada me dit qu'ils vont sortir faire des courses, afin que nous puissions manger. Aucun ne me propose de sortir avec eux, et ils me laissent seule dans ce grand salon.

Je me sens un peu perdue, assise sur un coussin dans un coin de la pièce, mais presque aussitôt la porte s'ouvre et une femme, suivie de deux jeunes filles, vient s'installer à côté de moi. Je ne les ai pas vues en entrant, je suppose qu'il s'agit de la femme et des deux filles de notre hôte. Ici, je l'apprendrai plus tard, les femmes ne pénètrent jamais dans une pièce lorsque les hommes s'y tiennent. Elles deviennent invisibles, attendant les ordres pour leur servir à manger ou préparer des boissons, ou présenter les jeunes enfants mâles aux visiteurs.

Sur le moment, j'ai l'impression qu'elles ne sont entrées que pour m'observer tranquillement. Elles ne parlent pas un mot d'anglais. J'aurais bien aimé discuter avec elles, poser des questions sur la ville, sur le village où je dois aller, la distance, mais je suis condamnée au silence, et à un sourire de temps en temps.

Ma fatigue est si grande, cette solitude et cette impossibilité de communiquer si bizarres, que j'ai tout à coup la gorge serrée. Affamée, si loin de chez moi, lasse à ne plus tenir mon dos droit, voilà que j'éclate en sanglots, comme si on m'avait abandonnée là pour l'éternité. Alors la femme vient vers moi et m'embrasse sur les joues, les deux filles se rapprochent et tentent de me consoler, par gestes, avec des mimiques, leurs regards me sourient, me plaignent, et je me sens vraiment très bête d'avoir craqué ainsi. Par gestes, moi aussi, je leur fais comprendre que je voudrais un crayon et du papier. L'une des filles sort et rapporte ce que j'ai demandé ; je la remercie d'un sourire, et refonds en larmes aussitôt. Impossible d'empêcher les pleurs de couler. Une véritable crise, silencieuse, tandis que je m'efforce de dessiner des objets sur la feuille de papier, et d'inscrire le mot anglais, à côté.

Je ne sais pas pourquoi je fais cela. A quoi sert de dessiner une bouteille, ou une maison, ou un avion, sur un bout de papier d'emballage, devant trois femmes arabes, au fin fond d'une maison de Sanaa sur le toit de l'Arabie ? Pourtant, l'une des jeunes filles recopie tout ce que je fais, les dessins et les mots, maladroitement, mais avec bonne volonté. Et plus je pleure, plus la mère s'attriste, au point de se mettre à pleurer avec moi. Si bien qu'au retour des trois hommes, nous sommes toutes les deux transformées en fontaines de larmes. Abdul Khada paraît surpris, et inquiet.

– Qu'est-ce qu'il y a ? Pourquoi pleures-tu comme ça ?

– Je ne sais pas, demande plutôt à cette femme pourquoi elle pleure !

Il interroge alors la mère en arabe, et me traduit :

– Elle pleure parce qu'elle est désolée pour toi, elle aurait bien voulu te parler, mais elle en est incapable.

Le regard de cette femme est plein de compassion, intense. C'est vrai, elle semble éprouver pour moi une réelle commisération, comme s'il m'arrivait quelque chose de grave. Sur le moment, je n'ai pas compris son attitude, mais elle « savait ». Elle aurait voulu me prévenir du danger. Je lui en suis reconnaissante, mais il était déjà trop tard malheureusement. Le piège était tendu, plus rien ne pouvait me sauver, en ce jour de juillet 1980, où je croyais encore aux vacances. Il n'y avait pas la moindre issue de secours. J'étais prise. Et ne le savais pas. Elle croyait me voir pleurer sur mon sort, je ne pleurais que de fatigue et de faim, sans connaître ma véritable détresse.

Ils parlaient tous arabe autour de moi, ils mangeaient avec leurs doigts des aliments inconnus ; j'ai cru reconnaître du poulet bouilli, des galettes de pain chaudes, des fruits ; ils buvaient je ne sais quoi de blanc, un genre de lait caillé. Je pensais vaguement à maman, à Nadia, à l'Angleterre, au restaurant où l'on devait servir les frites et le poisson, la bière dans les bocks, à la musique, à mes copains... Tout cela me paraissait si lointain déjà, j'étais vraiment perdue, toute seule sur le toit du monde arabe.

J'ai peu mangé, mon estomac était vide, mais ma fatigue bien trop grande pour que je puisse me rassasier convenablement. Je ne pensais qu'à dormir. La femme m'a apporté un drap, je me suis allongée sur une natte, et j'ai plongé dans un sommeil lourd et profond, les yeux brûlants de larmes séchées, comme une enfant lasse.

Un jour chasse l'autre. Au matin, une bonne odeur d'œufs et d'oignons me réveille, les pleurs de la veille sont oubliés, je me lève, me lave, et je mange avec appétit, en bien meilleure forme. Je ne pense plus qu'aux vacances. Nous disons au revoir à la famille, et je demande à Abdul Khada si nous pouvons faire une promenade en ville.

– Je voudrais acheter des souvenirs pour les rapporter à la maison.

– Tu auras tout le temps de faire ça plus tard. Aujourd'hui nous partons pour les collines du Maqbana.

– Où est-ce ?

– Dans le Sud.

– Qu'allons-nous faire là-bas ?

– Voir le reste de ma famille, nous nous installerons chez moi.

– C'est loin ?

– Le trajet est long et difficile, la route n'est pas bitumée partout, seulement au début.

Tous ces noms, Maqbana, Taez, ne me disent rien du tout. Je n'ai jamais vu une carte du Yémen, il n'y en avait pas à Birmingham. L'expérience de la veille me fait prendre des précautions. J'emporte des fruits et des berlingots de jus d'orange, pour ne pas souffrir de faim ou de soif.

Nous quittons la maison, fraîche et calme. Dès la porte franchie, la rue, la chaleur, le bruit, la poussière nous saisissent à nouveau de plein fouet. La chaleur surtout, comme une masse étouffante, qui assoiffe, et noue l'estomac.

– Tu devrais envoyer quelques cartes postales chez toi et leur dire que tout va bien, que tu es bien arrivée. Je les posterai en ville, elles arriveront plus vite en Angleterre.

Abdul Khada a raison, et je m'acquitte aussitôt de cette tâche. A maman, une carte représentant Bab al yaman, que je n'ai pas vu, dont j'ignore l'emplacement, mais c'est joli en couleurs. Une autre pour Lynette, avec des maisons de brique rouge et des fenêtres blanches. Abdul Khada me demande de faire vite, j'aperçois brièvement des boutiques de vêtements, de poteries, de légumes, des étalages de qat, ces feuilles que mâchent les Yéménites. Pas le temps de flâner, Abdul Khada empoche les cartes postales où j'ai écrit deux phrases rapides, debout dans la rue.

– Comment va-t-on au village ? En taxi comme hier ?

– En Land Rover, c'est la seule voiture qui peut rouler sur la route des collines.

Nous attendons, sous le soleil, l'arrivée de cette voiture qu'il a commandée spécialement pour la journée.

– Il n'y a pas d'autobus ?

– Pas pour aller là-bas.

Là-bas... dans les collines du Maqbana, c'est tout ce que je dois savoir. Abdul Khada donne peu d'informations touristiques. Le soleil est à son zénith, quand nous grimpons enfin dans la Land Rover. Le chauffeur, si j'ai bien compris, est le mari de la nièce d'Abdul Khada. Cet homme semble être apparenté à tous les gens que nous rencontrons.

Nous ne sommes pas les seuls voyageurs : douze passagers en comptant Abdul Khada, Mohammed, et moi. Et deux femmes seulement, assises à l'avant, entièrement voilées de noir. Elles sont privilégiées, car nous nous entassons tous à l'arrière, en nous bousculant, et serrés comme des sardines.

Durant une heure environ, la route est relativement plate et lisse. On me dit qu'elle a été construite par les Allemands. Le paysage alentour n'a rien de passionnant, des broussailles, de la terre aride et le soleil au-dessus. La seule distraction se sont les barrages routiers et les vérifications de papiers. Tous les trente kilomètres ou presque des soldats armés, des policiers arrêtent la Land Rover.

– Pourquoi font-ils ça aussi souvent ?

Abdul Khada hausse les épaules distraitement.

– C'est pour vérifier le permis de voyager.

– On ne peut pas voyager sans permis ?

– Non. Il y a des frontières pour chaque tribu. Avant il y avait beaucoup de guerres entre tribus, des gens qui se tuaient ; l'armée surveille, c'est la paix maintenant.

La paix, mais ils sont tous armés de fusils, et ne cessent de tripoter la gâchette, comme s'ils étaient prêts à tirer. La plupart des hommes mâchonnent du qat, la drogue locale. Yeux noirs, moustaches, fusils, ils sont tout sauf rassurants. Mais il y a tellement de barrages de ce genre que je finis par m'habituer ; d'ailleurs les soldats ne semblent pas s'intéresser particulièrement à l'un ou l'autre d'entre nous. Ils regardent les papiers et font signe de rouler.

Au bout d'une heure donc, nous quittons la route, pour prendre un chemin qui mène aux collines. Le paysage est toujours aussi lassant, uniforme. Les villages se suivent et se ressemblent. Parfois quelques ruines, des pierres éboulées sur le sol craquelé de chaleur. Le décor est inhospitalier, je n'aperçois de-ci de-là que quelques silhouettes furtives. De temps en temps dans le désert rocailleux, un enfant maigre, et quelques moutons, ou une vache. Je me demande ce que ces animaux trouvent à manger, à part les quelques broussailles desséchées. Au passage de la Land Rover, des poulets, occupés à picorer dans les débris de vieux bâtiments écroulés, s'éparpillent en piaillant. Des meutes de chiens efflanqués fouillent les poubelles devant les maisons, dévorés de puces, se grattant comme des hystériques.

Quelquefois, lorsque la Land Rover traverse de petits villages, nous croisons des femmes voilées, portant des jarres ou des bidons d'eau sur la tête. Là, le spectacle est moins sinistre. Les hommes sont assis devant les maisons et bavardent, et dès que la voiture ralentit devant eux, ils cessent de parler et dévisagent les passagers. Je dois attirer particulièrement leur attention, car leurs regards me fixent intensément. Le temps que descendent quelques voyageurs, leurs yeux ne me quittent pas d'une seconde, comme fascinés et réprobateurs.

Parfois des hommes interpellent Abdul Khada, sans cesser de mâcher leur qat et de cracher des jets de salive. Je suppose qu'on lui souhaite la bienvenue au pays, puisqu'il était parti depuis quatre ans. Et je suppose également qu'ils parlent de moi. Comme je ne comprends pas, je me contente de sourire et de saluer poliment de la tête, pour regarder aussitôt ailleurs. « Sois polie et respectueuse » a recommandé mon père. Je le suis, autant qu'il m'est possible.

Les maisons se ressemblent toutes, mêmes toits plats, mêmes murs d'une couleur bizarre, marron sale, et pour cause ! Le matériau employé, m'explique Abdul Khada, est essentiellement de la bouse de vache séchée, appliquée sur la pierre. On les dirait vieilles de centaines d'années, avec leurs minuscules fenêtres closes par des volets, pour les protéger du soleil. Ni verdure, ni jardin, des ruelles en nuages en poussière.

Le temps s'écoule, le temps n'a pas de réalité sur ce chemin de terre et de rocailles. Il semble que nous allons au bout du monde.

Enfin nous parvenons dans l'après-midi à ce qui me paraît une véritable oasis. Nous avons roulé quelque temps non loin d'une rivière verdoyante, des champs de récolte ont surgi, des arbres fruitiers. Le village semble prospère.

– Où sommes-nous ?

– Le village s'appelle Risean. Nous allons nous arrêter pour boire.

Ici tout est différent, et agréable. Des champs de pommes de terre, des carottes, des oignons, des salades, des choux, des plantations d'épices odorantes et inconnues. J'aperçois même quelques ceps de vigne, mais surtout des arbres fruitiers en quantité. Un véritable verger. Amandes, noix, pêches, abricots, poires, citrons, et d'autres que je n'ai jamais vus. J'apprends que ces fruits bizarres sont des grenades. Le lieu me plaît, c'est un petit paradis. J'espère que le village d'Abdul Khada ressemble à cela. J'aimerais bien passer des vacances dans un endroit aussi ravissant, et aussi propre.

Dans les autres villages, nous n'apercevions que difficilement les gens; ici tout le monde est dehors au soleil, tout le monde travaille. Les paysans sont noirs et habitent dans de petites maisons de paille, des huttes, dont la pauvreté est frappante au milieu de cette verdure, de ces champs soigneusement cultivés. J'aimerais poser beaucoup de questions à leur sujet, mais Abdul Khada ne consent à me donner qu'une seule information, ils se nomment *Akhdam*, et ce sont des esclaves.

Nous buvons un jus de fruits rouge et délicieux, puis Abdul Khada fait signe de remonter dans la Land Rover.

Abdul Khada paraît très content, il me dit en souriant :

– Tu aimeras mon village...

– Oui, sûrement.

J'ai hâte de rencontrer d'autres gens, de faire connaissance, de vivre l'aventure des vacances.

– Nous avons de très beaux pommiers, et des orangers aussi.

– Ça a l'air super.

Le chagrin de la veille s'est bien envolé. Je me replonge dans la contemplation du paysage, en attendant d'arriver chez Abdul Khada. J'imagine un village comme celui que nous venons de quitter. Mais voilà que le décor change à nouveau. Un désert aride nous accueille, éclaté de soleil, identique au précédent, morne et sans vie. J'attends la prochaine oasis avec impatience.

Il n'y en aura pas. Nous avançons dans les collines; la route, le sentier plutôt, devient abrupt, et le conducteur de la Land Rover passe en première pour grimper le long d'une paroi presque verticale, heurtant des pierres et des éboulis de rochers à chaque tour de roue. Je suis secouée, ballotée, comme le reste des passagers. Soudain la voiture s'arrête, au milieu de nulle part.

Abdul Khada dit simplement :

– C'est là que nous descendons.

Mohammed descend, je descends, il salue les voyageurs, la Land Rover fait demi-tour dans un nuage de poussière, et nous restons là sur le bas-côté, avec nos valises.

Je regarde autour de moi : rien, aucune maison, pas une âme. Des collines nues à perte de vue, quelques buissons éparpillés, comme des touffes de cheveux malades.

– Où habitez-vous Abdul ?

Il pointe le doigt en direction d'une colline derrière nous.

– Là-haut.

Abdul Khada sourit jusqu'aux oreilles, prend ma valise et nous commençons à grimper, lentement, un sentier rocailleux et à pic. En direction d'où ? Vers quoi ? Je commence à cauchemarder de nouveau. N'avoir jamais fait ce voyage, n'être jamais partie, ni montée dans ces maudits avions. Mes sandales dérapent et glissent de mes pieds à chaque pierre; j'ai chaud, soif, et me sens sale à nouveau. Alors que nous atteignons enfin le sommet de la colline, un village s'étend devant nous, et j'ai un soupir de soulagement. Il n'est pas aussi beau que le précédent, mais je vais pouvoir me laver. C'est une obsession depuis deux jours. Poussière, chaleur, saleté, je ne songe qu'à me jeter sous une douche.

Le spectacle de ce village est curieux. Les maisons toutes semblables, accrochées à la colline, d'autres collines alentour, des broussailles encore et toujours, quelques rares arbres. Tout cela semble suspendu entre ciel et terre et, d'en bas, au premier regard, on ne voit qu'une montagne de poussière blanche, et ces maisons fantomatiques.

En espérant qu'Abdul Khada va me désigner la maison la plus proche de nous, je demande poliment :

– Quelle est votre maison ?

– Celle-là, là-haut !

Il indique de son bras tendu, une maison toute seule, au-delà du village, au sommet de la colline la plus élevée.

Des oiseaux de proie dessinent des cercles tout autour, on dirait le repaire d'un ours. Pour y accéder, il faut, si j'en crois mes yeux, grimper au flanc de ce précépice abrupt, par des marches creusées dans le rocher.

Je reste un instant à reprendre mon souffle, et à contempler cette maison, stupéfiée par son isolement. Elle surplombe tout le village et domine cet univers sec, vide et sauvage. Vue d'en bas, elle paraît grande, mais pas du tout accueillante, ni confortable. Comment peut-on habiter là-haut, à longueur d'année ou de vie ?

Nous avançons sur le sentier, en direction d'une première maison, dont Abdul Khada m'explique qu'elle appartient à son frère Abdul Noor. Une petite construction de plain-pied, une porte unique et deux fenêtres, située exactement à l'aplomb de la maison d'Abdul Khada, en dessous, de telle manière que quelqu'un se tenant sur le toit de la maison d'en bas, pourrait parfaitement discuter avec quelqu'un d'autre au-dessus. A condition de crier bien entendu. Mais cette maison est minuscule, j'imagine mal qui peut vivre à l'intérieur, et comment.

Nous la dépassons, et Abdul Khada me guide au bord de l'à-pic.

– Jamais je ne pourrai escalader ça !

– Mais si tu peux... regarde le sentier.

Un sentier ça ? Il est quasiment inexistant, et je ne vois même pas où il mène. Au bout de quelques pas difficiles, une minuscule piste de chèvre apparaît le long de la paroi, et j'entame courageusement l'escalade en m'efforçant de ne pas regarder les éboulis de pierres en dessous. Nous sommes à peine à mi-chemin, et les cailloux s'effritent sous mes pas, mes sandales dérapent, et je tombe douloureusement à genoux au milieu d'une avalanche de pierres. Je pousse un tel cri qu'Abdul Khada m'empoigne par une main et me hisse en me tirant comme un poids mort.

Il nous faut une demi-heure pour parvenir au sommet de ce maudit rocher, où se juche cette maudite maison. Je suis en sueur, trempée complètement, mes genoux saignent, mes mains saignent, chacun de mes muscles est crispé. Les deux hommes, eux, ont l'air habitués. Un rapide coup d'œil en bas me donne le vertige. Quand je pense qu'il faudra redescendre...

Perchée tout en haut, comme sur le sommet du monde, cette maison fait face à un paysage aride et désolé. Sur des dizaines de kilomètres et aussi loin que porte mon regard, on ne voit que des collines, des montagnes, rien de vivant à l'horizon. C'est une île minuscule flottant dans le ciel. Flottant dans le silence du crépuscule. Le soleil disparaît derrière les montagnes lointaines, entraînant avec lui, de légers nuages violets, et je reste quelques instants, le souffle coupé devant ce spectacle.

« Comment suis-je arrivée là ? Par quel sorte de chemin ? » Je n'ai aucun repère, j'ignore où est le dernier village rencontré, je ne sais plus d'où nous venons. Perdue. Et ce silence... Pas une voix humaine, pas un cri d'animal.

La nuit va tomber, et je suis moi aussi une île en suspension dans ce ciel étrange. Je suis partagée entre deux sensations. « Suis-je un fantôme dans un paysage fantôme ?... Non, je suis Zana Muhsen, je voyage à l'étranger, ce décor est réel, je n'ai pas peur. Tout est normal, simplement inconnu. »

Abdul Khada et Mohammed passent devant moi, et des voix humaines les accueillent. Le silence est rompu. Je découvre la famille.

Voici les parents d'Abdul Khada. La grand-mère Saeeda, toute petite, l'échine courbée, la tête grise, et maigre comme une enfant. Et le grand-père aveugle, Saala Saef. Un homme impressionnant, très grand, extrêmement mince, un visage comme taillé dans du vieux bois, creusé de deux yeux blancs, morts, et couronné de cheveux également blancs. Puis Abdul Khada veut me présenter sa femme, Ward, mais déjà Mohammed me montre sa propre famille, sa femme Bakela, et ses deux petites filles Shiffa et Tamanay, qui ont environ huit et cinq ans.

Je souris en inclinant la tête, en attendant de comprendre ce qu'ils disent. Abdul Khada ne prend pas la peine de me traduire, mais ils semblent contents de me voir, très accueillants, je suis une invitée d'honneur.

Les trois femmes et les petites filles portent des vêtements traditionnels, semblables à ceux que j'ai vus dans les autres villages. Des robes de coton de toutes les couleurs, recouvrant des pantalons bouffants de coton uni agrémentés d'une bordure chamarrée, et des claquettes aux pieds. Des foulards bariolés recouvrent leurs chevelures. On m'a dit que la règle, stricte pour les femmes, consiste à ne pas montrer ses cheveux à l'extérieur, dans la rue par exemple, ou en allant faire des courses. Au cas où elles rencontreraient d'autres hommes, tout doit être caché par un grand foulard noir. Chez elle à la maison, ou devant leurs portes, elles ont le droit de laisser pendre leurs nattes, de montrer une frange de cheveux.

A chaque coin de la maison, j'entends le petit bruit des claquettes que tout le monde porte aux pieds. Le genre de sandales en plastique fabriquées à Hong Kong, que l'on voit parfois en Angleterre, aux pieds des estivants. Le grand-père est le seul à porter des chaussures traditionnelles, semelles de bois solides, ornées d'une lanière de cuir, nouée sur le dessus.

La maison d'Abdul Khada, très à l'écart des autres, est aussi bien plus grande. Une large porte principale, peinte en gris, donne accès à l'intérieur, où l'on bute aussitôt sur un escalier de bois menant au premier étage.

Pénétrer dans cette maison, c'est pénétrer dans une cave. Il fait si sombre qu'il me faut quelques minutes avant de pouvoir distinguer les choses. Des poulets courent partout entre nos jambes, et l'on entend, derrière la porte d'une écurie, des piétinements d'animaux. On sent l'odeur aussi.

Nous gravissons des marches de pierre, vers l'étage du dessus, où vit la famille. Les murs, les sols, de pierre également, sont recouverts d'une sorte de plâtre qui sent la bouse de vache et a la consistance du sable durci. Toute la maison sent l'étable. En haut de l'escalier, nous entrons dans une sorte de petit vestibule, nu, si l'on excepte quelques coussins empilés dans un coin. Toutes les pièces donnent sur ce lieu de vie principal. Des portes de bois épais, très étroites et munies de solides verrous donnent accès aux chambres. Pour y pénétrer, il faut se placer de profil.

Ward, l'épouse d'Abdul Khada, me conduit vers ma chambre. C'est une femme sans beauté, du même âge que son mari. Le teint olivâtre, les cheveux châtains, à la fois ridée et bouffie, elle observe les gens de ses petits yeux malins, agitant ses mains usées, où tintent des bracelets d'or. La profusion de bijoux qu'elle étale ne fait qu'accentuer l'impression que cette femme est vieille avant l'âge. Les boucles d'oreilles, or sur peau flasque, les bagues, or sur doigts déformés, sont ici le symbole de la mère de famille, la reconnaissance de l'homme pour l'esclavage consenti au foyer.

Je me glisse à l'intérieur de la pièce minuscule, le sol est recouvert d'un linoléum, et je crois comprendre que c'est un luxe qui n'existe que dans cette chambre. Cinq petites fenêtres minuscules et étroites – deux sur un mur, trois sur un autre – fournissent une petite brise et un peu de lumière du dehors. A cette heure-ci, on ne distingue rien que le noir des collines dans les deux directions. Une lampe à huile éclaire le plafond et répand une odeur de fumée.

Un poste de télévision dans un coin, anachronique ; on a dû l'allumer pour mon arrivée, l'image est en noir et blanc, pas très nette, et le son grésillant. J'ai beau tourner le bouton dans tous les sens, il n'y a que des chaînes arabes, impossible de comprendre. Abdul Khada me dit fièrement :

– Je l'ai acheté pour toi, pour que tu ne t'ennuies pas.

C'est gentil de sa part, mais je ne vois pas ce que je peux faire de cet instrument. D'ailleurs je n'ai pas l'intention de passer mes vacances enfermée dans cette pièce. Je serai dehors toute la journée et à l'air frais. Cette odeur persistante de fumier, d'étable, de bouse séchée sur les murs, je ne pense pas que je pourrai m'y habituer.

L'unique meuble de la pièce est un sommier de métal, sur lequel repose un matelas, extrêmement mince, de l'épaisseur d'un pouce, un oreiller et une couverture. Le long d'un mur, une sorte de plate-forme un peu surélevée, faite du même mélange de sable et de bouse de vache. Cela sert de banquette, de chaise, un endroit où s'asseoir lorsqu'on n'est pas dans le lit. J'ai remarqué le même à l'extérieur de la maison, en arrivant. Les deux vieillards, le père aveugle et la mère d'Abdul Khada, s'y tenaient assis, sur un petit matelas identique au mien. Ce doit être leur lieu de repos dans la journée pour prendre le soleil et regarder le paysage. On respecte les aînés dans ce pays, ils ont construit la famille, et tout le monde prend soin d'eux.

Une autre chambre est réservée à Mohammed, sa femme et leurs deux enfants qui dorment par terre, étant donné l'exiguïté de la pièce. La même pour les grands-parents, et une autre étroite et longue pour Abdul Khada et sa femme Ward. Nous terminons la visite de la maison en empruntant une cage d'escalier menant au toit où la famille passe le plus clair de son temps.

Dans un recoin de la cage d'escalier, une minuscule cuisine, noire de fumée, avec une cuisinière à bois et un petit réchaud à huile. Abdul Khada m'explique que la cuisinière sert à faire les *chapatis*, sorte de galettes qui sont la base de la nourriture yéménite. Près de la cuisine, la salle de bains. Je la découvre au moment où je demande discrètement à Abdul Khada de me montrer les toilettes. Il me désigne alors un minuscule encadrement de porte dans le mur de la cuisine, et l'ouvre.

Il faut se baisser pour entrer. A l'intérieur, l'obscurité est complète, excepté un rond de lumière pâle provenant d'un trou dans le sol de ce recoin sinistre. L'installation rudimentaire me surprend tout de même. Mais à quoi est-ce que je m'attendais ? Ici les toilettes donnent sur le vide. Le plafond est si bas que l'on peut se déplacer le dos courbé uniquement, les gestes étant limités par les quatre murs. Une cuvette remplie d'eau sert de lavabo, il est impossible de l'utiliser autrement qu'en s'accroupissant au-dessus du trou. Et tout ce qui tombe dans ce trou coule le long des pierres de la maison, pour aller se répandre dans les buissons d'épineux. Le soleil se charge du reste...

Utiliser cet endroit m'embarrasse, et plus tard, je me résignerai à y aller la nuit, lorsque personne n'est à côté dans la cuisine. S'il m'est nécessaire de m'y rendre dans la journée, je prends la précaution de monter sur le toit et de m'assurer que personne ne se tient alentour. On a toujours l'impression d'être vue.

Pour faire sa toilette, c'est tout aussi compliqué. Il faut utiliser une autre cuvette d'eau, froide bien entendu, et il n'y a pas de savon. J'ai heureusement apporté le mien d'Angleterre.

Ce soir-là je ne me suis pas demandé d'où pouvait bien venir cette eau. Pourtant il n'y avait pas de robinet, pas d'eau courante. Je m'en suis servie sans réfléchir, comme si j'étais en Angleterre ; j'avais besoin de me rafraîchir après ce long périple dans le désert et les montagnes. Les jours suivants, je me suis rendu compte du travail infernal que demandait l'usage de cette eau.

Je n'ai pas faim. Tout est si bizarre. Je me sens intimidée, gênée. Il me faut du temps pour reprendre mes esprits et réfléchir à la suite du voyage. Je m'assieds sur le sol de linoléum dans « ma » chambre, et me contente de regarder la famille assise en rond autour de la nourriture, dans le vestibule. C'est une scène insolite. Chacun s'est installé sur un coussin, des lampes à huile les éclairent, ils mangent des *chapatis* émiettés dans du lait, et contenus dans un grand bol unique placé au milieu de la pièce, à même le sol. Ils ramassent cette mixture avec leurs mains, en font une boulette et la dégustent au-dessus d'un bol individuel plus petit.

Leurs gestes sont habiles, je les observe avec curiosité. La nourriture en vrac dans le creux d'une main, secouée légèrement en tournant, devient cette boulette que le pouce projette dans la bouche. Et on recommence...

Ils parlent tous, rient beaucoup, et toute seule dans mon coin, je me dis que jamais je ne parviendrai à manger de la sorte. Mais je suis fascinée par ce spectacle, incapable de comprendre le moindre mot, témoin muet. Ainsi me voilà au milieu d'une famille yéménite, en plein repas du soir. Cette scène va s'imprimer dans mon souvenir, comme une photographie de vacances. Je suis impatiente de raconter cela à mes amies.

Ils boivent de l'eau. Tout à l'heure on m'a offert ce qu'ils appellent le *Vimto*, une sorte de sirop de cassis concentré, mélangé à de l'eau, que l'on achète ici spécialement pour les fêtes. Et la fête ce soir, c'est le retour des hommes, le père et le fils, ainsi que mon arrivée. Moi Zana Muhsen, l'invitée d'honneur, amenée jusqu'ici par le maître de maison, Abdul Khada, dont l'absence a été si longue qu'ils le pressent d'une foule de questions; il est le centre de l'attention, il fait à lui seul l'essentiel de la conversation, chacun l'écoute respectueusement. Il a retiré son costume de voyage et revêtu un pantalon de toile, ainsi qu'une chemise sans col. Je le regarde, son nez busqué, ses yeux très noirs, sa bouche dissimulée par une moustache hirsute, les hommes ici se ressemblent énormément. Les frères d'une même tribu.

Au fond c'est une chance d'être ici, peu d'étrangers voyagent au Yémen. Je me sens acceptée, je vais tout connaître d'eux, de leur vie, de leurs coutumes, et pouvoir raconter énormément de choses à mon retour en Angleterre.

Le grand-père est impressionnant avec son regard fixe d'un bleu mort. Bakela lui prépare des boulettes qu'elle lui glisse dans la bouche comme à un enfant. Elle est belle et la jeunesse de son visage, près de celui du vieillard, est lumineuse. Le teint pâle resplendit, encadré de volutes de cheveux noirs, lustrés, bouclés. Elle surveille chaque bouchée attentivement, en fronçant d'épais sourcils qui se rejoignent sur le front. Le vieillard parle peu, il ouvre la bouche à chaque boulette, la referme, comme un automate.

Ils vont maintenant se coucher, et je peux me glisser dans la salle de bains pour y faire une toilette de fortune à l'abri des écoutes indiscrètes. Puis je regagne ma chambre, à tâtons, et m'installe sur le lit, épuisée. Il est dur et très inconfortable, et malgré mes efforts, je me sens encore sale. De plus, la faim qui me faisait défaut tout à l'heure me creuse à présent l'estomac.

« Qu'est-ce que je fais là ? Sur ce lit dur comme un caillou, dans cette chambre qui sent la bouse de vache... Ce n'est qu'une aventure, je ne resterai pas dans ces lieux bizarres très longtemps. »

Le sommeil m'a prise d'un coup comme un assommoir. Je n'ai même pas rêvé cette nuit-là.

Je suis réveillée par le chant du coq. L'aube filtre à travers les petites fenêtres. Le temps de réaliser où je me trouve, et je saute sur mes pieds pour regarder dehors. Les montagnes environnantes ont une allure impressionnante, dramatique. Dans la lumière de ce lever du jour, elles se découpent sur le ciel comme des géants menaçants. Accrochée à la minuscule ouverture qui donne sur le vide, j'ai l'impression d'être encore dans l'avion.

J'entends des piétinements derrière ma porte et des bruits d'eau ; une odeur de friture se répand dans la maison. Les femmes m'accueillent en inclinant la tête, sans cesser de parler entre elles. Le petit déjeuner se compose de *chapatis*. En fait ce sont des sortes de crêpes, à base de farine, d'eau et de beurre, que l'on mange à peine sorties du four à bois. L'odeur est douceâtre, agréable, le goût sucré, mais il faut les manger très vite avant qu'elles ne durcissent, et se transforment en petites galettes de pierre. Il y a aussi du thé noir et sucré que Ward, la femme d'Abdul Khada, verse dans un grand récipient. On m'offre du lait que le maître de maison a fait acheter spécialement à l'épicerie du village, pour me faire plaisir, puisque les Anglais boivent le thé avec du lait. J'en remercie poliment Abdul Khada.

Bien que l'atmosphère de cette maison soit étrange, et ses habitants aussi, je reconnais qu'ils font tout ce qu'ils peuvent pour m'être agréables. Il serait déplacé d'avoir l'air impatient, et de demander quand je pourrai enfin voir mon frère Ahmed et ma sœur Leilah. J'en meurs d'envie pourtant. Je ne les ai jamais vus, ils ne parlent pas la même langue que moi, mais ils représentent une partie de ma famille, et je suis curieuse de les rencontrer enfin. A Birmingham, je ne me posais pas la question. Pour être franche, j'avais même oublié leur existence, et comme maman n'en parlait plus, ils n'étaient pas une préoccupation du tout, pour Nadia et moi.

En attendant qu'Abdul Khada me dise ce que nous allons faire, je joue devant la maison avec les enfants. Le jeu consiste à apprendre des mots d'arabe. Caillou, main, tête, maison, etc. Les deux petites filles, Shiffa et Tamanay, sont attendrissantes et pleines de vie. Shiffa a huit ans, sa sœur cadette quatre ans, et elles se ressemblent comme deux poupées. Même cheveux longs, raides et noirs dans le dos, ornés d'un petit foulard bariolé. Même regard brun sombre mais lumineux de gaieté. Deux enfants ravissantes, avec lesquelles j'ai plaisir à jouer. Mais les heures passent, la journée s'écoule, puis une autre nuit, sans qu'Abdul Khada me parle de voyage. Il est descendu au village, sans me proposer de venir avec lui, et n'a réapparu que le soir.

Le grand-père est resté toute la journée sur le banc devant la maison, au soleil, aveugle et silencieux, écoutant les rires des enfants. Les femmes ont passé le plus clair de leur temps à charrier de l'eau, et à cuire des *chapatis*. J'ai usé de ruses de Sioux pour me rendre dans le placard des toilettes, sans que personne ne le remarque. Le soir, j'ai fait un effort pour manger comme les autres, et ma maladresse a fait sourire Abdul Khada. Il s'est rendu compte de ma difficulté à m'asseoir par terre et à me servir de mes mains. Si bien que le lendemain, il s'est résolu à m'apporter à manger dans ma chambre, j'ai eu droit à une assiette, une fourchette et de la nourriture spécialement cuisinée pour moi. Il a compris également que je m'ennuyais.

– Tu veux venir au village, voir les boutiques ? Je t'emmène cet après-midi.

Bonne nouvelle ! Abdul Khada va m'acheter des cigarettes.

Non que je sois une grande fumeuse (en Angleterre, je fume surtout en cachette, une ou deux fois par jour, plus par défi que par besoin), mais je m'ennuie et mon dernier paquet est épuisé. Les femmes ne fument pas ici, elles n'en ont pas l'autorisation d'après ce que j'ai cru comprendre, mais Abdul Khada ne me considère pas comme elles, je suis anglaise, il me traite comme son égale.

Si j'avais pu deviner... Si j'avais su que tout cela n'était que comédie, que cette maison, cette famille étaient le pire des pièges... Mais rien, absolument rien, ne peut m'inquiéter alors. Il se montre tout à fait gentil et prévenant. Je suis l'invitée, celle à qui l'on consacre du temps, à qui l'on fait visiter les environs.

Il y a deux chemins pour gagner le village en contrebas. La distance à parcourir est la même, la seule différence est que les femmes seules n'ont pas le droit de choisir leur itinéraire. Avec un homme, elles peuvent emprunter le sentier visible, croiser d'autres gens ; seules, elles passent derrière la maison. Coutume.

Le village comporte une centaine de maisons, très proches les unes des autres, celle d'Abdul Khada est la seule à l'écart. A notre passage beaucoup de gens le saluent, il est connu et semble apparenté d'une manière ou d'une autre à tous les hommes que nous rencontrons. La plupart de ceux qui s'arrêtent pour lui parler ont le même âge que lui et ont travaillé en Angleterre autrefois. Ils connaissent suffisamment ma langue pour me demander poliment si j'aime le Yémen, si je suis contente d'être ici, des choses tout à fait banales.

Les boutiques du village, au nombre de trois, ressemblent plutôt à des cabanes. Un grand rideau métallique leur sert de porte d'entrée, ni vitrine, ni étalage. Les étagères sont presque vides, accrochées de guingois sur les murs recouverts ici de chaux blanche. On y voit peu à l'intérieur, malgré les lampes à huile suspendues au plafond. Il y a le marchand de tissu, l'épicier et une sorte de bazar, où l'on peut acheter du Coca-Cola, des cigarettes. L'approvisionnement est restreint, les conserves peu nombreuses. Tout cela me paraît plutôt sale et pauvre.

Toutes les maisons se ressemblent : deux étages, et l'écurie au rez-de-chaussée. L'odeur des animaux, brebis, vaches, moutons, poulets, est omniprésente. La chaleur la rend parfois insoutenable, pour l'Anglaise que je suis. Munie de mes cigarettes, j'ai bientôt fait le tour de ces rues encombrées de détritus de toutes sortes. Ici les gens n'ont aucun endroit pour se débarrasser des ordures et les jettent tout simplement devant chez eux ou bien les brûlent de temps en temps.

Je n'aperçois aucun touriste, je suis la seule étrangère, il n'y a aucune ligne de téléphone, pas d'électricité, et le premier bourg important, et un peu moderne, se trouve à deux heures de route vers le Sud, non loin de la frontière entre les deux Yémen. C'est la ville de Taez où je suis allée le premier jour.

J'ai beaucoup de mal à me situer ici, nous devons être environ à deux cents kilomètres de Sanaa, la capitale, peut-être plus, mais la route était si compliquée et tortueuse, que j'ai eu le sentiment de faire un millier de kilomètres. Aucune carte routière, existante, pas de cartes postales du village, et, de toute façon, pas de poste en vue. Si je veux écrire depuis le village, je devrai donner mon courrier à Abdul Khada, qui le confiera à quelqu'un, lequel le remettra au premier villageois qui se rendra à Taez. Nous sommes vraiment au bout du monde, mais tout compte fait l'aventure me plaît pour l'instant.

Abdul Khada prend son temps pour donner de ses nouvelles aux hommes qui l'interpellent. On lui demande comment va sa famille en Angleterre, que je ne connais pas. Dans quelle sorte d'usine il a travaillé. On lui demande également comment marche son restaurant à Hays. Il est donc propriétaire d'un restaurant, je l'ignorais. Comme j'ignore où se trouve cette ville de Hays dont ils parlent. Personne ne s'étonne de ma présence à ses côtés, mon père est un ami à lui, c'est suffisant.

En fait Abdul Khada n'est ni riche, ni puissant, dans ce village, c'est un homme qui ne me semble ni prétentieux, ni autoritaire, un citoyen ordinaire, appartenant à la classe moyenne, vivant comme les autres villageois, dans le même genre de maison, avec sa famille-tribu, dont il a la charge financière.

Cette première promenade au village s'est bien passée, et sur le chemin du retour, je discute agréablement avec mon guide :

– Où se trouve cette ville Hays ?

– Près de la route principale qui mène à Sanaa. Mon fils m'a aidé à l'ouvrir.

– Mohammed ?

– Non. Mon fils cadet Abdullah. Je t'ai montré sa photo hier.

– Ah oui.

En réalité, je n'ai pas fait très attention. Je sais vaguement qu'Abdul Khada a un autre fils, j'ai vu passer une photo, mais n'en ai aucun souvenir précis.

De retour à la maison, nous nous asseyons sur le banc dehors, en compagnie des grands-parents et des deux petites filles. Le soleil commence à tomber ; de toute façon il fait meilleur dehors qu'à l'intérieur. Les odeurs, la promiscuité, les murs sombres, le manque de lumière surtout m'incitent à sortir.

Ils parlent entre eux, je regarde en contrebas le village que j'ai vu de près. Comment se nomme-t-il déjà ? Hockail... c'est ça. Un petit amas de maisons dans la montagne. On dit les collines, par ici, mais je n'ai jamais vu de collines aussi hautes en Angleterre. Nous sommes sûrement sur un grand plateau rocheux, très haut, lui-même surmonté d'autres collines. Je ne suis pas très forte en géographie, et ici la géographie semble ne servir à rien. Il faut sûrement être né dans cet endroit pour savoir s'y orienter. Si je devais repartir toute seule, j'aurais trop peur de me perdre, et me perdrais sûrement.

Parfois je trouve cet endroit beau, sauvage, avec tous ces rapaces tournoyant dans le ciel, cette mer de collines à l'horizon infini. Surtout le soir, ou le matin, lorsque la lumière en fait un décor lunaire. Une autre planète. Mais le plus souvent je trouve l'endroit trop sale, trop chaud, trop poussiéreux, trop loin de tout, et du confort minimum : un robinet, une chasse d'eau, un vrai matelas, une chaise, une table pour manger.

Ce soir l'air est un peu vif, rafraîchissant si l'on peut dire, car rien n'est jamais frais ici, et il doit pleuvoir tous les dix ans...

Ce soir, je me sens moins isolée, j'ai vu du monde, j'ai des cigarettes, j'ai parlé anglais.

– Voilà mon fils, Abdullah...

Toute la famille se lève pour accueillir le nouveau venu. Moi aussi. Un gamin. Il a quatorze ans, et en paraît huit. D'apparence chétive, maladive même, il est très mince et très pâle, avec un curieux visage crispé, l'air mécontent de lui, et du monde. Le pauvre garçon n'est vraiment pas beau, avec son grand nez, démesuré dans un visage si enfantin. Ward, sa mère, se précipite pour se charger de son sac de voyage, et l'embrasser. Le reste de la famille l'entoure, puis Abdul Khada me prend par la main et ME présente son fils :

– Voici Abdullah, c'est mon fils.

Je tends la main, formellement comme je l'ai fait avec les autres au début. Sa main est molle, plus petite que la mienne, sans consistance. Je crois bien qu'il détourne légèrement les yeux : ma toilette occidentale peut-être, ou la timidité. On ne le dirait pas capable de soulever un seau d'eau; Abdul Khada m'a pourtant dit que c'était lui qui l'avait aidé à installer et à repeindre son restaurant.

Nous nous rasseyons sur le large banc, et je poursuis ma conversation avec Abdul Khada, sans prêter spécialement attention à Abdullah, sauf un regard de temps en temps pour être polie. Il ne semble pas plus curieux de me connaître.

Comme le soleil commence à descendre derrière la montagne, et que l'air se rafraîchit vraiment, nous rentrons, et je vais m'installer dans ma chambre avec Abdul Khada et les autres. Depuis le deuxième jour, ils ont pris cette habitude de venir parler avec moi, « chez moi », avant le repas du soir.

Abdul Khada s'assied sur la banquette recouverte de la couverture, je suis à sa gauche, son fils Abdullah à sa droite. Au bout d'un court moment, les autres se lèvent. Le grand-père et la grand-mère, Ward, Mohammed, sa femme et les enfants. Ils nous laissent seuls tous les trois. J'imagine qu'ils vont s'occuper du repas. Je suis à ma place préférée, près de la fenêtre, pour recevoir l'air frais du dehors. Le jeune garçon, assis, les jambes pendantes, ne dit rien, et fixe les dessins du linoléum.

Le silence règne maintenant dans la pièce, et je me rends compte qu'ils ont fermé la porte de la chambre en sortant les uns derrière les autres.

Abdul Khada parle, le ton n'a rien de solennel, il dit comme il dirait quelque chose de banal :

– C'est ton mari.

La petite phrase a mis du temps à parvenir à ma conscience. Il plaisante. Je regarde Abdul Khada, mi-figue mi-raisin, ne sachant si je peux me permettre de rire, ou pas.

– Quoi ?

– Abdullah est ton mari.

Il répète, sans se fâcher, mais le ton est un peu plus ferme, et je m'efforce de me concentrer. « Ai-je bien entendu les mots, ai-je bien compris le sens ? A-t-il dit “ Abdullah est ton mari ”, ou “ Abdullah pourrait être ton mari ” ? Peut-être a-t-il dit autre chose... » Non. Il a bien dit « mari » et me regarde, regarde Abdullah qui, lui, fixe toujours le linoléum en silence. Tout à coup mon cœur se met à battre si fort dans ma poitrine que je panique complètement ; le souffle coupé, j'arrive à balbutier :

– Mais... il ne peut pas être mon mari.

Je ne peux toujours pas me persuader d'avoir bien entendu, je réponds dans le vague, pour dire quelque chose, je ne comprends rien à ce qui se passe. « Où sont partis les autres ? Participent-ils à cette plaisanterie douteuse ? »

Mohammed surgit, glissant sa tête à travers la porte. Je me raccroche à lui.

– De quoi parle-t-il Mohammed ?

La réponse est ferme, claire :

– Abdullah est ton mari, Zana. C'est ce que vient de te dire mon père.

Il a l'air réellement sérieux. La chose lui paraît évidente.

Qu'est-ce qu'il se passe ici ? Je me demande bien ce qu'ils se sont mis en tête. Non, c'est impossible, ils ne peuvent pas. C'est ridicule. Tout simplement ridicule. Je n'arrive même pas à analyser cette phrase dans ma tête. Tout cela est irréel.

– Mais, enfin, comment pourrait-il être mon mari ? Je n'ai pas de mari. Je n'ai pas l'âge d'avoir un mari, qu'est-ce qui se passe ? Que voulez-vous dire enfin ?

– Ton père a tout arrangé.

– Mon père ? Arrangé quoi ?

– Le mariage, en Angleterre. Pour toi, et pour ta sœur Nadia aussi.

– Nadia ? mariée, et à qui ?

– Au fils de Gowad.

« Mais qui est Gowad ? Je ne sais plus. Ah si, c'est l'autre ami de papa, celui qui doit accompagner Nadia en vacances. En vacances ! Je suis venue en vacances, Nadia va venir en vacances... Papa... Papa aurait arrangé cela ? Comment peut-on arranger le mariage de ses deux filles en Angleterre, avec des gamins d'ici ? »

– Ce n'est pas vrai. D'abord c'est impossible.

– C'est vrai. Nous avons les certificats de mariage, ils disent bien que c'est vrai. Vous êtes mariées toutes les deux, et toi Zana, Abdullah est ton mari. Comment crois-tu que vous auriez pu venir au Yémen, si vous n'étiez pas mariées...

Je ne l'écoute plus, je flotte. Je n'arrête pas de me dire : « Ce n'est pas possible, ce n'est pas possible... » Je suis là, assise sur cette banquette ; ce gamin à côté de moi regarde toujours ses pieds, ou les dessins du sol. Il n'a rien dit, personne n'a rien dit d'ailleurs.

Tout à coup une chose me frappe. « Naïve que je suis, ils savaient, tous savaient, les femmes, les vieux, les hommes, mon père, ma mère peut-être ? Non pas ma mère. Impossible. Mais les autres savaient. Et ils nous ont promis le soleil et la mer et les palmiers, pour nous emmener dans ce maudit village. Quelque chose ne va pas. C'est impossible tout ça ! Illégal ! Ça ne marchera pas, ça ne peut pas fonctionner comme cela. On ne marie pas les gens sans leur dire. Je n'ai rien signé. On ne m'a rien demandé. Ça n'existe nulle part ce genre de situation. Je fais un cauchemar, ou alors ils tentent de m'intimider. Mais je ne céderai pas. »

Les idées tournent et tournent dans ma tête, tandis que Mohammed et son père discutent en arabe. Bientôt le petit Abdullah s'en mêle. Je ne comprends pas ce qu'ils disent, un autre homme vient même parler avec eux sur le pas de la porte. Comme si je n'étais pas là, comme si rien d'épouvantable ne se passait. Finalement ils s'en vont, peut-être parce que je fonds en larmes. Peut-être parce que je ne trouve rien à dire. Dès qu'ils se mettent à parler arabe, je suis exclue de toute façon.

« Je veux rentrer à la maison avec maman. Je ne veux pas rester ici une heure de plus. Il me faut quelqu'un à qui raconter mon histoire, qui arrangera tout cela. Il y a bien quelqu'un au village. Mais comment faire, pour aller au village, en pleine nuit... Sur ce chemin infernal. Avec les bêtes qui rôdent, et le sentier à pic. Que faire, mais que faire ? Comment résoudre cette histoire de fous ? »

La chambre devient obscure, et je reste là, dans le noir, assise à fixer le vide.

Je me sens pétrifiée, glacée, incapable de faire un geste, de penser à quelque chose d'intelligent. Comme si j'étais tombée brutalement dans un gouffre sans fin, et que ma tête n'avait pas suivi.

Combien de temps suis-je restée ainsi dans le noir, je ne me souviens plus. Peut-être une heure, j'imaginais qu'ils étaient partis sans manger. Ils... eux les hommes, Abdul Khada et ses deux fils. Je cherchais à comprendre comment tout cela avait pu se produire. Mon père, à l'aéroport, souriant, détendu, me donnant des conseils de respect envers son ami, vantant ma chance d'aller en vacances au Yémen dans cette famille... Il m'a trompée, maman ne doit pas s'en douter, sinon elle ne m'aurait jamais laissée partir.

Je cherche à me souvenir de ce qui s'est réellement passé, en tout cas de ce que l'on m'a dit à propos de ma sœur Leilah et de mon frère Ahmed. C'est vague, imprécis. Ils sont partis comme moi en vacances, tout petits, pour rendre visite à leurs grands-parents paternels avait prétendu mon père. Et puis il a déclaré au bout de quelques semaines qu'ils seraient élevés ici. Et puis rien. Maman a tenté de les faire revenir, mais comment, et pourquoi n'a-t-elle pas réussi ? Va-t-il m'arriver la même chose ?

Abdullah revient dans la chambre, je sais que c'est lui malgré l'obscurité, étant donné sa petite taille. A peine plus grand que mon plus jeune frère Mo. Il fait nuit noire à présent, et je réalise qu'il a l'intention de dormir ici, avec moi. Abdul Khada se tient derrière lui. Je crie presque :

– Il ne dormira pas ici. Je veux rester seule.

– C'est ton mari. Tu dois dormir avec lui !

Cela dit, d'une voix dure, méchante, il pousse le gamin à l'intérieur, et claque la porte. J'entends le verrou se bloquer de l'autre côté. Nous sommes prisonniers.

Je m'efforce de ne pas regarder Abdullah; quant à lui il demeure silencieux. Ce gosse est quasiment muet depuis son arrivée. Je le sens se déplacer à travers la chambre, il ne sait pas où se mettre, ni ce qu'il doit faire. La seule idée de partager ce lit avec lui me dégoûte. Je vais m'installer sur la banquette, juste en dessous de la fenêtre, et m'enroule dans la couverture. Il s'installe dans le lit, je l'entends respirer, sans distinguer son visage à la faible lueur de la lune qui passe au travers du volet. Je me demande ce qu'il pense. Je me demande s'il va s'endormir. Pour moi c'est impossible. Dormir est hors de question.

Les yeux grands ouverts, je regarde le plafond où courent des lézards. La première nuit, je ne les avais pas vus, trop fatiguée pour cela. Il y a des lézards au-dessus de ma tête. J'entends aussi hurler les hyènes et les loups dans la montagne. Ce pays est une horreur. « Sable blanc et palmiers sous le soleil », disait mon père... La haine m'envahit au point de me glacer les os, intérieurement. Je ne suis qu'un bloc de glace et de haine.

L'autre, le gamin, respire régulièrement, il dort. Pour lui la situation n'a rien d'angoissant. J'avais déjà entendu dire qu'au Yémen, on mariait les enfants très jeunes. J'avais pris cela pour une coutume sans conséquence, imaginant qu'il s'agissait d'une promesse de mariage, et non d'une réalité, qu'on ne les mettait pas dans le même lit, à dix ans, ou quatorze ans. Il a quatorze ans, et il est dans mon lit. Qu'il y reste, je ne dormirai jamais avec lui, jamais. Ils ne pourront pas me forcer à cela. C'est impossible.

Les heures passent lentement, les lézards collés au plafond ont dû s'endormir eux aussi, alors que je garde les yeux ouverts, sans pouvoir baisser les paupières. Si je m'endormais, je ne contrôlerais plus la situation. Il pourrait me sauter dessus. Quoique maigre et maladif comme il est, j'aurais tôt fait de m'en débarrasser. Seulement il y a son père. Le vrai problème, c'est lui. Cet homme est méchant, je ne m'en étais pas aperçue. Durant tout le voyage, il m'a joué la comédie : sourire et courbettes. Et je te promène, et je t'achète des cigarettes, et je t'offre du lait, et une assiette et une fourchette pour manger.

Je suis anglaise, pas yéménite. Jamais je ne me plierai à leurs coutumes de sauvages. Ce soir il a réussi à m'impressionner, mais demain il fera jour, et je filerai au village chercher de l'aide, prévenir ma mère, trouver quelqu'un qui m'emmène à Taez, téléphoner, écrire, pour que l'on vienne me chercher, et surtout, que maman ne laisse pas partir Nadia. Ce Gowad, qui prétend la marier à son fils... Tout cela est une folie. Inimaginable.

J'aime Mackie. Même si nous n'en sommes qu'au stade du flirt, je suis sûre de mes sentiments. J'aime un Anglais de mon âge, on ne va pas me mettre de force dans le lit d'un Arabe de quatorze ans, dont j'ignorais l'existence jusqu'à cette nuit.

J'avais cru résister au sommeil, mais ça n'a pas été le cas, j'ai dû m'endormir quelque temps, car le lit est vide. Le garçon est sorti sans que je m'en rende compte, et l'aube est déjà là.

Je reste immobile, essayant de remettre mes idées en ordre, de trouver comment agir à présent. « Je n'ai pas de papiers, pas de passeport, Abdul Khada les a conservés ainsi que le billet d'avion, qui ne devait pas inclure de retour. Comment partir d'ici ? J'ignore même où je me trouve exactement. Bien sûr j'ai voyagé en toute liberté, et les yeux grands ouverts, mais c'est comme si je n'avais rien vu... Je ne pourrais même pas retrouver l'endroit où la voiture nous a laissés. Je ne saurais pas quelle direction prendre. Je n'ai pas d'argent. Il faut trouver le moyen de prévenir maman, d'empêcher Nadia de venir, et qu'ensuite elle vienne me rechercher. »

Abdul Khada ouvre la porte avec violence. Les yeux sombres de colère, la bouche tordue, il hurle en anglais :

– Tu n'as pas dormi avec lui ! Pourquoi ?

Son fils a dû lui dire que j'avais dormi sur la banquette.

– Pas question ! Je ne dormirai pas avec lui !

J'ai presque hurlé aussi. Violence pour violence, je n'ai pas d'autre réponse. Il claque la porte à nouveau, me laissant seule, sans commentaire, et la panique m'envahit à nouveau. Vaut-il mieux rester cloîtrée ici dans cette chambre sombre, ou sortir et tenter de parler à quelqu'un ? Sortir.

Ward, la femme d'Abdul Khada est dans la cuisine, elle vient de rapporter de l'eau. Comment lui parler ? Cette grosse femme au visage désagréable a une expression méchante, des petits yeux durs. Depuis mon arrivée elle ne cesse de fixer mes vêtements. Ma jupe et mon tee-shirt ne lui conviennent pas, elle doit me considérer comme une fille impure, dévergondée.

Elle s'adresse à moi en arabe. Nous ne pourrons pas communiquer ainsi, elle ne parlant pas un mot d'anglais, moi pas une phrase d'arabe correcte. Je ne parviens même pas à lui demander où est son mari. D'ailleurs elle se détourne en marmonnant. La grand-mère dit quelque chose, et je fonds en larmes. Le vieil aveugle, assis sur son banc dehors, ne peut m'être d'aucun secours, lui non plus ne parle pas ma langue. La moitié de la matinée se passe à attendre le retour d'Abdul Khada. Lorsqu'il revient, du village je suppose, je me précipite vers lui en pleurant.

– Dis-moi ce qui va m'arriver ? Ce n'est pas vrai ? Je peux rentrer chez moi ?

– Non. Tu ne peux pas rentrer chez toi. Pas encore.

– Comment pas encore, qu'est-ce que vous voulez faire ?

– Il faut que tu t'habitues.

– Mais à quoi ? Je ne veux pas m'habituer. Qu'est-ce que mon père a fait ? Dis-le-moi je t'en supplie.

– Ton père t'a mariée. J'ai payé pour cela.

« Payé ? Cet homme m'a payée ? Moi ? Vendue ? C'est impossible. On ne vend pas les gens comme des objets. Mon père n'a pas pu faire ça, c'est mon père, un père ne vend pas sa fille ! »

– C'est pas vrai.

– J'ai payé, je te dis. 100 000 rials...

Le chiffre me prend au dépourvu. Qu'est-ce que 100 000 rials ? Beaucoup ? Ça m'est égal, il ment.

– On te remboursera si c'est vrai, je veux partir chez moi.

– Pas encore. Il faut attendre.

Je m'agrippe à cette lueur d'espoir. « Pas encore », cela veut dire que si je résiste, je pourrai rentrer à Birmingham. Sûrement. Mais quand ?

– Dis-moi quand ?

Abdul Khada me tourne le dos sans répondre. Je le poursuis, m'accroche à lui, il me repousse brutalement. Personne dans cette maison ne vient m'aider. Ils me rejettent tous en bloc, m'ignorent, me laissent errer autour de la maison, complètement hébétée, sans m'apporter le moindre réconfort. Même Abdullah m'évite. Il semble aussi effrayé que moi. Il devait savoir qu'on ramenait quelqu'un d'Angleterre pour l'épouser, mais mon style, et ma façon de m'habiller ont dû le choquer. Ce doit être difficile pour lui, je suis différente des femmes qui l'entourent. De sa mère, de la femme de Mohammed, de toutes les femmes du village, et il n'a connu qu'elles. Je suis l'étrangère impudique qui montre ses jambes, et son visage. Qui fume, qui parle haut comme les hommes. Et j'ai deux ans de plus que lui. Ce n'est qu'un môme en somme. Cela devrait me rassurer, mais il y a Abdul Khada, et tout le monde a peur de lui, surtout ce gosse.

Il me vient soudain une idée. J'ai vu, la veille, dans la chambre de Bakela, la femme de Mohammed, des pilules. On m'a dit qu'elle avait été malade récemment. J'ignore de quelle sorte de médicaments il s'agit, mais je vais les avaler. Il y en a tout un flacon. De quoi me sortir de ce cauchemar. Me rendre malade pour qu'on m'emmène loin de là, et même risquer de mourir, ça m'est égal. Je me faufile dans la pièce, le flacon est là, je verse les pilules dans ma main, et les avale d'un coup, au risque d'étouffer.

Mais je n'ai pas été assez vite, Mohammed est déjà là, il me prend à la gorge, me secoue, et me force à vomir. Nous luttons un instant, mais je n'ai aucune chance, il est plus fort que moi. Je recrache les pilules, en hoquetant, pleurant, je me sens devenir hystérique.

Mohammed est le seul ici à être un peu sympathique. J'imagine qu'il doit être désolé de ce qui m'arrive. Il a toujours été gentil avec moi, jamais agressif.

– S'il te plaît Mohammed, aide-moi...

Il hausse les épaules, avec indifférence.

– Je ne peux rien faire pour toi. Aucun homme ne peut désobéir à son père.

– Mais tu es adulte, tu as trente ans, tu es un homme, tu as une femme et des enfants. Tu as vécu en Angleterre. Toi seul peux m'aider Mohammed, je t'en supplie...

– Je ne peux pas désobéir.

– Même si tu n'es pas d'accord ?

– C'est comme ça.

– Alors les hommes arabes obéissent toujours à leur père ? Même s'il agit mal ?

– C'est mon père et c'est ainsi. Tu dois accepter aussi. Abdullah doit accepter, c'est notre loi.

– Ce n'est pas la mienne.

– C'est celle de ton père, il a pris l'argent, tu dois obéir à ton père, et au mien.

Je n'ai plus aucun espoir alors ? Même Mohammed est terrorisé, soumis à ce monstre d'Abdul Khada. Je hais cet homme, je le hais comme je hais mon père. J'ignorais la haine jusqu'à présent.

J'étais une simple adolescente anglaise, j'allais à l'école, j'allais danser, rire, écouter de la musique avec des copains, j'avais ma mère pour me protéger. Je n'ai plus rien à cause d'eux.

Ainsi c'est la vérité, on m'a vendue comme on vend un âne ou un chameau. Mon prix est de cent mille rials. Hier Abdul Khada a acheté un Coca pour moi, qu'il a payé 4 rials. Je suis une esclave, une fille vendue par son père.

Je vais cesser de pleurer, et résister. Je vais leur résister jusqu'à ce qu'ils se lassent de moi, tous. Qu'ils n'aient qu'une envie, celle de me renvoyer chez moi. Et je tuerai mon père pour ce qu'il a fait. Je le jure.

Ce soir-là, je refuse de manger, de m'asseoir avec eux. En l'espace de deux jours, ma vie a basculé. La solitude est ma seule force. Je n'en profite pas longtemps. Abdul Khada pénètre dans ma chambre.

– Cette nuit tu dois dormir avec Abdullah.

– Non, je ne le ferai pas.

– Tu vas le faire, ou nous serons obligés de te forcer. On t'attachera sur le lit...

– Je ne veux pas.

C'est au tour de Mohammed de venir me faire la « morale ».

– Zana, tu dois coucher avec ton mari. Nous allons te forcer.

Je regarde ces deux hommes, forts, déterminés, dans l'encadrement de la porte. Je n'ai aucune issue. Ils le feront, ils m'attacheront, comme ils le disent. Ils ne devaient pas s'attendre à une résistance de ce genre, chez une jeune fille. Ici les femmes obéissent aux hommes, et les hommes sont orgueilleux de leur pouvoir. Ils ne céderont pas devant moi. Abdullah obéira lui aussi, lorsque son père et son frère aîné m'auront domptée. J'ai pu l'impressionner la nuit dernière, mais je me suis rendu compte à son attitude dans la journée, qu'en fait, je lui répugnais plus que je ne l'impressionnais. Une Anglaise, une impure, qui s'expose au regard des autres hommes.

C'est un viol. Un viol immonde. Je suis vierge, et ma seule expérience sexuelle s'est limitée aux baisers de Mackie. Je n'ai pas le choix : accepter, ou me retrouver attachée sur ce lit, comme une esclave, et subir l'humiliation.

Alors je baisse la tête, incapable de prononcer le oui qu'ils attendent. Ils font entrer Abdullah, et referment la porte, sans même la verrouiller, certains que je n'ai aucun moyen de m'échapper.

Je m'allonge sur le lit. Les yeux fermés. Ne penser à rien, me solidifier, devenir pierre. C'est un gamin, qui essaie de jouer à l'homme, maladroitement. Je ne ressens rien. L'immobilité me protège. Ce n'est pas à moi que cette chose immonde arrive. Ce n'est pas moi qui suffoque. Je ne suis pas là. Zana qui rêvait d'amour à Birmingham, qui dansait avec Mackie, Zana qui partait en vacances est morte. Morte.

J'ignore ce qui s'est passé. Je refuse d'en avoir conscience. Je ne serai ni humiliée, ni docile, ils pourront faire ce qu'ils veulent, je leur refuse ma souffrance, je me la refuse à moi-même. Pierre je suis devenue, pierre je demeurerai.

Abdullah a obéi. Il s'étend à mes côtés. Je viens d'être violée par un enfant. Toute la nuit mes yeux de pierre contemplent les lézards du plafond, seuls témoins de cet acte immonde.

Ils m'ont fait prisonnière de cette horreur, je resterai libre dans ma tête, à jamais, malgré eux. Le temps n'a plus d'importance, les loups et les hyènes font un concert lugubre dans la nuit des montagnes. Ce sont eux qui hurlent à ma place.

Au matin, les yeux brûlants d'insomnie, la tête vide, submergée par le dégoût, je me sens sale.

Abdul Khada ouvre la porte, satisfait, et son fils en profite pour s'échapper.

– Tu vas bien ?

Comme si je venais d'être malade, et qu'il se faisait du souci pour moi. Je ne réponds pas. Que répondre à cette question stupide d'ailleurs ? Il s'en va, et sa femme Ward vient me voir à son tour. Elle semble vouloir communiquer avec moi, et fait des gestes que je ne comprends pas.

Sale, je suis sale, j'ai besoin d'eau sur mon corps, sur mon visage. Je fouille dans ma valise à la recherche de mon savon anglais, et m'enferme dans le placard des toilettes, avec un seau d'eau. Il faut se laver courbée, presque à quatre pattes, la torche éclaire à peine les parois nauséabondes. L'eau s'écoule dans le trou, et la réalité me saute à nouveau au cœur. Et je la refuse à nouveau. Je ne peux pas croire que cette chose me soit arrivée. Je n'ai qu'une seule idée en tête : « ce n'est pas vrai, ce n'est pas vrai... »

Ce qui se passait alors dans ma tête est difficile à préciser. Il me fallait vivre dans l'irréel, ce village accroché à la montagne, cette maison accrochée au rocher, ce désert autour, ces gens, leurs actes, tout cela faisait partie d'un mauvais rêve. Rien n'était vrai.

Ward m'observe de ses petits yeux méchants, tandis que je sors du placard-toilettes. Elle est allée dans la chambre, probablement pour s'assurer que j'avais bien perdu ma virginité, mais à ce moment-là je n'y prête pas attention. D'ailleurs je ne suis pas sûre de l'avoir perdue. Je ne me souviens même pas avoir saigné ou souffert, et ça m'est égal. J'espère seulement qu'il ne s'est rien passé – pas de sang pas de virginité violée - et qu'Abdullah n'a pas accompli son devoir de petit mâle, comme ils l'attendent de lui.

Assise sur mon lit, je retrouve l'immobilité qui me protège d'eux. Là, intérieurement, je peux souffrir de l'absence de ma mère. Souffrir de penser à Nadia, qui ignore tout, qui se prépare à Birmingham pour ce maudit voyage de soi-disant vacances, et qui va subir le même sort que moi à l'arrivée.

Je voulais aimer, je rêvais à l'amour. Ils ont tout saccagé. Je suis une esclave comme les personnages de mon livre préféré. Enlevée à son pays, torturée, privée de l'essentiel : la liberté.

Dans les romans d'amour que je dévorais en Angleterre, les jeunes filles découvrent le bonheur, la tendresse. On leur fait la cour, et l'instant du baiser final, le moment où le jeune homme prend sa fiancée dans ses bras, est une apothéose. Je me suis nourrie de ces belles histoires, j'en ai rêvé, j'espérais vivre la même chose, comme toutes les adolescentes de mon âge. Comme Nadia. Qui n'a que 14 ans, qui jouait encore à la poupée il n'y a pas si longtemps. Le plus insupportable en ce moment est d'être impuissante, de ne rien pouvoir faire pour elle. Je me sens coupable, comme si je participais moi aussi au piège qui l'attend.

Je les hais. Je hais mon père surtout, je ne suis qu'un bloc de haine.

Ward a fini d'inspecter la chambre. C'est au tour des petites filles, Shiffa et Tamanay, de me rendre visite. Elles n'ont aucune idée à leur âge de ce qui se passe, et ma haine ne peut les concerner. Elles sont jolies, adorables même, elles voudraient jouer avec moi, comme le premier jour, mais je n'en ai pas la force, je voudrais être seule, alors qu'elles passent leur temps à entrer et sortir.

Maman me sortira de là. Mon unique espoir, c'est maman. Maman va comprendre, savoir, deviner, je ne sais pas. Je trouverai un moyen de la contacter. Je trouverai quelqu'un pour la prévenir. Il faut m'accrocher à cet espoir.

Pendant huit ans, je me suis accrochée. Huit ans durant lesquels, jour après jour, je me suis répété que j'allais sortir de ce village, qu'il n'y avait aucune raison pour que je reste prisonnière à jamais de ces sauvages. Huit ans.

Et je n'en étais qu'à mon troisième jour. Je n'avais pas encore seize ans, j'en avais vingt-quatre quand j'ai quitté le Yémen et ma prison. Mais j'ai survécu, avec deux idées fixes : l'espoir, et la haine, aussi puissantes l'une que l'autre. Elles m'ont aidée à ne pas mourir.

Durant les jours suivants Abdul Khada m'autorise à rester seule dans ma chambre, m'apporte mes repas, un couteau, une fourchette, ce qui me permet de ne pas manger avec les autres. Il fait même certains efforts : j'ai droit à des chips et à du poulet. Mais je n'ai pas faim. La nourriture elle-même me répugne, et les mouches encore plus.

Les mouches nous harcèlent le jour, et la nuit ce sont les moustiques. Je ne parviens pas à m'y faire, à les ignorer. Les piqûres de moustiques me rendent folle, je gratte la peau jusqu'au sang. Les autres ont appris à ne pas irriter leur peau après une piqûre, car plus on gratte plus elle démange. Moi je me transforme en écorchée vive. Prisonnière des mouches, des moustiques, des lézards, et des fauves qui hurlent la nuit.

Je n'absorbe que du *Vimto*, la seule vue d'un plat de nourriture me retourne l'estomac. La vue d'Abdullah aussi. J'ignorais le premier matin s'il allait recommencer. Il l'a fait. Chaque soir, le père a fait entrer son fils pour le sacrifice, et je ne l'ai pas repoussé, de peur qu'il se plaigne, et d'en subir les conséquences. Je supporte l'exploit ignoble, comme la première fois, immobilité de pierre. Parfois il pénètre dans la chambre, sous l'œil de son père, puis la porte refermée, me laisse tranquille. Il m'a fallu plusieurs jours pour réaliser que je n'étais plus vierge.

Abdul Khada m'a déclaré pompeusement ce matin que, lorsque j'aurai un enfant, je pourrai repartir en Angleterre. Un enfant... Un enfant! Abdullah peut-il me faire un enfant? Il est malade, pâle, il n'a rien d'un homme, et si j'étais seule avec lui, il n'oserait même pas me toucher.

Hier soir, je l'ai repoussé violemment. Un grand coup dans la poitrine l'a fait reculer comme le pantin maigre et faible qu'il est. Il est sorti pour se plaindre à son père, Abdul Khada a ouvert la porte, s'est dirigé vers moi et m'a giflée avec une telle violence que j'ai vu rouge. Tout était rouge dans ma tête. Le sang dans les yeux, le sang partout. J'aurais voulu tuer.

Cette gifle a provoqué chez moi un changement d'attitude, elle a fait surgir ma colère. Maintenant je ne supplie plus, j'insulte. Cela me soulage pour l'instant. Abdul Khada est un voleur, je le lui crache au visage. Il m'a kidnappée; un jour, il sera puni!

– Ton père t'a vendue. J'ai payé mille livres, et j'ai ton certificat de mariage!

– Montre-le!

Il hausse les épaules. Comment pourrait-il me montrer ce papier, il n'existe pas! Ou alors c'est un faux. Ils ont dû le fabriquer ici, au Yémen, avec l'aide de mon passeport que je n'ai jamais revu.

– Je veux écrire à ma mère.

– Si tu veux.

Mon moral a des hauts et des bas. Dans la journée il m'arrive de penser qu'il ne faudra pas longtemps avant que maman ne découvre ce qui se passe ici, et vienne me chercher. A d'autres moments, je réfléchis au voyage que nous avons fait. Long, difficile, à l'écart de la civilisation, comment pourrait-elle me retrouver ? Il m'arrive même de penser, dans les pires moments, que ma mère était au courant des projets de mon père, qu'elle était peut-être d'accord avec lui. Si cela était vrai, il ne me resterait personne sur terre. A part Nadia.

Seule Nadia comptait. Il fallait l'empêcher de partir avec ce Gowad.

J'ai apporté d'Angleterre un bloc de papier et des enveloppes. Je me mets à écrire.

A ma mère chérie,

S'il te plaît ne laisse pas venir Nadia. Ils m'ont mariée, et je ne sais pas ce qui va se passer maintenant. J'ai très peur. J'ai besoin d'aide. Je t'en supplie, ne laisse pas venir Nadia, je t'en supplie maman chérie. Aide-moi. Surtout ne laisse pas venir Nadia.

Une demi-page. Je ne parle pas d'Abdul Khada, ni des autres. Au cas où ils liraient la lettre. Je ferme l'enveloppe. Le seul moyen de la poster, c'est de la donner à Abdul Khada. On ne me laisse pas sortir du périmètre de la maison, interdiction d'aller au village. Il est mon seul lien avec le monde extérieur. Il se rend à Taez, et là il y a une poste.

– C'est une lettre pour ma mère, juste pour lui dire que je suis bien arrivée, et que tout va bien.

Curieusement, il n'a pas l'air soupçonneux.

– Je la mettrai à la poste.

« Le fera-t-il ? » Ce jour-là, j'avais un espoir. Je me disais qu'il était obligé d'envoyer au moins une lettre de moi, s'il ne voulait pas que maman s'inquiète. Le lendemain, je n'y croyais plus. Je me disais qu'il l'avait tout simplement déchirée, brûlée. Et le jour suivant j'attendais déjà une réponse.

Je l'ai eue ma réponse, ce matin. On est venu apporter à la maison des cartes postales qui me sont destinées. Elles ont transité par Taez, et ne portent pas d'adresse précise. Un numéro de boîte postale, c'est tout. C'est une relation d'Abdul Khada, un genre d'associé je crois, qui lui sert de relais pour le courrier. Ainsi la terre entière ignore où je me trouve.

J'ai seize ans. *Happy birthday!* dit la carte de maman, celle de Nadia, celle de mon petit frère Mo, d'Ashia et de Tina. De jolies cartes d'anniversaire, avec des fleurs et des oiseaux. Je sais où ils les ont achetées. Nous allons toujours dans le même magasin, où l'on vend des cartes postales en couleurs sur lesquelles il est écrit *à ma sœur, à ma fille*... celle de maman est illustrée de fleurs tendres. *A ma fille*, joyeux anniversaire.

Ils ne savent rien là-bas. Il ne reste plus qu'une semaine avant le départ de Nadia en avion avec Gowad. Je l'imagine dans notre chambre, écrivant la carte en écoutant du reggae. Sa valise déjà prête. Notre chambre, notre endroit secret à nous. Le papier peint, les lits jumeaux, les romans, les cassettes. Les soirées que nous passions à nous saouler de la musique que nous aimions, elle et moi, en cachette de papa, qui condamnait la « musique de nègre »...

Et je suis là, assise sur une banquette de pierre et de plâtre, face à la montagne, sous le soleil torride, environnée de mouches, couverte de plaies, à côté de ce vieillard aveugle et silencieux. Et de Ward qui m'a insultée ce matin, en arabe. Je l'ai compris à l'expression mauvaise de son visage...

Deux petites filles yéménites, jouant dans la poussière à mes pieds, ne peuvent me consoler. L'odeur des cartes postales non plus, fanées par le long voyage. Le parfum d'Angleterre n'est pas arrivé jusqu'ici. Je suis si loin, si seule. Aller pleurer dans cette chambre sombre, sur cette couverture qui sent le mouton. Ranger précieusement les petits trésors dans ma valise. Écouter la musique de là-bas. Et pleurer. En cachette. Ne pas pleurer devant eux. Les maudire en pleurant.

Pourvu que ma lettre arrive à temps. Pourvu que maman ne soit pas complice. Mon père n'a pas écrit pour mon anniversaire, est-ce un signe ? Mais un signe de quoi... Il m'a vendue, ils nous a vendues toutes les deux, mille livres chacune. Est-ce pensable, ce genre de choses en 1980 ? Un père qui vend ces filles comme du bétail ? C'était donc cela les menaces qu'il proférait : « Je vais vous apprendre à vous conduire comme des jeunes filles arabes bien élevées. » « Vous avez besoin d'autorité. » « On ne montre pas ses jambes. » « L'éducation en Angleterre est pourrie. »

Il devait nous détester. Détester que nous soyions anglaises, et pas arabes. Ou peut-être s'agit-il d'une simple question d'argent. Il a souvent eu des soucis financiers, des dettes, des amendes non réglées. Une fois maman a même dû payer pour lui, afin de lui éviter la prison. Il avait honte de demander de l'aide à ses amis arabes.

Nous ne sommes plus ses filles. C'est à maman que nous appartenons, à la nationalité anglaise.

Le courage me revient. Attendre. Tenir. Ici le temps est insensible, chaque jour ressemble au précédent. Les femmes vont au puits chercher l'eau, fabriquent les *chapatis*, donnent à manger au bétail, allument les torches la nuit, et au matin refont inlassablement les mêmes gestes que la veille.

Huit jours ont passé, qui me paraissent un siècle. J'ai vieilli d'un siècle, et je n'ai que seize ans aujourd'hui.

Pour descendre au village avec Abdul Khada, je dois emprunter maintenant le chemin de traverse, réservé aux femmes, celui qui descend le long de la montagne, à travers les buissons épineux. Il me considère à présent comme une femme d'ici. Le problème pour lui est que tous les regards se tournent vers mes vêtements, la seule chose qui me différencie encore de leurs femmes justement, et à laquelle je m'accroche. Je suis anglaise dans ce village, et ils ne peuvent pas grand-chose contre cela, pour l'instant. Je subis les regards de réprobation avec fierté. Je ne suis la propriété de personne. Abdul Khada le sent, il joue au dehors à faire celui que « l'Anglaise de son fils » ne gêne pas. Il se veut patient, il guette le moment, improbable dans ma tête, où je céderai en bloc. Il fait même des concessions pour cela, m'achète des fruits à l'épicerie, pour me faire plaisir devant l'épicier. Les fruits ne sont pas bons, ni mûrs, ni juteux. Mais cela me rappelle un peu l'Angleterre. Manger une pomme en fermant les yeux, et se croire ailleurs.

Après cela il m'emmène en visite chez son frère cadet Abdul Noor, que je n'ai fait qu'apercevoir en arrivant. La quarantaine, il ressemble à Abdul Khada en plus mince mais il n'a pas le même regard perçant. Il est probablement moins riche, puisque sa maison est moins grande que celle de l'aîné. Le maître de maison est absent, mais il y a là sa femme Amina, potelée et charmante, une trentaine d'années, et leur belle-fille Haola. Haola est déjà mariée, elle a dix-huit ans. Ce qui frappe chez elle immédiatement, c'est son regard. Des yeux immenses et noirs. Ses cheveux sont extraordinairement longs, elle n'a pas dû les couper depuis sa naissance. Amina se montre très gentille avec moi, très courtoise. Son attitude est bien différente de celle de Ward. Il me semble qu'avec elle je pourrais discuter plus librement, si je parlais sa langue.

Je commence à comprendre une chose importante. Les femmes sont soumises, habituées à demeurer seules, pensant que leurs maris vont travailler à l'étranger, en Arabie Saoudite, ou à la ville voisine plus simplement. La majorité de leur existence se déroule sans les hommes. Lorsqu'ils sont de retour, comme Abdul Khada en ce moment, ils reprennent les rênes, elles subissent leur autorité et leur présence. Mais en réalité elles se passent parfaitement d'eux.

Amina me parle, j'aimerais bien comprendre, il me semble qu'elle me plaint, car elle se met à pleurer soudain, et Abdul Khada veut l'en empêcher. Il fait de grands gestes avec ses mains, et je devine un peu ce qui se passe. Il ne veut pas qu'elle pleure devant moi, et lui demande de se ressaisir. Haola me regarde aussi avec commisération. Dans cette maison, il y a au moins deux femmes qui me comprennent et semblent de mon côté, mais ne peuvent rien pour moi, sauf pleurer.

Amina a environ trente-cinq ans, et déjà beaucoup d'enfants. Un fils de vingt ans, un autre de seize, un autre de treize, un autre de neuf, un autre de six... et une fille de dix-sept ans. Si je calcule bien, elle a dû avoir son premier enfant à quatorze ans. Et si je calcule toujours bien, il lui faudra beaucoup d'argent pour marier tous ses fils. Ce doit être un problème énorme pour eux, cette coutume d'acheter les épouses.

La visite est brève, Abdul Khada se lève, nous allons regagner le nid d'aigle, et il ne me lâche pas d'un mètre. M'enfuir... j'y songe évidemment, mais m'enfuir où ? Si j'étais en ville, à Sanaa par exemple, je me mettrais à courir, je tenterais ma chance, je me réfugierais dans une ambassade. Nous remontons le sentier des femmes. Être une femme ici, c'est être condamnée à vie. Celles que nous croisons, voilées, charriant des seaux d'eau, inlassablement, ou leur fagot de bois sec, inlassablement, détournant les yeux de l'homme qui passe... inlassablement... faisant des enfants... cette vie ne peut être pour moi. Jamais je ne leur servirai d'esclave.

Mohammed m'accueille gentiment. Il se comporte comme si rien ne s'était passé, comme s'il n'avait pas participé avec son père à mon kidnapping. Quant à Abdullah, le gamin censé être mon mari, il demeure silencieux dès que je suis dans les parages. Il m'ignore, comme je l'ignore, pourtant il va revenir ce soir, et comme les soirs précédents, je vais faire mon possible pour reculer le moment de me mettre au lit. Au matin Abdul Khada l'interroge, et s'il répond que j'ai refusé, il se fâche, et m'agonit d'insultes.

Ce soir, je refuse. Je vais m'installer sur la banquette, sous la fenêtre, d'un air décidé. Abdullah me regarde, hésite, puis s'approche et avance une main pour m'attirer vers le lit. La colère me prend aussitôt, une colère terrible qui me fait perdre le contrôle de moi-même. Je le poursuis à coups de pied, dans la chambre, je le chasse d'un mur à l'autre, comme on chasserait un serpent.

– Va-t'en... ne me touche pas, je t'interdis de me toucher!

Je ne hurle pas, je gronde à voix basse telle une bête féroce. Je frappe au hasard, il se couvre le visage des mains, et ne tente même pas de se battre. Si seulement il comprenait ce que je lui dis! « Qu'il est laid, qu'il me dégoûte, que cette maison est laide, et me dégoûte. » Dégoût, dégoût, dégoût, je n'ai que ça à la bouche. Et il se sauve, pour aller se plaindre à son père, tandis que je reprends péniblement mon souffle.

– Qu'est-ce qui se passe? me demande Abdul Khada.

– Je ne veux pas qu'il me touche, voilà ce qui se passe. Quand me ramènes-tu en Angleterre?

Le défi ne sert à rien. La gifle m'atteint de plein fouet, violente, sur la tempe, à m'en faire tomber. Rien de plus, et Abdullah, le regard sournois, est de retour. J'ai beau lutter, je ne pourrai échapper à ce contact écœurant. La loi dans cette maison est que ce garçon ait des relations sexuelles avec moi. La loi est que je dois les subir. Je pourrai leur rendre la vie aussi difficile que possible, je n'échapperai pas à cette loi en fin de compte. La nuit, chaque nuit sera ce cauchemar.

Abdul Khada est bien déterminé à me faire céder, et ce n'est pas le genre d'homme à qui on peut désobéir longtemps. Hors d'Angleterre, il est radicalement différent. Je n'arrive pas à faire le lien avec l'Abdul Khada que j'ai rencontré à la maison. A Birmingham il était, comme les autres amis de mon père, bavard, amical, inoffensif. Normal. Ici, au Yémen, c'est une sorte de chef de meute, un tyran qui exige le pouvoir absolu chez lui, et personne ne lui résiste. Même ses parents, les deux pauvres vieux, ont perdu tout pouvoir. Le grand-père surtout. Il est à la charge de son fils, et n'a plus un mot à dire. Dans cette société, le chef de famille est le maître, il est libre de faire ce qui lui plaît.

De plus je me suis rendu compte qu'Abdul Khada était violent, même avec les autres hommes du village. Cet après-midi, il discutait en arabe avec quelqu'un qui ne semblait pas de son avis, j'ignore sur quel sujet. Il s'est mis à lui parler méchamment, et l'autre n'a pas relevé le défi.

Soumission. Me soumettre à ce mari fantoche. Nuit

d'angoisse, nuit sans sommeil. « Combien de temps vais-je supporter cela, cernée par la violence des hommes, le hurlement des loups, entre ces murs crasseux, au milieu des mouches, des moustiques, dans une odeur d'étable ? »

– Quand me ramènes-tu en Angleterre ?

J'attaque dès le matin. Pas un jour ne se lèvera, sans que je pose la question.

– Quand tu seras enceinte, tu pourras retourner en Angleterre, pour accoucher auprès de ta mère.

Il ment. Il espère me voir tomber rapidement enceinte, parce qu'il s'imagine qu'un enfant m'obligera à accepter leur loi. Qu'un enfant m'empêchera de vouloir quitter le Yémen. Plus vite je céderai, selon lui, plus vite je retrouverai Birmingham. Je commence à comprendre le sens de cette bataille. Si je leur laisse croire que je suis d'accord, j'arriverai peut-être, en fin de compte, à les mettre devant le fait accompli. Voilà je suis enceinte, je vais accoucher, renvoyez-moi en Angleterre. Je n'ai pas beaucoup de solutions de toute façon, et la ruse peut marcher. Je pourrais même leur faire croire que je suis enceinte, si ce n'est pas le cas, et demander à partir.

Abdul Khada me tend un verre de thé, le regard en dessous. La grosse Ward fait sauter les galettes sur le feu de charbon de bois, elle ne comprend pas notre conversation en anglais, mais de temps en temps je reçois le choc de ses petits yeux méchants. J'imagine ce qu'elle pense de moi, la haine qu'elle éprouve. Non seulement je suis impure, mais je refuse son fils, qu'elle adore. Il paraît qu'il a failli mourir, cet Abdullah. Qu'il est malade depuis sa naissance.

– Tu jures que si je suis enceinte, je retournerai à Birmingham, tu le jures ?

– Pas besoin de jurer. Tu es là pour faire un enfant à mon fils, tu es sa femme.

– Non, je ne suis pas sa femme. Ce n'est inscrit nulle part !

– Si, j'ai le certificat.

– Montre-le, je veux le voir.

– Pas besoin de le voir. J'ai payé, j'ai le certificat.

– Tu mens, je sais que tu mens. Il n'y a pas de papier, je suis anglaise, on ne peut pas me marier sans ma volonté. En Angleterre, tu serais en prison pour ça!

Il n'y a rien à faire, je suis agressive. Quelques secondes plus tôt je m'étais promis de ruser, d'avoir l'air de céder, mais dès que je parle à cet homme, la haine ressurgit. Je n'arrive pas à faire semblant.

Le pire est qu'il se moque de mon agressivité, elle glisse sur lui sans l'atteindre. Il a tous les atouts en main. Il sait que je suis impuissante à m'enfuir, à refuser son fils. La notion de viol ne l'effleure même pas. Le fait que je n'aime pas son fils l'indiffère. Il se fiche pas mal de ma prétention à revendiquer ma nationalité anglaise. Ici elle ne me sert à rien. La réponse est simple : « Ton père est yéménite, j'ai payé ton père, c'est la loi. Tu es yéménite. »

Il me prend une envie de hurler à la face de cette montagne yéménite que je ne lui appartiens pas! Je deviens folle.

Dix jours, et pas de nouvelles de maman, j'ignore s'il a posté ma lettre, et si Nadia est déjà en route.

Allongée sur mon lit, je relis mon livre favori : *Racines*. La longue et affreuse histoire de l'esclavage des Noirs, de leur lutte pour la liberté. Transplantés, arrachés à leur pays, à leurs racines comme moi, les personnages de ce roman vrai, m'ont fait pleurer tant de fois. Je m'identifie à cet esclave, Kunta Kinte, à cet homme obstiné, qui a voulu transmettre à ses enfants le langage et les traditions de son Afrique natale. Les pages sont déjà usées, je connais si bien le texte qu'il est des passages que je pourrais quasiment répéter par cœur. Je me moque de sa télévision arabe, dont il est si fier. En la déposant dans ma chambre, Abdul Khada avait cru m'impressionner. La seule chose qui pourrait m'impressionner ici serait une salle de bains propre avec l'eau courante, des toilettes convenables, et de l'électricité, pour y voir clair la nuit, et même le jour. A l'intérieur de ces maisons, on est toujours dans l'ombre. Ils vivent au Moyen Age en buvant du Coca fabriqué en Arabie Saoudite, en regardant une télévision à piles fabriquée à Hong Kong, et se croient modernes pour si peu.

– Zana, nous avons une visite, tu dois saluer mon ami.

C'est un homme, je me rends dans la chambre de Bakela, voisine de la mienne, pour le saluer poliment. Il détourne le regard, et Abdul Khada l'entraîne dans sa propre chambre. Les hommes entre eux. Les femmes entre elles. C'est un inconnu, sa visite ne m'intéresse pas.

Mais quelque temps plus tard, l'homme étant parti, Abdul Khada pénètre en trombe dans ma chambre, un paquet de vêtements sous le bras, qu'il jette sur le lit.

– Habille-toi!

– M'habiller? Mais pourquoi, je suis habillée!

– Les autres hommes ne peuvent pas te voir habillée comme ça, c'est honteux.

Il se met à crier :

– Je veux que tu mettes ça!

C'était donc cela le regard de l'homme qui me fuyait. Les vêtements anglais que je porte toujours, et mes cheveux découverts.

– Je refuse.

Je jette un coup d'œil aux vêtements étalés sur le lit. Horribles, le tissu est orange, couverts de paillettes; je les connais, ils sont à Ward. Je les flanque par terre.

– Je ne vais sûrement pas porter ça.

Abdul Khada fait un bond en avant, il explose et se met à me frapper en plein visage. Je crie, il frappe encore, la tête me fait mal, mes oreilles bourdonnent, mais je suis aussi en colère que lui. Il lève encore la main pour frapper, je bondis à mon tour, et le mords à l'aveuglette. Son pouce est entre mes dents, je serre, je mords aussi fort que le peuvent mes mâchoires, sans lâcher prise, comme un chien. Je mords, mords, mes dents sont sur l'ongle, le goût de son sang dans ma bouche. Il hurle de douleur, et son cri fait surgir Mohammed dans la chambre.

– Qu'est-ce qu'il y a ?

Il tente de nous séparer, je lâche prise, j'allais étouffer. Mohammed emmène son père, qui tient sa main ensanglantée, et je reste seule avec Bakela, toute secouée de peur et de colère, respirant à petits coups. Enragée, je suis véritablement enragée. Ward arrive à son tour et ramasse les vêtements éparpillés sur le sol. Les deux femmes se mettent à parler en même temps, je ne comprends rien, leurs gestes veulent me persuader de prendre ces affreux vêtements. Elles me les tendent, en insistant, me montrent la chambre d'Abdul Khada, en mimant la colère. Traduction : si je n'accepte pas de m'habiller comme elles, il va devenir fou de colère et me taper dessus. Elles semblent toutes les deux horrifiées par ce que je fais, et horrifiées par ce qui va se passer, si je n'obéis pas. Jamais elles n'ont vu ça. Je suis une tempête dans cette maison, je leur fais peur.

Les bras tendus, elles me supplient, m'encouragent. Elles savent, elles, que je risque beaucoup à m'obstiner. Il a dû se passer quelque chose entre Abdul Khada et le visiteur. L'homme lui a fait honte d'accepter dans sa maison, une femme qu'ils assimilent presque à une prostituée, puisqu'elle montre ses jambes et ses cheveux.

La colère qui m'étouffait tombe doucement, je me rends compte du danger. J'accepte d'essayer ces oripeaux, en les enfilant par-dessus mes propres vêtements. Et je reste là, debout, complètement stupide, raide et mal à l'aise.

Bakela me serre contre elle, pour me réconforter, je vois des larmes de pitié dans ses yeux. Ward joint les mains. Pour une fois, une rare fois, son regard méchant s'est adouci. Peut-être comprennent-elles un peu mon désarroi. Mais je ne peux pas céder. Je ne peux pas porter cette horrible robe orange à paillettes, trop large, qui porte l'odeur d'ici, me la colle à la peau. Je ne peux pas. Je suis désolée, je secoue la tête pour le leur faire comprendre. Je ne peux pas, pas encore.

Ce qu'elles ne comprennent pas, c'est ma lutte, ma résistance. Le fait que l'humilité et l'obéissance ne soient pas dans mon caractère. Pour elles il s'agit de coutumes, d'habitude, d'éducation. Elles n'ont jamais rien connu d'autre. Pour moi c'est de l'esclavage. Je ne mettrai pas cette tenue d'esclave.

Les jours suivants m'apparaissent comme une succession d'insultes et de gifles, entre Abdul Khada et moi. Une guerre de tranchée, deux ennemis face à face. Au moins il a appris une chose de moi, je mords. Et il évite de se laisser prendre à l'improviste. Il porte la marque de mes dents sur sa main. Je l'ai humilié, lui, l'homme, le maître. Il frappe, mais il ne sait pas vraiment comment me dominer, quoi faire de cette femelle qui résiste. Je le frustre de son autorité. On le craint au village, on le craint chez lui. On ne l'aime pas d'ailleurs, c'est visible.

Ward et Bakela, dans cette tourmente, essaient de me faire participer aux tâches quotidiennes de la maison. Au début elles ne me demandaient rien, on me laissait lire mes romans dans ma chambre, écouter ma musique, on m'apportait la nourriture. A présent elles veulent me convaincre de trouver de l'intérêt à ce qu'elles font. Sur ordre, ou tout simplement parce qu'elles me voient tourner en rond comme un animal en cage ? J'ai tendance à penser qu'elles ont pitié de moi et veulent me distraire, m'aider à m'habituer à cette vie.

Une de leurs tâches essentielles consiste à faire cuire les *chapatis* sur les plaques rougeoyantes du four à bois. Ward me montre comment faire. Les flammes lèchent leurs mains ; en me penchant sur le four, la chaleur intense me saute au visage, et je m'enfuis de peur de brûler vive. Comment font-elles pour résister ? Leurs mains sont endurcies, la peau comme de la corne brûlée. C'est une torture permanente que je me sens incapable de supporter. Mettre mes mains dans les flammes, la paume sur la plaque brûlante, les joues rougies par l'ardeur du feu. C'est l'enfer, jour après jour.

Il y a deux sortes de *chapatis*, les uns sont frits, les autres cuits au four. Pour la friture, il faut acheter la farine au village. Les femmes en font une provision de plusieurs mois, qui est stockée au sous-sol de la maison, et pour cela elles doivent transporter d'énormes sacs sur leur tête, qui semblent toujours prêts à éclater. Ensuite la farine doit être pétrie et roulée en crêpes. On met un peu de graisse dans la poêle, et on étale la pâte sur la graisse brûlante, jusqu'à ce qu'elle dore des deux côtés. Mais la plupart du temps, les femmes doivent cuire les *chapatis* à la main, et dans le feu; penchées sur la cuisinière, elles étalent habilement la pâte, la retournent, bravant les flammes et les brûlures. La recette de ces *chapatis* comprend aussi une autre corvée. Le ramassage du maïs dont il faut ensuite concasser les grains avec une grosse pierre, un travail harassant.

Une fois les plaques du four recouvertes de ces sortes de crêpes, on ajoute un peu de bois pour raviver les flammes, et on surveille la pâte, jusqu'à ce qu'elle gonfle. Au bout de cinq minutes environ, les femmes retournent les crêpes à mains nues. Il faut savoir faire vite pour les retourner, ou les retirer de cette plaque. Assez vite pour ne pas se brûler les doigts, mais pas trop non plus, sous peine de les voir retomber dans les flammes. Ensuite, toujours brûlantes, les crêpes sont déposées sur un plat.

J'ai commencé à travailler avec elles, pour leur faire plaisir, et mes mains se sont immédiatement couvertes de cloques douloureuses. Mais Ward m'a empêchée d'abandonner. Il faut endurcir ses mains, jusqu'au jour où le feu ne provoque plus de cloques, et où les mains des femmes ressemblent à de vieilles peaux de serpents desséchées et rugueuses.

Les *chapatis* étant la nourriture de base, le supplice est quotidien. Et avec ce qu'il me reste de doigts, je mange, comme les autres, en trempant la crêpe dans du lait et du beurre. Fini le traitement de faveur, la cuillère et la fourchette, et le couteau. Fini la nourriture presqu'anglaise, poulet bouilli, et fruits. Désormais, je dois manger comme les autres. Si je n'accepte pas, je n'ai qu'à mourir de faim. C'est simple.

J'ai refusé d'abord de me brûler les mains, et de manger avec les doigts. Puis j'ai accepté. Si je voulais tenir, et trouver un moyen de fuir, je devais me nourrir, apprendre quelquesmots d'arabe, comprendre ce qui se tramait autour de moi. Ce qui ne m'empêchait pas tous les matins d'affronter Abdul Khada.

– Ramène-moi en Angleterre !

Au moins ce défi permanent me soutenait pour la journée, et lui faisait comprendre que, mains brûlées ou non, écœurement ou non, j'étais toujours moi. Zana, anglaise.

Réfugiée dans ma chambre, je rumine entre ces quatre murs sinistres, les jambes douloureuses, mordues par des centaines de moustiques, les mains brûlées par mes essais de cuisine. J'étouffe.

Mon ennemi, Abdul Khada, est descendu faire des courses. J'imagine que tant que je refuserai de m'habiller comme il le veut, je n'aurai plus droit à la promenade jusqu'au village. Par la fenêtre j'observe les femmes chargées de la corvée d'eau. Elles portent sur leur tête une sorte de bidon métallique pesant. Le chemin qu'elles empruntent m'apparaît soudain comme une issue de secours. Il s'enfonce vers un bois; j'ignore où il mène, car je ne suis pas encore allée chercher l'eau avec elles. Mais ma décision est immédiate, prise en une seconde. Cette fois je me décide, je vais m'enfuir.

Je n'ai qu'à courir, courir sans m'arrêter, jusqu'à ce que je sois hors de ces montagnes, hors du Yémen. Je n'ai aucune idée du parcours, j'ignore comme m'y prendre pour échapper aux hommes du village, qui savent chasser, traquer les animaux sauvages, et parcourent la montagne, armés de leurs poignards, et de leurs fusils. J'ignore comment je survivrai par cette chaleur d'enfer, qui m'abrutit le jour, comment manger, boire, ou dormir à l'abri des insectes, des serpents, des loups et des hyènes. Je ne sais qu'une chose : je dois fuir cette maison, fuir cet esclavagiste et sa famille, n'importe quoi sera mieux que cette prison. J'ai connu le pire, j'affronterai les montagnes et le reste.

Pas le temps de réfléchir, il faut partir avant le retour d'Abdul Khada. Je dévale les escaliers qui donnent sur la porte de derrière, et tombe sur le grand-père. Le vieil homme aveugle a entendu des pas, il ne peut pas me reconnaître, mais il est en travers de mon chemin; je le repousse sans ménagements. Je cours sous le soleil, je cours aussi vite que je le peux, jusqu'en bas de la colline. Dans la vallée, les pierres roulent sous mes sandales, je dérape, perds l'équilibre, me redresse, et cours toujours. Mes jambes commencent à plier de fatigue, mes poumons sont prêts à éclater, une douleur au côté me plie en deux, mais je cours toujours, sans savoir où je vais. Les battements de mon cœur résonnent dans ma tête, j'entends ma propre respiration sous mon crâne, un bruit de forge, et je revois en un éclair la fuite de l'esclave, dans *Racines*. Sa course à travers les plantations, son épuisement lorsqu'on le rattrape, la punition, le fouet. Mes jambes ne céderont pas, mes jambes vont m'emmener loin d'ici. Je cours si vite que je ne vois plus clair, je ne sens plus de douleur, j'ai dépassé le stade de l'effort, je mourrai en courant s'il le faut.

J'entends le bruit d'une course derrière moi, un coup d'œil et je reconnais Mohammed et sa mère Ward. Le vieil homme a dû les prévenir, j'accélère, mais à chaque regard en arrière je les vois plus proches, hurlant des imprécations en arabe, criant mon nom qui résonne dans la montagne, en écho : « Zana, Zaaanaaa... »

Je suis dans un cauchemar, mon corps me fait mal, tous les muscles tendus par l'effort surhumain de cette course folle. Ils vont plus vite que moi, ils vont me rejoindre... je vais me réveiller dans mon lit à Birmingham, et le cauchemar sera fini.

Mohammed me rattrape dans la vallée, lance ses deux bras

autour de moi comme un lasso, et je tombe sur les cailloux. C'était perdu d'avance, il n'y avait devant moi aucun chemin à prendre, aucune direction logique, pas le moindre endroit où se cacher. Mohammed crie dans ma nuque, qu'il tient serrée :

– Tu es folle ! Où veux-tu aller ? Tu es folle de t'enfuir comme ça ! Rentre à la maison, mon père va revenir !

Je m'assieds péniblement, les poumons bloqués, incapable de prononcer un mot. Mes pieds sont en sang, tout mon sang semble vouloir s'échapper de mes veines. Je vais mourir étouffée, de rage, de désespoir, et de cette course insensée.

– Zana... Si mon père découvre que tu as voulu t'échapper, il sera furieux... Viens...

Je ne pouvais rien faire d'autre que de rentrer avec eux. La grosse Ward, essoufflée par la poursuite, grimpe le chemin en marmonnant derrière moi. Mohammed est devant. Je retourne dans ma prison encadrée par deux geôliers. Va-t-on me fouetter ? Abdul Khada est de retour et comprend aussitôt ce que j'ai fait. Une vague de frayeur m'envahit devant la grimace de colère qu'il affiche.

Frappe, frappe, ça m'est égal. Les gifles ne tuent pas.

– Pourquoi ? Pourquoi veux-tu te sauver ? Tu ne peux aller nulle part !

Je n'ai aucune explication à lui donner, ni à moi-même d'ailleurs. Je voulais fuir, c'est tout. Contre toute logique. Je sais parfaitement que des centaines de kilomètres me séparent du premier téléphone, que je n'ai pas d'argent, pas de papiers, que les femmes ne circulent jamais seules dans ce pays et qu'au premier barrage, on m'aurait ramenée ici. A moins que je n'aie rencontré les loups, ou qu'on m'ait tiré dessus. Ou qu'on m'ait emmenée dans un autre village pour m'enfermer dans une autre maison, pour être violée par d'autres hommes. C'était de la folie, un moment d'hystérie. Si personne ne m'avait poursuivie, je courrais encore, et toujours, je serais morte de courir. J'ai de la fièvre. Une fièvre de liberté.

– Réponds! Pourquoi veux-tu t'enfuir?

– Ramène-moi en Angleterre!

Je n'attends même pas la réponse, je retourne dans ma chambre, m'asseoir sur la banquette sous la fenêtre. Je reste là à ne rien faire, à ne rien dire, à me gratter mécaniquement les jambes, à chasser les mouches, à regarder les murs et le calendrier rapporté d'Angleterre.

Au début, je comptais les jours, les semaines, j'ai encadré la date de chaque anniversaire. Maman le 22 novembre, moi le 7 juillet... comme des îlots d'Angleterre dans ce désert arabe. L'Angleterre, je ne pense qu'à cela. Une obsession dont il ne me reste plus que le mot : Angleterre. Un seul mot qui rassemble tous les souvenirs, tous les visages. Maman égal Angleterre, Mackie égal Angleterre. Mes sœurs, mon frère, les ballerines que je portais pour aller danser, la balançoire dans le parc où j'allais rêver en lisant des romans-photos... Angleterre. Me retrouver au milieu d'une rue de Birmingham... Angleterre, à un feu rouge, et traverser en courant, pour ne pas être en retard à la piscine... Angleterre.

Il faut continuer à compter les jours, même si je ne sais plus de quel jour il s'agit, lundi, dimanche ou vendredi, quelle importance... « Quand est-ce que Nadia doit arriver? Quand est-ce que j'ai eu seize ans? » Sur le calendrier un petit rond au crayon dit que c'était un 7 juillet... Ma tête est un caillou, plus rien ne s'y inscrit. Taper du poing sur le mur ne sert à rien. Rien ne sert. Je ne suis plus rien.

Abdul Khada revient. « Va-t-il me frapper? »

– Ta sœur arrive dans trois jours; avant je t'emmène à Marais, pour rencontrer ton frère Ahmed et ta sœur Leilah.

« Pourquoi fait-il cela maintenant? Là-bas je pourrai peut-être inciter quelqu'un à m'aider ».

– J'ai promis à ton père que tu irais les voir. Tu pourras rester là-bas aussi longtemps que tu voudras.

Méfiance. Cet homme est fourbe. Il a un plan, mais lequel ? Peut-être m'enfermer ailleurs, dans un endroit pire que celui-ci ? Ou bien charger mon frère et ma sœur de me convaincre. Peu importe, s'il y a la moindre chance de m'évader je la saisirai. De toute façon il est trop tard pour empêcher Nadia de partir. « Elle arrive dans trois jours », cela signifie que ma lettre n'est pas parvenue à maman, ou que tout le monde nous abandonne.

Abdul Khada a peut-être dans l'idée de me séparer de Nadia, pour accomplir tranquillement son forfait, et la jeter dans le lit du fils de Gowad comme il l'a fait avec moi.

Toutes les hypothèses se bousculent dans ma tête, tandis que je fais ma valise. Mais quoi qu'il se passe, je ne refuserai pas de quitter cette maison, au contraire. Tout tenter, tout essayer.

Pour me renseigner sur ce voyage, je préfère m'adresser à Mohammed. Il n'est jamais brutal envers moi. Tout à l'heure, il a même tenté de m'éviter la colère de son père.

– Où se trouve Marais ?

– A sept heures de route.

Je n'en saurai pas plus. Dans ce pays, tout reste étranger à l'étranger.

Le lendemain matin, nous partons très tôt avant la grosse chaleur. Un taxi Land Rover nous attend Abdul Khada et moi, en bas de la maison, sur la route principale. Nous emportons quelques fruits pour le voyage. Une chaîne de montagne en suit une autre, la route est cahoteuse, mauvaise, puis se met à serpenter dangereusement. En regardant par la portière, j'aperçois un ravin, abrupt, les roues de la voiture sont à quelques centimètres du bord, dans certains virages particulièrement serrés. La Land Rover dérape, l'avant heurte le bord de la falaise au-dessus de nous ; en dessous, c'est le vide. Je commence à paniquer et hurle au chauffeur de s'arrêter, de me laisser descendre, mais Abdul Khada s'interpose :

– Cesse d'avoir peur... Il a l'habitude.

D'ailleurs le chauffeur continue sans m'écouter, alors que la route est de pire en pire, que nous frôlons de plus en plus la paroi verticale, et que les roues se rapprochent atrocement du vide. Je me sens à l'étroit, survivante dans un espace qui rétrécit, rétrécit. Il me semble que je vais passer par-dessus bord à chaque virage. Cette route en lacets n'en finit pas, la peur me rend hystérique. Je m'agrippe au siège, je ferme les yeux sur le vertige de la mort imminente, seconde après seconde. Et heure après heure la route noue et dénoue ses virages. Enfin le chauffeur atteint une petite aire de stationnement et stoppe. Je saute aussitôt de voiture pour prendre un peu l'air, et raffermir mes jambes qui refusent de cesser de trembler. Le ravin est toujours aussi effrayant.

– S'il te plaît, laisse-moi faire le reste du chemin à pied.

– Trop loin. Monte.

Je ne voulais pas fuir, simplement ne pas revivre cette peur atroce. Nous avons atteint ce qui semble être une frontière. Marais se trouve dans le Sud Yémen, et des hommes en armes contrôlent le véhicule. Ils ne s'intéressent pas du tout à moi, ils parlent avec le chauffeur et avec Abdul Khada, enfin ils lui posent des questions en me regardant.

– Que veulent-ils ?

– Savoir où nous nous rendons, c'est tout. Je leur ai dit que nous allions voir de la famille à Marais.

Il me semble qu'il ne montre aucun papier d'identité en ce qui me concerne. J'avais pourtant un passeport individuel, au départ. Qu'en a-t-il fait ?

– Tu ne dois pas montrer de passeport pour moi ?

– Une femme qui voyage avec son beau-père, son père, son frère ou son mari, n'a pas besoin de papier.

Je ne suis rien ici. Il ne perd pas une occasion de me le faire remarquer. En imaginant que je m'adresse à ces soi-disant douaniers, qui mâchent du qat, crachent et ne s'intéressent pas plus à moi qu'à une buse, en imaginant que je leur dise en anglais : « Sauvez-moi, je suis prisonnière de cet homme, il m'a mariée de force à son fils », ils me riraient au nez probablement.

Même si j'ajoutais que mon père m'a vendue mille livres en Angleterre, pour cela. Même si je leur disais qu'on ma violée. Ils ne doivent même pas connaître le sens de ce mot. Par contre, les manches courtes de mon chemisier anglais leur est une insulte! Montrer ses bras, quelle ignominie!

Lorsque nous atteignons enfin Marais, un village comme les autres, juste un peu plus grand, et après avoir subi une série d'orages aussi surprenants que terrifiants, une envie d'éclater en sanglots me prend à la gorge. J'ai si chaud, j'ai eu si peur, tout cela est tellement effrayant. Rien dans ma vie jusqu'à présent ne m'a préparée à vivre ça. Cette horreur dans ce pays effrayant. Je sors de la voiture en vacillant, des villageois s'attroupent autour de nous, discutant en arabe, me montrant du doigt. Ils rient et se bousculent. Je demande à Abdul Khada de me traduire ce qu'ils disent, mais c'est impossible, tant ils parlent vite et tous en même temps.

A travers la foule j'aperçois un vieil homme, qui se dirige vers nous en boitant, appuyé sur un bâton. C'est un homme petit, voûté, au visage ridé, aux cheveux blancs comme de la neige. Il porte des lunettes. Abdul Khada me dit :

– C'est ton grand-père.

Et j'éclate en sanglots. Tout se mêle dans ma tête. L'émotion, la peur, et la surprise. Ce vieillard aux traits ravagés est le portrait de mon père. Le visage, la silhouette et les gestes sont à ce point identiques que le choc me paralyse sur le moment. La même façon d'arrondir les épaules, le même geste des mains nouées derrière le dos, la même démarche, et soudain devant moi la même immobilité froide.

Je voudrais lui parler, lui demander de l'aide, mais comment? Il ne comprendrait même pas le plus simple mot d'anglais. Alors je me contente de banalités polies, que traduit Abdul Khada.

– Ton frère arrive, regarde!

Quelqu'un, en effet, un jeune homme habillé à la façon arabe, court et se fraye un chemin dans la foule des villageois. Il porte la *futa* traditionnelle, une chemise par-dessus, mais je le reconnais. Il a le visage de la famille. C'est un Muhsen, c'est mon frère Ahmed, que je n'ai jamais vu auparavant. Il pleure avant même d'atteindre le petit groupe que nous formons autour de la voiture. Puis il s'immobilise devant moi. Il sourit à travers ses larmes. Je ne sais pas quoi faire. L'embrasser ? Ici on n'embrasse pas un homme. Mais c'est mon frère... Nous nous tenons les mains quelques secondes, en nous dévisageant. Je suis née après lui, il a quitté Birmingham à l'âge de trois ans. Il ne se souvient plus de sa langue natale. Abdul Khada traduit des salutations polies. Des « comment vas-tu, comment as-tu voyagé... Où est notre sœur Leilah... »

Il paraît que nous pouvons la voir maintenant. Il faut remonter en voiture, franchir une vallée, des chemins difficiles encore, jusqu'à un autre village, dont je ne comprends pas le nom, et où habite ma sœur. Nous traversons des champs de maïs, des prés verdoyants. Après ce voyage affreux dans la montagne, le paysage est reposant, agréable. Ici, la route est plate, et le dernier orage que nous avons traversé en montagne a tout arrosé. La lumière de fin d'après-midi est douce. En d'autre temps j'aurais profité pleinement de ce paysage. J'aime la liberté des campagnes, la liberté des plages. J'aime dormir à la belle étoile, et faire la cuisine entre deux cailloux. J'aime respirer un air différent, sauvage. Lorsque nous partions en colonie avec l'école à Blackpool, au bord de la mer, lorsque mon oncle nous emmenait faire du camping au Pays de Galles, je jouais les aventurières, le nez au vent, la liberté dans la tête. Il s'agissait de vacances anglaises. C'était mon enfance, ma vie, ma normalité de citoyenne britannique. Mais le paysage a beau être aujourd'hui rafraîchissant... ce n'est qu'un décor de ma vie d'otage.

Nous nous arrêtons devant une vieille maison de pierre, à étages, aux fenêtres surmontées d'arceaux blancs. Des gens sortent pour nous accueillir et nous regarder de près. On nous sourit, et Abdul Khada me dit aussitôt :

– Ta sœur Leilah n'est pas ici. Elle est partie avec son mari quelque part, elle ne savait pas que nous venions.

Je suis tellement déçue que me voilà au bord des larmes à nouveau. Dans cette aventure tragique, rencontrer des membres de ma famille était quelque chose d'important. Même si, comme Ahmed, Leilah ne parle pas anglais et nous a oubliés, je voulais la voir, examiner son visage, et tenter de lui faire comprendre. Nous repartons sur Marais, et Abdul Khada m'annonce que je dois dire au revoir à mon frère Ahmed.

– Qu'est-ce que ça veut dire ? Où allons-nous ? Tu avais dit que nous restions ici. Tu avais dit que je pourrais rester autant que je voulais. Je n'ai même pas vu ma sœur ! Je veux rester !

Je pleure encore. Il semble que j'aie des torrents de larmes en réserve aujourd'hui. Il se met à hurler :

– Tu ne peux pas rester ! Ta sœur Nadia arrive d'Angleterre demain, et tu dois être là avec moi pour la recevoir.

Il a dit demain, hier ce devait être dans trois jours. Il ne cesse de me mentir, de me manipuler comme une poupée. Mais s'il y a une chose au monde à laquelle je tiens en ce moment, c'est voir Nadia. Je ne discute donc pas.

– Assieds-toi dans la voiture, et attends-moi. Je vais acheter à boire.

Je le regarde de loin pénétrer dans une boutique à ciel ouvert, il discute avec le marchand, près d'un homme vêtu d'un costume occidental et d'une cravate. L'homme m'a vue et se dirige vers moi, très agressif.

– Que viens-tu faire ici ?

Il parle anglais, me dévisage méchamment, m'inspecte de haut en bas.

– Tu es venue pour ennuyer Ahmed et Leilah, c'est ça ?

Surprise par cette agressivité, je n'ai pas le temps de réagir et de lui répondre. Il s'en va. Le seul être qui parle anglais dans ce village, à part Abdul Khada, et à qui j'aurais pu demander de l'aide...

Abdul Khada revient avec quelques bouteilles de Coca, et me voyant stupéfaite, me demande ce qui s'est passé. Je lui raconte la scène, il regarde autour de lui.

– Quel homme ? Il n'y a personne.

Effectivement l'homme a disparu, le marchand est seul dans sa boutique. Abdul Khada fronce les sourcils, et semble un moment ennuyé.

Il est temps d'aller dire au revoir à Ahmed qui, cette fois, me serre très fort contre lui. Je tends la main à mon grand-père, poliment, et la Jeep démarre aussitôt dans un nuage de poussière. En me retournant, je peux voir Ahmed dans ce nuage, cet Arabe qui est mon frère, debout sur la route, agitant les mains, et il me semble bien qu'il pleure.

Tout est étrange. La rapidité de ce voyage, ma sœur Leilah qui n'était pas là. Ahmed qui pleure. Ce vieillard qui ressemble tant à mon père.

J'essaie de me renseigner sur Ahmed, auprès d'Abdul Khada, puisque nous n'avons pas pu communiquer, je ne sais toujours rien de lui.

– Ton grand-père ne le laisse pas se marier. C'est très dur pour un homme. Il n'est pas autorisé à toucher une femme célibataire. Et s'il commet l'adultère, il sera puni de mort.

– Pourquoi fait-il cela ?

– Je ne sais pas. C'est ton grand-père qui décide.

Décider... toujours l'homme. Abdul Khada décide, grand-père décide, mon père décide...

Je me demande pourquoi mon père a choisi un jour d'enfermer mon frère et ma sœur dans ce pays. « Les a-t-il vendus eux aussi ? Ma sœur peut-être... Se moquait-il de faire du mal à ma mère ? Peut-être. » Au fond je ne sais rien d'eux et de leurs rapports. Je ne me posais pas de question. « S'aimaient-ils ? Pourquoi ne se sont-ils jamais mariés ? » Les adultes sont un mystère. Je ne comprends rien à rien, et ma naïveté me ramène à mon âge. Je n'ai que seize ans. En Angleterre, je suis encore considérée comme une adolescente mineure. Ici on me voudrait femme mariée et enceinte...

Je suis si fatiguée que je ne me suis même pas rendu compte que la voiture abordait de nouveau la route de montagne, la même route qu'à l'aller. Et je me remets à trembler et à pleurer ; la nuit tombe, ce chauffeur qui mâche du qat, tient le volant d'une main, et boit du Coca de l'autre, il va nous tuer. Il va rater un virage. Je vais mourir.

– Est-ce qu'il n'y a pas une autre route ? On ne peut pas éviter cette montagne.

– Non il n'y a pas d'autre route, et arrête de te plaindre tout le temps !

Et tout recommence, les chutes de pierres, les virages en épingle à cheveux, les roues trop lisses qui dérapent, la lune au-dessus de nous, qui nous guette, et le ravin que je ne distingue plus mais dont je sens le vide, jusque dans mon ventre. Je sais qu'il est là, je sais que nous passons à quelques centimètres de la mort, presque toutes les minutes. La tête dans mes mains, repliée sur moi-même, tendue à hurler, je serre les dents sur la peur. Les heures passent, la nuit devient froide, j'entends rouler les rochers, siffler le vent... lorsque la Jeep s'arrête dans un grincement épouvantable.

– Nous allons passer la nuit ici.

J'ose regarder devant moi, il y a une petite ville devant nous, déserte, qui me semble abandonnée et noire, dans la lueur des phares. La Jeep a stoppé devant une maison ancienne à trois étages. Nous descendons. Ma petite valise à la main, je tremble encore de tous mes nerfs.

– Où sommes-nous ?

– A Ibb.

A la porte, un vieillard nous accueille. Abdul Khada me dit qu'il loue des chambres. Nous montons des escaliers dans l'obscurité à la lueur d'une torche électrique. On ouvre une porte, j'ai une chambre pour moi toute seule. Froide, humide, mais peu m'importe. Allongée par terre sur un tapis, je grelotte jusqu'au matin de fatigue, d'émotion et de peur.

Je revois ce vieillard aux cheveux blancs, le père de mon père, celui qui a élevé Leilah et Ahmed. Dont nous n'avions jamais de nouvelles à Birmingham. Dont maman ne parlait plus, après avoir essayé de les récupérer vainement. Je l'ai même entendue dire un jour, il y a très longtemps – j'étais petite encore – qu'elle avait fait une demande au Foreign Office, sans autre résultat que cette réponse : « Vos enfants sont britanniques par leur mère, et yéménites par leur père ; là-bas ils sont considérés comme citoyens yéménites... »

Et notre père qui disait :

– Mon père a une grande et belle maison là-bas, les enfants voulaient y rester, ils auront une bien meilleure vie que celle que nous pouvons leur offrir en Angleterre...

« Comment pouvaient-ils faire un choix de ce genre, ce n'étaient que des bébés. Qu'appelle-t-il " meilleure vie " » ?

Mensonge, mensonge. Il était parti au Yémen pour neuf mois, soi-disant pour y travailler et montrer ses enfants à son père et sa mère. Mensonge et disparition des aînés de la famille. Il nous promet des vacances, au bord de la mer, sur le sable au milieu des palmiers... mensonge. Violée et prisonnière.

Le même sort attend Nadia demain.

« Que fait maman ? Que sait-elle ? »

Nous quittons Ibb le lendemain matin, si tôt que je n'ai même pas le temps de voir à quoi ressemble cette ville. Il me semble que la maison grise où nous avons dormi se situe à l'extérieur. Sur la route, j'aperçois des collines au loin, d'autres maisons dans la brume, des champs cultivés, puis de nouveau le désert. Des cactus, et d'étranges plantes, ressemblant à des cierges, poussant tout droit, des euphorbes.

Abdul Khada, qui ne me donne qu'un minimum d'informations, a dit que nous nous rendions à Taez, chez un certain Nasser Saleh. J'ai cru comprendre que cet homme leur sert à lui, ainsi qu'à Gowad, d'intermédiaire pour leurs affaires. Il transmet leur courrier, lorsqu'ils sont à l'étranger; l'argent qu'ils gagnent en Angleterre, ou en Arabie Saoudite, passe également par lui. Nadia doit arriver chez cet homme. Elle a dû atterrir comme moi à Sanaa, puis faire le voyage jusqu'ici.

Taez, vue depuis la route, ressemble à une termitière. Nous avons traversé des collines plantées de qat. Le qat est partout, autour de la ville, étalé devant les boutiques, sur la tête des gens, sur le dos des ânes et des dromadaires.

La voiture s'arrête devant une maison assez grande, propre; ce Nasser Saleh doit être relativement aisé. La cinquantaine, trapu et l'air jovial, le teint très pâle, comme s'il ne voyait jamais le soleil; il nous accueille par un salut arabe :

– *As salam alaykoum...*

Nous montons un escalier en ciment, qui mène à une grande pièce, où je ne vois que des hommes.

Durant tout le trajet, j'ai tourné et retourné dans ma tête toute l'histoire. Nadia ignore tout, très certainement. Ils se sont bien gardés de lui dire quoi que ce soit, avant d'être suffisamment loin, pour qu'elle ne puisse plus leur échapper. Ma petite sœur, si confiante, si naïve... L'idée de ce qui l'attend me serre la gorge, comme si j'avais avalé un morceau de pain qui refuse de passer.

Dans ce groupe d'hommes, la plupart habillés à l'européenne, j'aperçois immédiatement Abdullah, mon soi-disant mari. Il est aux côtés de Gowad et de son fils Samir. C'est lui, le « futur époux ». Treize ans, un gamin d'apparence moins débile que le mien, au visage enfantin, pas la plus petite ombre de moustache. Les cheveux très noirs et très frisés, de petits yeux sous un front étroit. Il est mince, mais paraît en bonne santé, lui, dans sa *futa* traditionnelle. Une vague de haine s'empare de moi, je cherche Nadia des yeux, et la découvre enfin, tranquillement assise au milieu de tous ces hommes, l'air fatiguée, un peu perdue, comme je l'étais moi-même deux semaines plus tôt.

En voyant son visage, je comprends immédiatement que ma lettre n'est pas arrivée. Elle ne sait rien. Elle regarde autour d'elle, elle attend, on a dû lui dire que j'allais venir la retrouver, lui parler de visite de famille, de vacances...

Alors je m'immobilise en haut de cet escalier, devant cette assemblée de mâles, incapable d'avancer. Je n'ai plus aucune chance de la sauver. Nous allons devoir combattre ensemble, et nous échapper ensemble. J'éprouve plus d'angoisse pour elle que je n'en ai éprouvé pour moi-même. Je suis plus âgée, plus forte, plus responsable. Et elle est tellement jeune.

Abdul Khada me pousse légèrement dans le dos.

– Ta sœur est là, va lui dire.

– Je ne veux pas lui dire.

– Dis-lui! Il vaut mieux que ce soit toi!

C'est à la fois un ordre et une menace. Je me décide.

– Très bien, j'y vais!

Il ne sent pas le mépris que j'exprime en lui répondant ainsi. Il se fiche du mépris, il ne sait même pas ce que mépris veut dire, ce lâche.

Nadia vient de m'apercevoir. A l'instant où j'avance vers elle, elle se lève, un sourire de soulagement sur les lèvres, tandis que je sens les larmes jaillir de mes yeux, sans pouvoir les réprimer. Toutes ces émotions vont m'emporter, me tuer, je vais m'effondrer... il ne faut pas. Je cours vers elle, nous nous jetons dans les bras l'une de l'autre, j'aurais voulu être calme, ne pas lui faire peur tout de suite, mais c'est impossible, je pleure à chaudes larmes.

– Qu'est-ce qu'il y a? Qu'est-ce que tu as Zana? Tu es malade? Il est arrivé quelque chose? Dis-moi... mais arrête de pleurer!

Je voudrais bien, mais toute l'horreur de la situation vient de m'apparaître. Ce qu'on m'a fait subir, depuis mon arrivée, ce viol infâme, tout devient réel, terriblement réel, alors que je serre ma sœur dans mes bras, que je regarde son joli visage, enfantin, lisse, aux grands yeux noirs cernés par la fatigue du voyage. Les images se bousculent et s'enchaînent dans le désordre. La chambre, les murs sales, les menaces, cette moitié d'homme s'agitant sur moi, les coups, ma tentative d'évasion, et notre frère Ahmed qui pleurait hier et n'a rien pu me dire. Ce terrible voyage sur cette route de montagne dans la nuit, je voudrais tout raconter et ne trouve pas les mots, ni par où commencer.

Nadia m'aide à m'asseoir sur un coussin, quelqu'un m'apporte à boire, je retrouve un peu mes esprits, et désigne Samir, le fils de Gowad, à l'autre bout de la pièce.

– Regarde Nadia, c'est lui!

– Quoi lui?

– Le fils de Gowad, c'est ton mari.

Elle regarde le garçon, sans comprendre, puis me dévisage.

– Qu'est-ce que tu dis Zana ?

Je vois l'incompréhension dans ses yeux, elle doit me croire malade, ou l'auteur d'une plaisanterie douteuse.

– Le fils de Gowad, ce Samir, c'est ton mari...

Comme elle me fixe toujours avec étonnement, j'enchaîne très vite :

– Papa nous a mariées. Il nous a vendues... vendues pour 1 000 livres chacune. Il m'a vendue à Abdul Khada ; toi, il t'a vendue à Gowad.

Nadia reste muette, secoue la tête, ramasse ses cheveux qu'elle se met à tortiller ; son regard va du garçon à moi, plusieurs fois de suite. Elle n'y croit pas, comme moi au début. C'est tellement fou, tellement impensable. Samir a treize ans, il est plus jeune qu'elle d'une année, c'est tout juste si elle lui a prêté attention en arrivant ici.

Je me rends compte qu'il est impossible de parler dans cette pièce au milieu de tous ces hommes. Abdul Khada, toujours dans mon dos à me surveiller, me fait signe de me lever et nous entraîne toutes les deux dans une petite pièce vide, et nous y laisse seules.

– Écoute-moi bien Nadia, ce qui nous arrive est affreux. Je te répète que papa nous a vendues, il nous a mariées... Est-ce que vous avez reçu ma lettre à la maison ?

– Quelle lettre ? Non, on n'a rien reçu. Mais de quoi parles-tu ?

Je reprends tout depuis mon arrivée, fumant une cigarette après l'autre, tremblant de tout mon corps, essayant d'être précise.

– Ils m'ont enfermée dans la chambre avec cet Abdullah, que tu as vu, le dernier fils d'Abdul Khada – il a quatorze ans. Ils ont dit que si je n'obéissais pas, ils m'attacheraient sur le lit et me forceraient à le faire.

– Tu l'as fait ?

– Pas le premier soir, mais le lendemain, j'ai été obligée.

Nadia réalise peu à peu et me serre à nouveau dans ses bras, avec compassion.

– Qu'est-ce que nous allons faire ? Maman n'a pas reçu ta lettre...

Elle hésite un peu.

– ... Ou alors elle ne m'a rien dit.

Le doute s'installe dans son esprit, comme pour moi. « Et si maman savait ? Si elle était complice ? »

– Non, ce n'est pas possible.

Tout ce que nous racontons ressemble à un horrible conte arabe. Nous sommes deux jeunes filles prisonnières de bandits de la montagne. Des bandits qui circulent en Angleterre, dans le monde européen, qui ne ressemblaient pas à des bandits, lorsqu'ils venaient boire un café avec mon père. Nous les avons peu vus, nous ne nous sommes pas méfiées. Nous avons l'excuse de la jeunesse, mais maman ?

– Non... maman n'était pas au courant. Je suis sûre qu'elle n'en savait pas plus que nous. Je suis sûre qu'elle croit à leur histoire. C'est papa... Tu n'étais pas là à l'aéroport quand je suis partie, j'ai demandé à maman si je pourrais revenir au cas où le pays ne me plaisait pas. Elle a dit oui, elle n'aurait pas pu me mentir. Elle a cru papa...

Nadia m'approuve, secoue la tête, en murmurant : « Tu as raison. » Mais ni l'une ni l'autre ne pouvons être certaines. Simplement nous ne pourrions pas supporter l'idée que notre mère nous ait trahies, et il nous est indispensable de croire à quelqu'un, quelqu'un qui pourra nous aider à sortir d'ici, à nous sauver. Sans cela... nous n'aurions plus d'espoir, nous serions abandonnées pour de vrai...

Nadia est dans un état bizarre, une sorte de stupéfaction profonde, que je reconnais pour l'avoir ressentie avant elle. Elle a compris, « entendu » ce que je lui ai raconté, mais elle n'a pas encore touché du doigt la réalité des choses.

Nous retournons toutes les deux dans les pièces où les hommes parlent, boivent, ne se souciant guère de notre présence, en apparence du moins. Abdul Khada vient vers moi, le visage impassible.

– Tu lui as dit ?

Puis il regarde Nadia.

– Tu as compris ?

Elle ne répond pas. Son visage est blême, et il n'insiste pas.

A partir de cet instant, Nadia est restée calme, elle n'a plus jamais souri, comme si elle avait sombré définitivement dans un puits de silence. Elle s'est transformée, sous mes yeux, en quelques instants, en une sorte de zombi au regard triste. L'adolescente ouverte, toujours joyeuse et drôle, n'existait plus. Nous attendons toutes les deux que les hommes nous ramènent à la Land Rover. Incapables de parler davantage, nous réfléchissons, chacune de notre côté, en silence. Apparemment domptées, dociles.

La voiture démarre et nous emmène. Peu importe la ville, les rues, les maisons, je ne vois rien, tout m'est égal. Ce pays ne m'intéresse pas, ce n'est qu'une prison, et les prisons ont toutes la même couleur. Le temps n'y existe plus. Nous roulons vers le village où Nadia devra vivre désormais, avec ce Samir de treize ans, dans la maison de Gowad. Je sais qu'il n'est qu'à une demi-heure de marche de celui où l'on me retient prisonnière. Il porte le nom de Ashube, le mien s'appelle Hockail. A chacune son bagne. Je n'ai qu'une idée fixe en tête ce jour-là : inventer quelque chose, un moyen de préserver ma sœur. Je refuse qu'on la viole. Ma petite sœur, presque mon enfant.

Aide-nous maman. Ce que je peux supporter, Nadia ne le pourra pas. Ils vont faire d'elle une morte vivante.

Ashube, village de Gowad. Des maisons serrées les unes contre les autres ; la Land Rover s'arrête devant l'une d'elles. Gowad et son fils Samir descendent les premiers. Abdul Khada fait signe à Nadia de les suivre.

J'affronte Abdul Khada immédiatement.

– Où va-t-elle ?

– Elle va dans la maison de Gowad. On viendra la voir demain.

La panique me reprend, à la pensée d'être séparée de Nadia aussi vite. Incapable de me contrôler, je me mets à crier dans la voiture, tandis que Nadia pleure doucement sur le bas-côté de la route.

– Laisse-nous ensemble! S'il te plaît! Elle vient d'arriver!

Ils me regardent tous les trois, l'air ennuyé, seulement ennuyé. Comme si je n'étais qu'une poule de basse-cour faisant trop de bruit. Je me calme. Ces hommes me font réagir étrangement, je deviens réellement hystérique, ce qui ne sert à rien. Crier, pleurer, tout cela leur est complètement égal. Ils claquent les portières, et Nadia s'éloigne avec les deux hommes, la tête basse. Je ne peux pas la regarder, c'est insupportable. Le visage enfoui dans mes mains, impuissante, je pleure, en imaginant ce qui l'attend. J'aurais voulu, je ne sais pas, lui expliquer... la prévenir. Elle ignore tout des rapports sexuels, elle n'en a qu'une idée romantique, idéale. Comme moi, d'après ce que nous avons vu au cinéma ou dans les livres.

Abdul Khada revient aussitôt et la voiture démarre. Le chauffeur est complètement indifférent, Abdullah regarde ailleurs, je passe des pleurs à une nouvelle fureur.

– Tu n'es qu'un monstre! Tu te crois tout permis! Tu n'as pas le droit de me séparer de ma sœur! Sadique, violeur...

Les injures les plus énormes sortent de ma bouche, incontrôlées; devant les autres je le traite de tous les noms qui me viennent à l'esprit. Je sais bien que non seulement c'est inutile, mais que je vais probablement le payer, mais peu importe, ça me soulage.

– Tu as peur de nous laisser ensemble? Je veux rester avec elle!

– Vous ne pouvez pas rester ensemble, vous êtes mariées maintenant, vous devez vivre chacune dans votre maison.

– Je te déteste! Je te maudis toi et ta famille et ta maison!

– Tu appartiens à la famille, tu es mariée à mon fils.

Ce dialogue de sourds est épuisant.

– Nous ne sommes pas mariées, c'est un mensonge! Personne

n'a le droit de nous marier, si on ne veut pas. Nadia n'est mariée à personne et moi non plus!

Il hausse les épaules.

– Salaud d'Arabe! Tu le paieras! Tu paieras ce que tu nous fais subir! Ce sera pire encore!

L'injure la plus grave, à mon sens, ce « salaud d'Arabe », ne le fait pas réagir davantage que les autres injures. Je peux la répéter à loisir, m'en gargariser, c'est exactement comme si je soufflais dans le vent. Je ne demeurerai pas longtemps anglaise à ses yeux, il a entrepris de me transformer en Arabe. Il lui suffit probablement que mon père soit yéménite, il néglige le reste, ma culture, mon éducation, mon esprit anglais.

– Je veux retourner avec elle!

– Non. Nous irons demain. Mais tu ne parleras de rien avec elle.

– Je dirai ce que je veux!

– Si tu lui fais peur, attention à toi.

Cette fois il a proféré la menace, en me regardant droit dans les yeux. Je dois me montrer diplomate, me ressaisir. Ce n'est pas ainsi que j'arrangerai nos affaires. Je m'étais pourtant promis de faire semblant, d'être hypocrite en attendant une faille, quelqu'un, de l'aide, je ne sais pas... ce qu'on appelle l'espoir. Les circonstances m'ont rendue agressive. Avant je ne me mettais pas facilement en colère. Je crois que ça ne m'était tout simplement jamais arrivé à Birmingham. Même avec mon père, je ne me suis jamais disputée. J'ai toujours été calme, à l'école, avec mes amis. Ici je me sens devenir une bête fauve.

La route entre les deux villages est relativement courte. Nous descendons comme la première fois, en bas de la colline. Il faut faire le reste à pied. Si je voulais m'échapper pour rejoindre ma sœur, je ne pourrais emprunter qu'un sentier difficile, qui part de derrière la maison d'Abdul Khada, et marcher une demi-heure environ, dans les broussailles, à la merci des serpents, et d'autres animaux inconnus. Ils n'ont aucun mal à nous garder en captivité, ce pays est une prison à lui tout seul pour une étrangère. Une femme ne peut pas y circuler seule, en dehors de sentiers convenus, dans un cercle restreint autour de sa maison et du village. Une Anglaise ne ferait pas deux kilomètres sans se faire remarquer. Et l'Anglaise que je suis ne saurait pas de toute façon quelle direction prendre et où aller. Mon seul repère, c'est le village de Nadia, et le mien.

Pleurer est le seul soulagement immédiat après les injures. Et l'unique refuge est ma chambre. Je n'ai même pas le courage de défaire ma petite valise. La seule idée d'aller faire ma toilette dans ce trou à rat... la seule idée de subir, cette nuit encore, le rituel imbécile que pratique ce gamin inexpérimenté...

Le lendemain matin je suis debout la première et entreprends de suivre Abdul Khada pas à pas, comme une enfant, en lui demandant inlassablement quand nous irons voir Nadia. Il accepte finalement. Nous partons tous les deux, en empruntant le même chemin que j'avais essayé de franchir dans ma tentative de fuite. Un sentier étroit, le long des champs, bordé de murs bas, de haies épineuses, puis à travers des bois sombres. Mon calcul était juste, nous marchons une demi-heure environ avant d'atteindre Ashube et la maison de Gowad, déjà pleine de monde. Des tas de gens sont venus saluer les voyageurs de retour d'Angleterre. Les hommes dans une pièce, les femmes dans une autre, comme d'habitude.

Lorsque j'ai rencontré Gowad, en qualité « d'ami » de mon père, comme Abdul Khada, je ne lui avais pas prêté beaucoup d'attention. Un homme d'une cinquantaine d'années, chauve, plutôt gros, très grand, un visage terriblement laid, souvent luisant de transpiration, un mélange de sévérité et de molesse, des cheveux courts et frisés.

Vêtu à l'occidentale, il ne différait pas des autres amis de mon père. Ici, comme Abdul Khada, c'est un autre homme. Ici, il est chez lui. Sa femme se tient à l'écart, il règne en maître dans sa maison. Il a revêtu la *futa*, mâche du qat, discute en arabe avec ses visiteurs, l'air important.

Le travailleur immigré revenu au pays a tant de choses à raconter à ces villageois. Tout ce qu'il a vu en Angleterre, l'argent qu'il y a gagné... Je les hais. Chez moi, à Birmingham, c'était différent. Mais ici je les hais. Ils m'ont volée. Ils ont volé Nadia.

Nadia n'est pas avec les femmes, on m'indique une autre chambre, et je me précipite. Elle est assise sur un lit, semblable au mien, et je me jette dans ses bras en pleurant. Elle éclate en sanglots elle aussi, et pendant quelques minutes nous sommes incapables de parler. Puis je lui demande avec angoisse de me raconter ce qui s'est passé, et ce qu'on lui a fait.

– Gowad a dit au garçon qu'il devait dormir avec moi la nuit; il n'avait pas l'air de vouloir, je crois qu'il avait peur, il est encore petit. Alors Gowad m'a traînée dans la chambre, ici, et il a fermé la porte. Je me suis assise et j'ai attendu. Je pouvais les entendre se disputer à côté, sans comprendre ce qu'ils disaient. Gowad criait beaucoup après Samir, je suppose qu'il ne voulait toujours pas venir dormir avec moi. Il l'a battu, très violemment, le garçon criait et pleurait, c'était terrible... Zana... terrible... alors je suis sortie dans le couloir pour essayer de mieux entendre, mais j'avais peur. S'il battait son fils, il allait me battre aussi, tu comprends?

Nadia reprend un peu son souffle, quelques minutes, et je la berce contre moi.

– Une porte s'est ouverte, Gowad est venu vers moi, j'ai pleuré, j'ai dit que je voulais rentrer chez moi, je l'ai même injurié. Alors il m'a frappée.

– Où? Qu'est-ce qu'il t'a fait?

– Il m'a donné un coup de pied dans les côtes, il m'a poussée dans la chambre à coups de pied, et il m'a dit en anglais que son fils ne m'aimait pas, qu'il avait peur de moi, mais qu'il allait l'obliger à coucher avec moi, de force. Après il a attrapé Samir par le cou, et l'a jeté dans la chambre comme un chien. Il pleurait vraiment, il avait les joues rouges, et se tenait la tête. Son père a refermé la porte à clé. Je n'oublierai jamais cette nuit.

– Il t'a fait du mal ?

– Oui. Il m'a humiliée...

Nadia n'est plus vierge. Nadia secrète et torturée n'en dira pas plus, même à moi sa propre sœur. Humiliée. Ce gamin qui n'a que treize ans est plus fort que mon soi-disant mari. Il craignait l'impureté de l'Anglaise, mais son père plus encore et il lui a obéi. Ces gens sont fous et ignobles. Contraindre leur propre enfant à accomplir un acte sexuel. Le battre pour cela. Qu'espèrent-ils ?

Salama, la femme de Gowad, semble plus compréhensive avec ma sœur que Ward ne l'est avec moi. Ce n'est pas le même genre de femme : petite, bronzée, des yeux remarquablement noirs et brillants, mais de gentillesse plutôt que d'agressivité. Elle est venue consoler Nadia ce matin. Nadia n'a pas compris le langage, mais les gestes étaient rassurants. Comme ceux d'une mère désolée pour sa propre fille. Désolée, c'est tout ce qu'elle peut être. Pour elle comme pour les autres femmes, l'obéissance est de règle, le mariage est le mariage, le fils doit faire des enfants à une autre femme, rien ne compte que l'accomplissement de ce rituel barbare. Ni l'amour, ni les répulsions, pas le moindre choix. Elles n'ont pas le moindre choix. Et nous devrons vivre comme elles. La belle-mère de Nadia est simplement plus humaine, plus normale que la mienne. Je ne comprends presque rien à l'arabe, mais suffisamment pour avoir entendu l'autre jour Ward me traiter de « putain blanche ». Cette femme est mauvaise, jalouse et méchante de nature...

Nous restons dans la chambre, collées l'une à l'autre, à la dérive, dans les pleurs, nous posant à nouveau mille questions, oscillant entre l'espoir et le désespoir. « Pourquoi notre père a-t-il fait ça ? Maman était-elle complice Oui, non... »

D'où pourrait nous venir l'aide ? Il faut que nous persistions à écrire à notre mère. Il faut aussi, chaque jour, que nous demandions à rentrer chez nous. Il faut user ces gens. Leur montrer que jamais nous ne serons comme eux, nous devons demeurer les deux jeunes filles anglaises qu'ils ont kidnappées. Subir, mais ne rien accepter. Jamais.

Je demande à Abdul Khada pourquoi Gowad a frappé son fils.

– Il ne voulait pas coucher avec ta sœur. Elle est mal habillée, ses cheveux sont découverts, elle est impure.

– Alors il ne fallait pas l'obliger.

– C'est son père qui décide, pas lui. Lui, il ne voulait pas d'une fiancée étrangère, et il l'a dit à son père. C'est une insulte à l'autorité de son père. Son père devait le battre pour cela, et il devait obéir. C'est tout.

Son père... son père... toujours le père. Seul le père compte dans cette société. Femmes, enfants, tout doit leur céder. Ils portent leur grand poignard à la ceinture, et se promènent avec un air menaçant, alors qu'ils ne s'en servent jamais. La plupart d'entre eux travaillent à l'étranger, côtoient la civilisation, des tas de gens de races différentes, de cultures différentes. Ils n'en rapportent au pays que l'argent, le Coca-Cola, les cigarettes, les conserves. Pour le reste, rien ne change. En tout cas ici, dans les villages.

La journée s'écoule ainsi, les femmes d'un côté, les hommes de l'autre, et Nadia et moi assises sur son lit.

Cette maison est un peu plus petite que celle d'Abdul Khada, car la famille est moins importante. Il y a Gowad et Salama, leurs deux fils, Samir et Shiab qui n'a que cinq ans. Il m'a semblé que Salama était enceinte.

La chambre réservée à Nadia et à son « époux » est semblable à la mienne. Les mêmes meubles de base, c'est-à-dire un lit, une banquette. Des fenêtres encore plus petites que les miennes la rendent plus sombre, on y sent le renfermé en permanence. Le salon par contre est grand et lumineux, bien aéré, et le cabinet de toilette comporte une fenêtre. Élément précieux, qui permet de s'y rendre sans l'aide d'une torche. Le plafond est également assez haut, on n'est pas obligée de s'y tenir courbée.

Comme chez Abdul Khada, la cuisine se fait sur le toit de la maison, afin que la fumée ne soit pas retenue à l'intérieur. Eux aussi ont des petits fours à pétrole, sur lesquels des bouilloires fument en permanence.

Hier soir Nadia a eu droit à de la nourriture presque européenne. Gowad a utilisé la même technique qu'Abdul Khada. Ils croient nous amadouer, en nous achetant les aliments que nous sommes censées désirer. Comme si cela changeait quelque chose à leur prison.

Je me doute que cette concession ne durera pas longtemps. Pour l'instant la seule chose qui m'importe est de rester en contact permanent avec Nadia. Je veux la voir tous les jours.

Le lendemain et durant une huitaine de jours, on nous laisse faire. Je peux descendre à Ashube, par le sentier rocailleux, accompagnée d'Abdul Khada, évidemment. Jamais seule. Mais une fois chez Gowad, ils nous fichent la paix.

Alors nous montons sur le toit en terrasse. Pour regarder le ciel et le soleil en face. Nous parlons de maman, de Birmingham, nous rêvons à l'hélicoptère qui viendrait survoler le village, lancerait une corde et nous emporterait loin d'ici, comme des oiseaux.

Nous retrouver dans notre chambre à Birmingham. La chambre des sœurs, où Nadia et moi, nous nous bagarrions pour savoir laquelle de nous deux sortirait la troisième, Ashia. « C'est ton tour », « Non, c'est le tien »... et Ashia de brailler : « Je le dirai à papa... je lui dirai que vous allez vous balader toutes seules, le soir... » Ashia trépignant sur le couvre-lit à fleurs, nous jetant l'oreiller au visage, en faisant mine d'être fâchée, quand je lui répondais fermement : « Tu es trop petite... » La chambre des sœurs, où le petit frère n'avait pas le droit d'entrer pour semer la pagaille, avec son ballon... Notre enfance.

Allongées sur cette terrasse, nous prenons des bains de soleil, en imaginant la plage. Évitant de parler des nuits d'angoisse. Nous lavant le jour dans cette lumière insolente. Bronzer, comme deux gosses en vacances. Comparer nos hâles. Attendre. Lire et relire les cartes postales de mon anniversaire. « Tout le monde va bien et t'embrasse. » « Tout mon amour. »

Là-bas à Birmingham ils nous croient en vacances.

Et tous les jours je reprends le sentier, une demi-heure de

marche à l'aller, une autre au retour. Et tous les jours dans le dos d'Abdul Khada, je parle à ces talons qui grimpent le rocher devant moi :

– Quand nous ramènes-tu en Angleterre ?

J'espère que cette petite phrase inlassablement distillée, sur tous les tons, deviendra comme un poison dans sa tête. Qu'il en aura assez de l'entendre. Qu'il nous jettera dans une Land Rover, sur la route de Sanaa. Je franchirais tous les ravins, en pleine nuit, sans dire un mot, si nous étions en route pour Sanaa. Abdul Khada le devine.

– Si tu cherches encore à t'enfuir, n'y pense plus. Les loups et les hyènes te dévoreront avant que tu n'aies atteint la vallée.

Ces après-midi sur le toit de la maison de Gowad me semblent hors du temps, hors du monde. Le plaisir simple éprouvé à contempler mes bras et mes jambes brunies par le soleil de la montagne est une bulle d'inconscience. Plus lucidement, je peux contempler les cicatrices des plaies dues aux moustiques, et le nombre de cigarettes fumées, entre quarante et soixante par jour.

Lorsque nous allons au magasin ou à Ashube, Abdul Khada me fait toujours passer par le sentier détourné, afin que les hommes ne me voient pas. C'est un trajet redoutable, les bois que nous traversons sont infestés de serpents et de scorpions. Je sais qu'il y a des loups et des hyènes, nous les entendons la nuit. De jour, ils ne se montrent pas, mais... ce sont des gardiens aussi sûrs que des hommes en armes. Les babouins parfois se montrent menaçants, il faut les chasser en permanence. Depuis ma chambre, c'est une distraction que de les regarder sauter dans les champs, mais sur le chemin ils me font vraiment peur. Les autres femmes leur jettent des pierres, crient, font de grands gestes pour les effrayer. Je n'ose pas encore les imiter, je marche derrière le dos de mon geôlier, je mets mes pas dans les siens. Quand je songe aux trottoirs de Birmingham, aux rues, aux vitrines des boutiques... il me prend suffisamment de rage pour écraser un scorpion d'un coup de sandalette.

Abdul Khada est jaloux de toutes les femmes de sa famille. Par principe il ne veut pas que d'autres hommes les voient. Je lui pose un problème supplémentaire, avec mon refus de m'habiller en femme yéménite. D'autre part il sait que je veux m'échapper, il ne peut pas me faire confiance, et me laisser aller voir Nadia sans m'accompagner. Sur le chemin, seuls les animaux sont témoins de mon « indécence britannique ». Au village, nous croisons des hommes. Et chaque fois que nous en rencontrons un qui parle anglais, je me précipite vers lui, en lui demandant de m'aider. Ils m'ignorent presque tous, comme ceux qui viennent à la maison en visite. J'ai rusé pour leur parler seule à seul, sans résultat. Certains ont la gentillesse de me répondre :

– Tu t'habitueras ici, tu es mariée. Laisse faire le temps, tu oublieras ta mère et ton père.

Ou bien :

– Ne cherche pas à t'en aller, et ne donne pas de mauvaises idées aux autres femmes. La loi, c'est l'autorité du chef de la maison.

D'autres se détournent simplement sans répondre. Peut-être ont-ils honte de ma façon de leur parler aussi directement. Mais je crois aussi qu'ils sont tous liés à Abdul Khada d'une façon ou d'une autre. Soit par le travail, soit par le sang, le mariage, ou une combinaison des trois.

De toute façon, il m'est très difficile de leur parler, car dès qu'il y a des visiteurs, Abdul Khada m'ordonne de me retirer dans ma chambre, sans aucune politesse : « Débarrasse le plancher ». Les premiers jours je pouvais encore les aborder, comme je l'aurais fait en Angleterre, mais Abdul Khada s'est montré plus dur, plus strict. Au fur et à mesure que je devenais, à ses yeux, une femme arabe comme les autres.

Quant à mes rapports avec Ward, ils sont nuls. Elle me hait depuis le début, et ne comprend pas pourquoi je n'assume pas comme elle, et son autre belle-fille Bakela, les tâches quotidiennes et harassantes réservées aux femmes.

Je cherche à établir un contact avec quelqu'un qui accepterait de prendre une lettre pour ma mère, et de la poster, mais je dois renoncer rapidement à m'adresser aux hommes du village qui parlent anglais. Il est impossible de leur faire confiance, ils rendraient la lettre à Abdul Khada, et je le payerais probablement très cher.

Quant à Nadia, malgré la relative sympathie que semble lui porter Salama, sa « belle-mère », elle n'a aucun espoir. Gowad se contente de ricaner chaque fois qu'elle lui demande de la renvoyer chez nous. Elle ne sort pas, seules les femmes lui tiennent compagnie.

Je me suis donc investie seule du devoir de nous sortir de là. Hélas, les jours passent sous le soleil de plomb, et j'ai beau inspecter chaque visage, je n'y décèle aucune sympathie.

Parfois une immense détresse m'envahit. Je me sens petite fille, écrasée par ce destin insensé. Parfois je me sens forte, déterminée, agressive, et le combat singulier entrepris avec Abdul Khada reprend :

– Ramène-moi en Angleterre ! Tu seras puni, tu iras en prison si tu me gardes ici !

Mais la nuit, toutes les nuits me ramènent à ma condition infâmante. Dormir avec Abdullah. Avec ce petit garçon chétif. Me sentir sale, au point de rêver d'un puits pour y disparaître. Je m'efforce de garder mes vêtements sur moi, comme une protection, je dors dans une longue chemise de nuit, et ne quitte jamais mes sous-vêtements. Au matin, je vais les laver, avec ma propre savonnette, qui commence à se réduire comme une peau de chagrin. Me laver est la seule chose qui me soulage un peu. Qui me délivre de cette crasse morale, de cette saleté qu'ils appellent « mariage ».

Aujourd'hui, réunion de qat dans la maison de Gowad. Ils

dépensent énormément d'argent pour ces feuilles. J'ai essayé moi aussi d'en mâcher, dans l'espoir que cela me permettrait de dormir la nuit, d'oublier le corps de l'autre à mes côtés, de fermer les yeux, enfin. Car je suis devenue insomniaque, cette chambre m'angoisse, l'odeur d'Abdullah m'angoisse. Si je n'avais pas peur des bêtes fauves, la nuit, et du froid, je dormirais dehors. Si j'avais des pilules de somnifères j'avalerais le tube. Alors j'ai essayé le qat. Assise à côté du vieillard aveugle devant la maison, j'ai observé sa joue démesurément grossie, au fur et à mesure qu'il enfournait les feuilles et je l'ai imité. Au début cela m'a fait dormir, puis j'ai renoncé, ça me rendait plus malade qu'autre chose. Et c'était aussi une manière de me comporter comme eux, je devais refuser cela.

Ils prétendent que cela guérit de tout, enlève la fatigue, coupe la faim, et la soif. Cette plante est aussi importante que la nourriture pour eux. On la voit même sur le billet d'un rial. Le qat pousse dans des champs immenses, cela ressemble un peu aux haies de troènes que l'on peut voir devant les maisons anglaises. On achète les feuilles à l'échoppe du village, ou au marchand ambulant qui les transporte à dos d'âne. Abdul Khada m'a expliqué qu'il en existait plusieurs qualités dont la meilleure vient d'Afrique par bateau. Le qat de la région est amer, et de qualité médiocre.

Dans la journée, les hommes se rassemblent, et mâchent pendant des heures les jeunes feuilles vertes. Ils mastiquent, font une sorte de boule qui déforme la joue. Et les heures passent ainsi, à mâcher, cracher, parler.

Les femmes préfèrent fumer une herbe qu'elles appellent *tutan*. C'est une sorte de morceau de bois, qu'elles font brûler sur du charbon de bois, après l'avoir réduit en petits morceaux. Elles se servent d'une pipe pour en aspirer la fumée âcre. Elles n'ont pas le droit de fumer des cigarettes comme les hommes. Moi si, et j'y tiens. Abdul Khada les achète pour moi, et curieusement ne fait aucune remarque à ce sujet.

Il espère peut-être m'amadouer en autorisant cette entorse

à la règle. Aujourd'hui j'ai dû fumer un paquet dans l'après-midi, tandis que pour la centième fois, nous reparlons de maman, Nadia et moi, avant que je ne reprenne la route de mon village-prison. Ma petite sœur est pâle, mais ne se plaint pas. Parfois je la sens loin, flottant dans le vide, inaccessible. Sa manière à elle de refuser la réalité.

Abdul Khada est dans l'entrebâillement de la porte de la chambre.

– Il faut que tu donnes de tes nouvelles à ta mère.

Je me méfie.

– Elle a reçu ma lettre ?

– Elle a dû la recevoir, mais tu dois lui dire comment vous allez, toi et Nadia.

J'essaie de réfléchir rapidement. Bien entendu... il a peur que, sans nouvelles de l'arrivée de Nadia, maman s'inquiète, et ne lui fasse des ennuis. Maman n'est donc pas au courant. Elle ignore que notre père nous a vendues. Et il faut qu'elle l'ignore le plus longtemps possible, en ce qui concerne nos kidnappeurs. Il va m'obliger à mentir. Il faudrait que je refuse de donner de nos nouvelles. Mais d'un autre côté, c'est là le seul moyen de tenter quelque chose, de glisser une phrase qu'il ne comprenne pas, bien qu'il lise assez bien l'anglais.

Par exemple écrire : « Maman chérie, je suis mariée à Abdullah, tout va bien... » Non, il ne me laissera pas écrire ça. Alors peut-être : « Maman chérie, ce pays est très beau, il faut absolument que tu viennes nous voir. » C'est idiot, elle ne comprendra pas le double sens. Je cherche, je cherche avec anxiété. Mais Abdul Khada interrompt ma réflexion.

– Tu vas enregistrer une cassette.

« Une cassette ? C'est leur méthode. Ils l'ont déjà utilisée pour mon frère Ahmed et ma sœur Leilah. » Une cassette enregistrée en arabe, et que mon père traduisait à ma mère. S'ils me laissent enregistrer une cassette en anglais, j'ai peut-être le moyen de glisser quelque chose... j'ai des cassettes, j'ai mon appareil.

– D'accord. Je vais le faire ce soir dans ma chambre.

Nadia me regarde avec espoir.

– Non ici, avec nous.

Avec nous, cela veut dire dans la pièce réservée aux réunions d'hommes. Et ils sont nombreux ce jour-là. Des amis d'Abdul Khada, son fils Mohammed, Abdullah mon supposé mari, Gowad et Samir le supposé mari de Nadia. On dirait un tribunal de loups pour deux brebis.

– Tu dois dire que le Yémen est un pays magnifique. Que nous sommes en train de tuer le mouton, pour une fête, tu dois dire que tu es heureuse. Nadia le dira aussi.

C'est terrible ce qu'ils nous font faire. Je suis là, assise sur un coussin, Nadia contre moi, devant tous ces hommes attentifs, aux regards menaçants. Je dois prendre le petit appareil qu'ils me donnent, et commencer la première, mettre la cassette, appuyer sur le bouton d'enregistrement, et parler dans le micro, sur le côté. Je fixe ce minuscule trou noir, qui va emporter ma voix là-bas à Birmingham. J'en tremble jusqu'aux pieds.

« Maman chérie... Nadia est bien arrivée, nous sommes dans un joli village, et le Yémen est magnifique. Ici, ils vont tuer un mouton pour la fête en notre honneur. Nous sommes très heureuses. J'embrasse tout le monde, Ashia, et Mo. Dis-leur que je les aime. Je t'embrasse, Nadia aussi. A bientôt maman... »

J'en mourrais de rage, et de frustration.

Nadia a la voix encore plus voilée et tremblante que la mienne. Elle s'efforce de répéter derrière moi, les mêmes inepties. Comme le zombi qu'elle est devenue, sans violence, sans agressivité, morte. Je n'arrive même plus à la faire sourire, quand nous sommes seules. Et cela m'est une humiliation encore plus grande que de la voir obéir, de l'entendre chuchoter « Je suis heureuse d'être ici », sans pouvoir hurler le contraire.

Maman va y croire. J'ai pris ma voix la plus triste, et

Nadia aussi, sans faire d'efforts, pour qu'elle devine, mais va-t-elle deviner ? Ils sont machiavéliques de nous obliger à cette mascarade de bonheur en boîte.

– Quand nous ramènes-tu en Angleterre ?

– Quand tu seras enceinte, tu pourras aller accoucher chez ta mère.

Je ne peux pas m'empêcher de montrer ma haine, et cette haine se heurte inévitablement au mépris. Ce que nous ressentons ne les intéresse pas. Savoir qui nous sommes ne les intéresse pas. Ils cherchent à nous laver le cerveau, à nous rendre yéménites, esclaves à vie. Mais je me raccroche à cette promesse, mensonge ou non... Si je tombe enceinte, si je vais accoucher en Angleterre, je leur ferai de là-bas tout le mal possible.

En attendant, la cassette disparaît dans la poche d'Abdul Khada. Nos deux voix vont quitter ce pays, enfermées dans cette petite chose de plastique, voler par-dessus les océans, portées par je ne sais quelles mains étrangères. J'imagine maman, ouvrant le petit paquet... à la maison, ou peut-être au restaurant, donnant de nos nouvelles aux amis, disant : « Elles font un voyage superbe... ». J'imagine notre père, devant son verre de bière, disant : « Elles vont apprendre la vraie vie des femmes arabes, la discipline, et le respect. »

Il ne nous aime pas, il n'aime aucun de ses enfants. Pas un père ne pourrait agir comme il l'a fait, en aimant ses enfants. Il n'aime ni Dieu, ni diable, il n'aime que l'argent. Il nous a laissées grandir, pousser, comme du bétail à vendre.

Sur un signe d'Abdul Khada, je dois le suivre, et rentrer. Lever de soleil, coucher de soleil, les jours et les nuits passent sans dates, sans repères, sensation étrange de temps arrêté. Le viol a arrêté le temps, l'a fixé. Il m'a épinglée dans ce village, au milieu des collines. Je commence à chasser les moustiques par habitude, je commence à marcher en évitant les scorpions par habitude. Mais, si par chance Abdullah ne vient pas m'ennuyer pour la nuit, je me réfugie dans un rêve intérieur, où je danse avec Mackie. Ils ne peuvent pas me voler ma tête. Ils ont payé mon corps, pas ma tête. Et dans ma tête, il y a la haine pour eux, et le rêve de liberté. La liberté est la chose la plus précieuse du monde.

La liberté est dans ma tête, quand je regarde Ward cuire la pâte sur la braise, plonger ses mains calleuses dans le feu du fourneau, transpirer, traîner son corps pesant sur le chemin du puits, charrier les bidons d'eau, et me jeter parfois un regard jaloux. « On ne t'a pas appris la liberté à l'école, Ward. Moi si. C'est un privilège que de savoir qu'on est l'égale des autres. Et ça ne s'oublie pas, même dans l'humiliation, même en prison dans cette société rétrograde. »

Lorsqu'une fille se marie dans la société yéménite, on attend d'elle qu'elle partage les charges de travail avec les autres femmes de la famille. Une fille de mon âge est censée décharger les plus vieilles. Comme tous les chefs de famille, Abdul Khada et Gowad nous ont achetées pour cela aussi. Ils marient leurs fils à des filles physiquement résistantes et en bonne santé, souvent plus âgées, dans le même but. Je m'en suis rendu compte en regardant un peu autour de moi dans le village. Dès que les fillettes savent marcher, elles transportent de l'eau sur leur tête, aident à la cuisine, ramassent le bois et soignent les bêtes.

Dès le premier jour, ils ont obligé Nadia à transporter l'eau. Cela consiste à mettre sur sa tête un bidon de vingt litres, qu'ils appellent *tanaké,* à marcher jusqu'à la source, revenir avec le bidon plein sur la tête, et recommencer jusqu'à ce que la citerne de la maison soit pleine. Une corvée harassante, quotidienne, à laquelle il faut ajouter le ramassage du bois de combustible ou de la bouse séchée, le fourrage pour les animaux, le ménage, la cuisine.

La maison d'Abdul Khada, construite en hauteur, rend plus difficile encore ce genre de corvée. Il faut charrier l'eau jusqu'à douze fois dans la journée, en escaladant un sentier difficile...

Un jour Ward déclare à son mari, en me désignant :

– Il faut qu'elle travaille. J'ai droit au repos.

Jusqu'à présent, Abdul Khada ne m'avait rien demandé, et elle devait commencer à trouver le temps long. Pourquoi aurait-elle marié son fils, et payé si cher...

Ils ont l'usage d'un puits dans un champ voisin, à environ vingt minutes de marche. Je dois m'y rendre avec la petite Tamanay, qui n'a que cinq ans, mais un bidon à sa taille, qu'elle porte habilement sur la tête. On m'explique que si ce puits est à sec, je devrai me rendre à un autre, et marcher encore vingt minutes. Pour cette première fois, Ward et Bakela m'accompagnent.

Me voilà sur le sentier, femme arabe parmi les femmes arabes, à l'exception de ma tenue vestimentaire. Le soleil n'est pas encore haut, il n'est que cinq heures du matin. Mais malgré cette heure matinale, les serpents s'entortillent déjà dans les fourrés, beaucoup sont venimeux, et on ne les distingue pas toujours, ils ont toutes les formes et les couleurs possible.

Il y a quelques jours, un homme a failli en mourir, le frère de Ward. Nous avons entendu un cri perçant venant du village en bas, et quelqu'un est venu la prévenir qu'il s'agissait de son frère. Il venait de Taez en voiture et était descendu en cours de chemin. Un serpent l'avait mordu à l'orteil. Toute la maisonnée est allée le voir, chez lui. Il était allongé sur son lit, en plein délire. Aucun médecin pour le soigner. Des femmes préparaient une sorte d'onguent pour l'appliquer sur la plaie. Il a guéri, mais depuis je regarde plus attentivement où je pose mes pieds, ce qui n'est pas facile aujourd'hui avec ce bidon sur la tête.

Cette corvée d'eau exigée par Ward est une autre étape dans le domptage qu'ils ont entrepris. Ils espèrent ainsi nous briser peu à peu, réduire nos libertés par l'esclavage quotidien.

Le puits est un lieu important, les femmes doivent retirer leurs chaussures pour y accéder. Il est à fleur de terre, mais bordé de ciment; des grillages le protègent. Ce qui n'empêche pas les grenouilles et les insectes de pulluler. Une vision d'horreur pour moi. Les femmes sont obligées de les repousser à la main, sur le côté, pour atteindre le puits. J'ai bu de cette eau, sans connaître son origine, et les premiers jours elle m'a rendue malade. Il doit y avoir là-dedans toutes sortes de germes, de maladies, et apparemment on s'y habitue. Elle a un goût particulier, un goût de pluie. A l'aube, elle est encore fraîche, mais au fur et à mesure de la journée, elle se réchauffe. Les réservoirs de la maison se vident régulièrement, et ce premier jour j'ai dû faire trois voyages supplémentaires dans l'après-midi, et un autre le soir. J'ai si mal au dos que je me jette sur mon lit.

Le lendemain, je suis affectée au ramassage du bois. Les hommes ont coupé des branches que nous devons transporter en fagots, pour les stocker au sous-sol. Après quoi, on me met à la cuisine, les mains dans le feu, pour la cuisson des crêpes de farine de blé.

Je travaille en permanence avec Ward, et plus nous nous connaissons, moins nous nous supportons. Mon comportement ne peut changer, je la hais. Je l'évite au maximum, en lui tournant le dos, en refusant son regard ; je préfère Bakela, la femme de Mohammed, ma « belle-sœur » en quelque sorte, et ses deux petites filles. C'est avec elles que je me rends au puits à présent. C'est avec elles que j'essaie d'apprendre à parler arabe. Ou avec Haola.

Je me sens mieux avec les enfants. Eux, au moins, je n'ai aucune raison de les haïr. Ils me font penser à mes petites sœurs Ashia et Tina, à mon petit frère Mo. C'est avec eux que je devrais être en ce moment. Ils grandissent sans que je les voie, ils me manquent tellement. Mais les enfants d'ici me soulagent, avec eux la communication est plus facile. Communiquer... parler à quelqu'un, à part Nadia que je vois moins longtemps à présent, et pas tous les jours, je ne peux parler qu'aux deux hommes de la maison, en anglais. Parler n'est pas le mot d'ailleurs. Questionner, demander l'essentiel, c'est-à-dire, « quand me ramènes-tu en Angleterre... » Ou, « j'ai besoin de cigarettes... » Pour le reste je me fais l'effet parfois d'une sourde-muette, essayant de deviner les mimiques, les expressions, les grimaces, les attitudes. Une prison de plus que ce silence.

Ce matin, comme il n'a pas plu depuis des mois, et que la sécheresse s'annonce redoutable, nous allons avec Haola jusqu'au puits lointain, et nous contournons une montagne, lorsque soudain, je recule épouvantée. Haola s'immobilise elle aussi devant le petit monstre qui nous fait face sur le sentier à pic. On dirait un bébé dinosaure, environ un mètre cinquante de la tête à la queue. Il se redresse sur ses pattes arrière et nous regarde droit dans les yeux, la gueule ouverte sur des mâchoires pointues et baveuses.

J'attrape Haola par le bras en lui criant de nous en aller, mais elle refuse de bouger, et me chuchote de ne pas avoir peur.

– Il court vite comme toi... tu cours, il court... comprends

J'ai compris. Mais une sueur froide me glace le dos.

– Tu approches pas... il te mord...

Et Haola fait un geste de la main, les doigts en forme de mâchoire sur mon bras, pour mieux me faire comprendre :

– Il te lâche plus. Il faut l'arracher...

Qu'allons-nous faire ? Ce monstre nous barre la route. Encombrée par le bidon, que je tiens encore maladroitement d'une main sur ma tête, et le seau que je tiens de l'autre main, je fixe l'animal, guettant sa réaction. Sous nos yeux, sa peau écailleuse, teintée de brun et de jaune devient couleur sable, dorée, on dirait un énorme caméléon. Je n'ai jamais vu de caméléon d'un mètre cinquante de long. Il agite une langue de serpent, et une queue arrondie en forme de fouet.

Derrière nous, un cri. Une petite fille qui se rendait au puits, comme nous, vient d'apercevoir l'animal, et sans hésiter s'empare d'une grosse pierre, se jette sur lui, et se met à le frapper sauvagement. Le spectacle de l'enfant s'acharnant sur cette bête d'un autre monde est hallucinant. La peau est si épaisse que la pierre rebondit comme sur du caoutchouc, l'animal se contorsionne, cherche à mordre en crachant une bave infecte. La fillette recule, avance, ruse, frappe à nouveau, trouvant les endroits fragiles, la gorge, les yeux, faisant des bonds de singe pour éviter le fouet redoutable de la queue. J'assiste à un véritable massacre. Au bout de plusieurs minutes de ce combat singulier, la bête finit par rouler sur le côté, mourante. Alors seulement l'enfant lâche sa pierre, et surveille l'agonie de l'animal. Nous attendons ainsi un quart d'heure que la bête meure. En mourant, par soubresauts, le dragon enroule sa queue dans une dernière contorsion, comme un crochet, et tout son corps se dégonfle. Il rétrécit comme si de l'air s'échappait de son corps, lentement, avec la vie qui le quitte.

La fillette le ramasse à bout de bras, au bout d'un bâton qu'elle glisse dans le crochet formé par la queue, et le balance fièrement. Je lui demande ce qu'elle va en faire, et elle me répond tout tranquillement :

– L'emporter à la maison, pour manger.

Elle rit, de toutes ses dents blanches en balançant le monstre sous mon nez, elle rit de plus belle devant mon air horrifié, et Haola rit avec elle, en me taquinant. Puis la petite fille jette l'animal au loin, ajuste son seau sur sa tête, et s'en va tranquillement, me laissant sous le choc.

Je suis vraiment dans un autre monde, ici. Seule je n'aurais jamais pu tuer cette bête, j'aurais pris mes jambes à mon cou. Elle m'aurait poursuivie, mordue, dévorée peut-être. Je veux savoir s'il y en a beaucoup dans cette région. Haola dit : « un peu... » Ce dragon, je l'apprendrai plus tard, un varan, il a la capacité, effectivement, de courir terriblement vite sur ses pattes robustes, la queue lui servant d'arme défensive. Il vit à l'intérieur de trous creusés dans le sol, et n'est pas carnivore.

Entre les serpents, les scorpions, les loups, les hyènes et les singes, chaque randonnée est une aventure. Et comme l'eau ne tombe toujours pas, ces jours-ci, nous sommes obligées de faire des kilomètres pour trouver un puits qui ne soit pas asséché. Nous en extrayons de la boue, au fond du récipient, et la seule solution pour boire est d'évacuer cette boue, et de se contenter du liquide saumâtre qui reste.

J'ai remarqué un ancien puits au fond du jardin, derrière le cimetière, mais que personne n'utilise pour l'eau de boisson. Je vais y faire ma petite lessive, depuis que Ward m'a défendu d'utiliser l'eau potable du réservoir de la maison. Le puits du cimetière est toujours plein, d'une eau saumâtre et chaude, et avec un peu de lessive en poudre, j'arrive à laver mon linge à peu près correctement.

J'aime cet endroit, car il est peu fréquenté. Une fois le linge rincé, je l'étale sur les pierres, il met peu de temps à sécher, une dizaine de minutes, un quart d'heure environ... et pendant ce temps je suis seule. Loin des autres, de Ward qui me méprise, d'Abdul Khada que je hais si violemment que je rêve parfois d'avoir un poignard comme lui, et de m'en servir.

Ce cimetière est différent des nôtres. Pas de pierres tombales. Lorsqu'on enterre quelqu'un, on fait un trou dans la terre, on rebouche le trou, et on coule un peu de ciment par-dessus, en inscrivant le nom du mort, avant que le ciment sèche. Le puits est une sorte de petite hutte de pierre, avec une porte. Il est fréquenté par les crapauds et des tas d'insectes.

Je reste là, assise à l'ombre de la porte, à regarder l'eau s'évaporer de mes vêtements. Je n'ai pas grand-chose, quelques sous-vêtements, trois chemisiers, deux jupes et des tee-shirts.

Je ne partais que pour six semaines de vacances... Quatre semaines se sont écoulées, je suis « mariée » depuis un mois, Nadia depuis quinze jours... cela paraît à la fois long et ridiculement court. En quatre semaines, j'ai vécu tant de choses... subi tant d'humiliations.

Dès les premiers jours, Nadia m'a dit que son beau-père Gowad voulait qu'elle s'habille « convenablement ». Elle porte désormais un foulard sur la tête, et une longue robe bariolée, sur des pantalons qui lui arrivent aux chevilles. Cela ne l'empêche pas d'être belle, ses yeux noirs sont encore plus grands dans le visage amaigri, triangulaire. Elle ressemble à une jeune princesse hindoue. Elle m'a expliqué avec résignation que finalement c'était pratique, ce genre de tenue, pour se protéger des insectes. Les moustiques n'ont plus l'occasion de s'attaquer aux jambes, ni aux bras. Quant à moi, j'ai dû accepter la semaine dernière qu'une femme du village prenne mes mesures, pour me confectionner des vêtements, puisque j'ai rejeté ceux de Ward et qu'aucune femme dans la maison n'a ma taille. La couturière a donc accompli son travail, en présence d'Abdul Khada qui ne voulait pas quitter la pièce. Je suis restée habillée, et elle a dû faire une approximation. J'aurai trois robes et des pantalons. Et comme tout le monde je porterai des tongs en plastique qui laissent les talons et les doigts de pieds nus.

Une fois mes vêtements occidentaux lavés et séchés pour la dernière fois aujourd'hui, je vais les ranger dans ma petite valise. Tout ce qui me reste de l'Angleterre. Mes romans d'amour, *Racines,* mes cassettes de reggae et de rock. Ma brosse à dents, et un reste de savonnette.

Prendre un bain, un vrai est un rêve impossible. Même une douche. Mais hier, j'ai transgressé la règle qui veut que les femmes ne se lavent jamais en entier, et ne prennent pas de bain. J'étais au lavoir avec la petite Shiffa, qui a huit ans, et assume toutes les corvées d'une adulte. Ils vont sûrement la marier bientôt, elle aussi... Une envie soudaine de tremper mon corps, de le laver de toutes ses souillures, m'a prise, comme une soif immense.

Avec mes quelques mots d'arabe, j'ai fait comprendre à Shiffa que j'allais dans l'eau, et qu'elle devait surveiller les environs. Elle a accepté, un peu effrayée. J'ai descendu les quelques marches en ciment du lavoir, et je suis entrée dans l'eau avec mes vêtements. C'était froid, et sombre, je me suis laissée glisser, sur le dos, le visage quelques centimètres sous la surface les yeux ouverts à travers ce miroir liquide, je pouvais voir Shiffa silhouette un peu dédoublée et immobile. Retenant mon souffle, je suis restée ainsi jusqu'à épuisement de mes poumons, dans la fraîcheur et l'obscurité silencieuse du lavoir. J'aurais voulu ne jamais en sortir. Flotter ainsi pour l'éternité. En refaisant surface, j'ai vu que Shiffa était épouvantée, elle m'avait cru noyée, et faisait des gestes désespérés en montrant le sentier. Elle avait cru entendre venir quelqu'un.

J'ai remonté à regret les marches de ciment, et nous sommes rentrées à la maison. J'étais encore ruisselante en arrivant, et Ward a interrogé Shiffa, qui a tout raconté. J'avais commis une faute. Et pour me faire peur, Ward a dit que des serpents venimeux se promenaient dans le lavoir. Ça m'était bien égal. Le bonheur de ce bain volé, associé à la certitude de l'avoir scandalisée, était plus important que la peur rétrospective d'une morsure de serpent.

Mes vêtements secs, je regagne la maison, ma chambre, autre lieu de refuge solitaire, lorsque Abdullah n'y est pas. Par les petites fenêtres je contemple les singes qui volent du maïs dans le champ derrière la maison. Si Abdul Khada et Mohammed les voyaient, ils sortiraient leurs fusils. La saison est tellement sèche que les singes sont affamés, ils deviennent plus téméraires et plus agressifs encore. Ils viennent jusqu'aux puits, et ne s'enfuient qu'à l'approche de quelqu'un, en criant de mécontentement. Les hommes et les singes semblent se disputer le territoire, la nourriture et l'eau.

L'autre jour, alors que j'allais au village, à la boutique, chercher du sel et du bois, avec Tamanay, ils étaient partout, piaillant, déchiquetant le maïs. Je n'étais pas tranquille, car ils étaient nombeux et on m'a dit que parfois ils s'attaquaient aux femmes. La petite Tamanay ne semblait pas avoir peur, car en arrivant en haut de la colline, elle s'est mise à chanter une chanson, pour les taquiner.

– Toi le singe... Toi le singe...

Je ne comprenais pas la suite de sa comptine en arabe, mais les singes étaient furieux. L'un d'eux, le plus gros, ressemblait à un babouin et devait être le chef du groupe. Les autres étaient plus petits. Des mères portaient leur bébé dans les bras. Énervée par la chanson, une bande de petits singes, à longue queue, dont j'ignore la race, est montée dans les arbres, et ils se sont mis à nous jeter des pierres. Nous avons fui en riant jusqu'au village.

Au retour, le grand singe était installé sur le chemin et nous montrait les dents. Quand il nous a vues courir à nouveau, il est retourné manger son maïs tranquillement, content de nous avoir fait peur. Il y avait de quoi trembler en effet, il est presque aussi grand qu'un gorille. Parfois je le croise sur mon chemin, en train de manger une plante ou un épi. Il ne bouge pas, me regarde fixement, et c'est moi qui dois m'écarter, en m'efforçant de ne pas lui montrer ma frayeur.

Les gens du village ne les aiment pas, et leur livrent une guerre permanente car ils attaquent le bétail et détruisent les récoltes. Les femmes les chassent à coups de pierre, les hommes les tirent au fusil. Mais ils ne s'approchent jamais des maisons. Leur territoire, ce sont les champs de maïs.

Ils sont libres, eux. Les hommes aussi sont libres dans ce pays, pas les femmes. La seule qui s'en soit plainte devant moi a été interdite de visite à la maison par Abdul Khada. Elle s'appelle Hend, et physiquement elle a l'air plus anglaise que moi. Des cheveux blonds, des yeux d'un bleu vert très clair, une peau fragile et pâle, un sourire doux. Elle a vingt ans, et habite le village. Elle est mère de six filles... six enfants à vingt ans.

Elle m'a dit :

– Je suis malheureuse ici, je veux m'enfuir à la ville, je veux être moderne.

Elle baragouinait un peu d'anglais, son mari était parti comme beaucoup d'autres travailler en Arabie Saoudite. Elle vivait seule en fait avec toute sa marmaille, sans avoir connu d'enfance. Dès qu'il a su qu'elle était venue à la maison, Abdul Khada est devenu menaçant.

– Je t'interdis de la revoir et de lui adresser la parole. Elle a très mauvaise réputation dans le village. C'est une femme effrontée !

Je l'ai trouvée jolie et sympathique, et elle ne pas paru effrontée en quoi que ce soit. Mais je suppose que des filles comme Hend et moi représentons une menace pour les hommes du village. Ils détestent l'idée que nous pourrions fomenter la discorde au sein des autres femmes. Ils leur bourrent le crâne depuis leur enfance, avec des règles de comportement, établies par eux, et qu'il ne faut pas remettre en question. Tais-toi et travaille, tais-toi et marie-toi, tais-toi et fais des enfants. Le bonheur vient d'eux, à ce qu'il paraît.

La plus jolie nièce d'Abdul Khada a été mariée à l'un de ses cousins, juste avant mon arrivée. Abdul Khada m'a dit en me la présentant :

– Si Abdullah avait eu une cousine comme elle, de l'âge légal, il l'aurait épousée à ta place!

Si seulement la chose s'était produite! Je doute cependant qu'une jeune fille eût volontairement épousé Abdullah... Le père aurait eu beaucoup plus cher à payer, ici, pour obtenir une fiancée à un tel fils... Tout le monde sachant quel piètre mari il serait. Toujours malade, peureux, velléitaire.

Il y a une chose dont je suis sûre : à part Nadia et moi, aucune des filles du village n'a été forcée au mariage. Si une fille ne veut pas d'un garçon, elle a le droit de refuser, et d'en choisir un autre. C'est dans leur loi, dans le Coran. « Alors pourquoi nous ? »

« Pourquoi nous avoir enlevées, et forcées ? » Cette fille, Hend, m'a raconté que le jour de son mariage, on lui a demandé trois fois, durant la cérémonie, si elle désirait persévérer. Comme la majorité des femmes, elle s'est contentée d'accepter le choix de sa famille. Mais elle pourrait divorcer.

Les femmes ont donc certains droits tout de même. « Pourquoi pas nous ? Pourquoi n'avons-nous pas eu de cérémonie officielle ? Où sont les papiers ? Qui peut soutenir que nous sommes bien mariées à ces deux gamins ? »

En réalité, j'en suis certaine maintenant, nous ne sommes pas les victimes d'un père arabe et religieux voulant que ses filles s'intègrent à son pays. Vendre, empocher deux mille livres, voilà ce qu'il a voulu. Et comme Abdul Khada aurait eu du mal à marier son malingre de fils ici, il a profité de l'occasion. C'était moi l'occasion. Et Nadia a eu le même sort. Cela aurait pu être interchangeable aussi, pourquoi pas ? Ils me dégoûtent. J'aimerais mieux être un singe qu'une femme dans ce pays.

A l'heure de la dernière corvée d'eau de la journée, Abdul Khada m'informe de sa nouvelle décision :

– J'ai un restaurant à Hays. Je viens de l'acheter. Je dois aller faire des travaux là-bas avec Abdullah et Ward, nous gagnerons de l'argent là-bas.

Quelques secondes un immense espoir m'envahit. Il va partir, il emmène mon « mari », et ma « belle-mère ». Seule avec Bakela, je pourrais voir Nadia plus souvent, et peut être...

– Tu viens avec nous.

– Pas encore ! Non, je ne veux pas laisser ma sœur. Je veux rester avec elle.

– Ce n'est pas toi qui décides. Tu fais ce que je dis.

– Je peux aller voir ma sœur aujourd'hui ?

– Si tu veux. Je t'accompagne.

Sur le chemin d'Ashube, j'ai supplié, et supplié, disant que Nadia était trop jeune, qu'elle était faible, qu'elle avait besoin de moi. Et dès qu'elle a su ce qu'il projetait, Nadia a supplié également Abdul Khada de me laisser au village, avec elle, dans la maison de Gowad.

– C'est impossible. Et inutile de pleurer, vous pourrez vous rendre visite, ce n'est pas si loin.

Il mentait effrontément. Hays est beaucoup trop loin pour que nous puissions faire le voyage à pied. Et jamais nous n'obtiendrons de lui ou de Gowad qu'ils nous accompagnent.

A deux, nous pouvions nous soutenir, parler de maman, contempler les photos que j'avais emportées avec moi, la carte postale de mon anniversaire, en espérant, espérant... à deux.

Seule, que va devenir Nadia... J'ai peur qu'on l'influence, qu'on l'abrutisse complètement. Elle n'a ni ma force physique, ni ma haine, cette haine qui me solidifie, jour après jour, et me fait tenir debout, devant cet homme borné.

– Nous partons demain.

Un jour, il paiera. Je ne serai pas toujours une esclave.

Je n'ai pas dormi cette nuit-là, j'ai vu le soleil se lever à travers la petite fenêtre, allongée sur la banquette, me tournant et me retournant sur ce maudit matelas trop mince, pleurant dans le coussin qui me sert d'oreiller. Cinq semaines de cet enfer, déjà.

Abdullah a dormi seul sur le lit, après m'avoir ennuyée dix minutes. Je ne sais pas s'il arrivera à faire un enfant, un jour. J'ignore tout des relations sexuelles normales. Comment cette comédie pourrait-elle aboutir à un enfant ? Dieu fasse que non... ou que oui, je ne sais plus. Si c'est le prix à payer pour retourner en Angleterre, si je peux faire confiance à Abdul Khada, qui me l'a promis...

L'aube est là, la voiture aussi. Un des parents d'Abdul Khada vient nous chercher avec une Land Rover, pour nous emmener à Hays. Le voyage me déprime encore plus que ma nuit d'insomnie. Le paysage devient de plus en plus aride, triste. Nous traversons des étendues caillouteuses, en direction de la côte et des ports sur la mer Rouge. Mais nous n'irons pas jusque-là.

Hays est une petite ville dont Abdul Khada dit qu'elle est très belle, il me parle de poteries, de gens riches et de belles maisons. La vieille ville, historique m'a-t-on dit, à un kilomètre de l'endroit où nous arrivons, est peut-être jolie, ça ne m'intéresse pas, et je ne la visiterai sûrement pas, car le restaurant d'Abdul

Khada est situé au bord de la route principale qui relie les ports de la mer Rouge à Sanaa, dans un quartier récemment construit.

Ce restaurant est grand, situé au milieu d'immeubles modernes qui se ressemblent tous, et d'autres restaurants qui se ressemblent tous. Blancs à l'extérieur, et meublés de tables et de chaises bon marché. Cette nouvelle ville est en perpétuelle construction, et les rues sont un perpétuel nuage de poussière. L'endroit est un mélange de tradition et de modernité. On y voit de gros camions sur la route, bourrés de marchandises, croisant des files de chameaux transportant eux aussi des marchandises, des sacs de maïs notamment... Des troupeaux de chèvres côtoient les cyclistes. Il paraît qu'un grand marché se tient chaque semaine non loin de là et qu'il existe aussi un centre d'achat de qat, très important.

Nous voici donc dans l'établissement d'Abdul Khada. Au troisième étage, des chambres plus spacieuses que celles de Hockail, aux murs cimentés proprement. Il y a l'eau courante, un vrai luxe, et l'électricité, super luxe. Au village, nous utilisons des lampes à huile, dès la tombée du jour, et il faut les transporter partout avec soi, de la cuisine aux chambres, de l'étable au placard des toilettes, en respirant une fumée âcre et nauséabonde. Les toilettes, ici, sont toujours aussi sales. Un trou, et de l'eau. Par contre, il y a une douche. Au-dessus des chambres un toit-terrasse, où l'on peut s'installer.

Abdul Khada me montre fièrement son jardin, entouré de si hauts murs que l'on ne voit rien alentour, à part un morceau de ciel. Il y cultive ses propres légumes, des pommes de terre et des tomates, et utilise énormément d'eau pour y parvenir.

Il fait plus chaud qu'au village, et dès notre arrivée, je fais la connaissance d'un nouvel ennemi. En dehors des mouches et des moustiques qui pullulent encore plus que sur les hauts plateaux, nous sommes envahis par les fourmis rouges. La seule façon de leur échapper est de s'asseoir sur une chaise les pieds relevés.

Cette chaleur torride, tous ces insectes, me font apprécier, à mon tour, les vêtements traditionnels arabes. Les pantalons protègent des piqûres. J'ai commencé à couvrir mes cheveux d'un foulard et à porter les longues robes par dessus les pantalons. En apparence, je suis devenue une femme yéménite. Et une femme qui travaille.

Avec Ward, je suis affectée à la cuisine. Cette cuisine est en fait une sorte de long corridor, à l'arrière du restaurant. Abdul Khada et Abdullah servent les clients dans la salle du devant ; nous, nous restons enfermées dans ce local étroit ou l'on étouffe de chaleur dans la journée. Même les portes ouvertes sur le jardin ne donnent aucune fraîcheur.

Cette cohabitation forcée dans le travail, entre les fourneaux, la vaisselle et le ménage, nous rend de plus en plus agressives l'une envers l'autre. Je la déteste, je déteste cet endroit, cette chaleur, je déteste être enfermée ici à nourrir des hommes que nous ne voyons même pas. Au moindre prétexte, et même sans prétexte du tout, c'est la guerre entre cette femme et moi. Elle transpire, elle est grosse, laide, avec ces petits yeux méchants. Elle veut me dominer.

L'autre jour, elle a sorti du congélateur un poulet raide de glace, et me l'a jeté sous le nez en m'ordonnant de le couper et de le faire cuire. C'était stupide d'entreprendre de découper un poulet congelé ! Je le lui ai rejeté à la figure en hurlant :

– Non !

Nous nous sommes affrontées quelques secondes, puis plus rien. Elle n'ose pas me battre. La plupart du temps nous nous ignorons, ce qui n'est pas facile dans un lieu aussi réduit.

Communiquer m'est toujours difficile, je ne parle pas assez bien l'arabe. D'ailleurs je n'ai personne avec qui le parler. Ward ne m'adresse la parole que pour des méchancetés, Abdullah ne cherche pas à discuter, et je ne m'en plains pas. Abdul Khada s'occupe de la salle et je ne le vois presque plus. Il faut que j'apprenne l'arabe, si je veux pouvoir me débrouiller. Parler est une nécessité, ou je deviendrai folle de solitude. Solitude dans le jardin à contempler les tomates et les hauts murs. Solitude dans ma chambre à écouter sempiternellement les mêmes cassettes, et à relire les mêmes livres anglais.

Un soir je demande à Abdul Khada de m'acheter un alphabet, des livres pour enfants, de quoi apprendre à lire et à écrire. Je pensais qu'il allait refuser, car au village les femmes n'apprennent rien. Ni à lire ni à écrire. Les hommes ont bien trop peur qu'en lisant elles découvrent leur véritable condition d'esclavage, et commencent à la remettre en question. L'école du village est réservée uniquement aux garçons, ils la fréquentent très jeunes, et peuvent ensuite trouver du travail à la ville, ou à l'étranger. Mais si une femme veut aller à la ville, ou à l'étranger... c'est une autre histoire. Elle ne peut compter que sur la bonne volonté de son mari, qui n'en fait jamais preuve, ou rarement.

A ma grande surprise, Abdul Khada ne refuse pas de m'aider. Il me donne un alphabet, et je commence mon apprentissage à partir de là, toute seule, travaillant en général la nuit, car les journées sont bien remplies par une routine qui ne change jamais.

Chaque matin, Ward met sur le feu une grande bouilloire d'eau pour le thé des clients, pendant que je fais le ménage. Abdul Khada fait cuire des œufs et des haricots avec du pain, qu'il est allé acheter quelque part en ville; devant le restaurant un jeune garçon fait des *chapatis* dans une immense poêle à frire; il est employé par Abdul Khada et perçoit directement l'argent des clients, qu'il lui remet en fin de journée. Lui-même est payé chaque fin de semaine.

A l'heure du déjeuner, il fait cuire la viande, les légumes et le riz. Le soir un repas, comme celui du petit déjeuner, est servi de six heures à onze heures. Toute la journée Ward et moi sommes dans la cuisine, pour les tâches les plus humbles, vaisselle, épluchage des légumes, ménage, jardin. Abdul Khada est derrière le comptoir, discutant avec les clients; durant la soirée, les hommes jouent aux cartes, boivent du thé ou du café.

Abdullah aide aussi à la cuisine, mais le soir, il rejoint son père dans la salle, et Ward et moi devons demeurer hors de la vue des hommes, avec pour tout horizon la bouilloire d'eau, la marmite de riz et la vaisselle.

Je vais me coucher avant la fermeture, dès qu'il n'y a plus rien à faire. Et je n'ai plus rien à faire en effet... Rien, qu'à rester assise, et à penser. Jour après jour, semaine après semaine, mois après mois. A penser à la liberté. Le soir à Birmingham, dans les rues éclairées, le long des vitrines, quand je réussissais à échapper à la surveillance paternelle, j'allais acheter mon paquet de cigarettes interdit. L'acheter moi-même, et non le quémander au maître d'ici. Je regardais les étalages de chaussures, les mini-jupes, les parfums. Le plaisir d'entrer librement dans une boutique et de demander le prix d'un crayon de maquillage. Le plaisir de feuilleter les romans d'amour, sur la pile du marchand de journaux. Le plaisir de retrouver Mackie au centre des jeunes, le samedi soir, et de danser disco. Mackie, mon coup de foudre. Mackie et sa casquette impertinente, plantée sur ses cheveux épais. Mackie juste un peu plus grand que moi, juste de mon âge, juste à mon goût. Mackie si beau. Je n'ai pas vu de plus beau garçon que lui en Angleterre. Ici, ils se confondent tous dans ma haine.

La seule compagnie est celle des femmes du voisinage, qui mènent la même vie monotone. Les seuls sujets de conversation sont les rumeurs et les commérages. Les femmes s'ennuient tellement que des histoires abracadabrantes circulent ainsi à travers le pays, colportées, transformées. Telle histoire est arrivée à un tel quelque part dans une ville, et de mensonge en mensonge, de désinformation en invention, on se la répète. Le commérage est un virus, qui contamine toute la société des femmes.

Après six mois de cette vie stupide, je parle arabe à peu près correctement. Déjà six mois. Noël approche en Angleterre. J'ai entouré le jour de Noël sur le calendrier, repère inutile, fête sans

Zana. Six mois de ma vie perdue sur ce calendrier de prisonnière.

Je n'ai pas de nouvelles de Nadia. Il m'est impossible de lui écrire, et à chacune de mes demandes, j'ai droit à la même réponse.

– Quand irons-nous la voir ? Quand m'emmènes-tu ?

– Bientôt.

A part le ramadan, ici, le calendrier ne sert à rien. Sommes-nous lundi ou samedi ? Quelle importance, un jour est semblable à l'autre.

Depuis la fenêtre de ma chambre, je n'aperçois qu'un mur de brique, le même que celui du jardin. Je ne vois rien de l'extérieur, et personne ne me voit. Les hommes peuvent sortir, aller en ville, conduire une voiture, voyager, les femmes ne vont nulle part, et ne sont autorisées à rien.

L'interminable routine de ces journées me conduit lentement presqu'à la folie. Ma seule distraction c'est le petit magnétophone et les cassettes apportées d'Angleterre. J'ai de la chance car Abdul Khada répète sans cesse que je ne dois rien posséder qui puisse me rappeler mon pays.

– Tu dois oublier comment on vit là-bas. Tu dois t'habituer ici.

Comme s'il était possible d'oublier, de me couper de mes racines. Ma vie est courte peut-être, je n'ai que seize ans, mais il ne pourra pas gommer quinze années vécues en Angleterre.

Un beau jour Abdul Khada arrive dans ma chambre et se met à fouiller mon sac.

– Qu'est-ce que tu fais ? Qu'est-ce que tu cherches ?

– Ça !

Et il brandit les quelques photos de ma famille, de maman, de mes amies, que j'ai toujours avec moi. Le soir il m'arrive souvent de les regarder quand je suis seule. Je me précipite sur lui pour les lui arracher.

– Elles sont à moi, rends-les moi !

Il lève les bras pour les tenir hors de ma portée.

– Non ! C'est fini. Elles te rendent malheureuse. Tu ne dois avoir aucun souvenir de ton ancienne vie. Nous sommes ta famille maintenant !

Je m'accroche à lui, pour attraper son bras et tenter de récupérer mon bien, mes précieux souvenirs, mais il ne les lâche pas, au contraire, il les déchire, au-dessus de sa tête, rageusement, puis me tend les morceaux.

– Maintenant, va les jeter dans le feu.

– S'il te plaît, non... ne m'oblige pas... je t'en prie...

– Jette-les dans le feu !

Et il avance pour me frapper. Alors je cours dans la cuisine et jette les petits morceaux de papier glacé dans le feu. Plus rien que quelques petits tortillons de cendre grise... plus rien du tout, que les braises.

Je me sens vidée, démunie au-delà du supportable. Il me faudra retrouver les visages dans ma tête, et parfois, je les perds, ils ne reviennent plus. Je ferme les yeux à m'en faire mal, j'appelle maman... Ashia... Mo... Lynette... Mackie aussi. Et ils reviennent comme par miracle.

Durant des jours et des jours, j'ai guetté Abdul Khada, persuadée qu'il allait aussi détruire mes cassettes de musique, et mes livres. Il ne l'a pas fait.

Il me vient parfois des idées folles, il y a peut-être dans la salle du restaurant des clients étrangers, des touristes américains ou allemands. Je pourrais peut-être leur parler... Mais nous sommes prisonnières dans cette cuisine, un monde de chaleur, de buée, de mouches et de moustiques, dévorées par les fourmis rouges.

La ville est lointaine, je n'ai même pas l'envie de m'y sauver. Cette ville est comme le reste, un nulle part. Et m'échapper ne me mènerait nulle part. Sans Nadia, que je n'ai pas le droit d'abandonner.

Dans cet univers sans espoir, monotone à en mourir, un jour Abdul Khada me propose d'aller voir la mer.

– Je vous emmène à la plage pour une journée.

J'ai du mal à y croire. Ce doit être une nouvelle invention de sa part, faire la proposition, attendre que je dise oui, et me battre pour avoir osé dire oui. J'ignore pourquoi ce n'est pas le cas. Ward ne voulait pas que nous y allions, mais Abdul Khada a insisté et nous sommes partis très tôt le matin, car la température, ici, atteint cinquante degrés au milieu de la journée.

Entre Abdul Khada, Ward et Abdullah, en taxi, je vais enfin voir cette mer, dont j'ai si souvent entendu parler. Le sable fin, et les palmiers de mon père...

Nous traversons un désert absolu. La piste est bordée de poteaux téléphoniques, pas une âme à l'horizon. Puis nous abordons une route asphaltée, moderne, qui mène à la bande côtière de Tihama, traduction : les pays chauds. Des kilomètres de plat. Des kilomètres de sable alentour, à perte de vue. En approchant de la mer, quelques maisons de pierre abandonnées, et de-ci de-là, un pêcheur ou deux, squelettiques, désséchés, par le soleil et la mer, un palmier fantôme, un chameau... et la plage. Belle, longue, de sable fin et doré, parsemée de ravissants coquillages nacrés, ombragée par endroits de palmiers. Enfin la carte postale décrite par mon père.

Il semble que personne ne soit jamais venu ici, avant nous. Aucune trace de pas; au loin quelques bateaux de pêcheurs, immobiles, comme s'ils étaient là depuis l'aube des temps. Je descends du taxi, émerveillée, le vent fouette le sable, pique les yeux, dénoue les cheveux.

– Tu veux te baigner?

Je n'en crois pas mes oreilles. Abdul Khada proposant à sa « belle-fille » une baignade dans la mer. J'ai encore peur de dire oui, juste au cas où, comme à son habitude, il chercherait à me tester, pour me battre ensuite. Se baigner est normalement impudique.

– Si tu veux te baigner, tu peux y aller avec tes vêtements.

Je porte un longue robe de coton, sur un pantalon, et un foulard dans les cheveux.

– Vas-y il n'y a personne.

Nul besoin de me le dire deux fois. Je retire mes sandales, et me dirige vers l'eau. J'y pénètre lentement, les chevilles, les mollets, les genoux, les cuisses, le ventre... je laisse ce bonheur m'envahir avec douceur, la fraîcheur embrasser ma peau. Bientôt je suis suffisamment loin pour nager, avec une certaine difficulté, les vêtements de coton flottant autour de moi, et gênant mes mouvements. Le foulard se détache, mes cheveux s'étalent librement dans l'eau tiède et sale. En Angleterre j'étais bonne nageuse, et à l'école j'avais même gagné une médaille de bronze. J'adorais l'eau.

Cette baignade est unique, hors du temps. Je m'en souviendrai longtemps, et souvent, car elle ne se reproduira plus jamais.

Sous l'eau, dans l'eau, les yeux ouverts, les yeux clignant au ras de la surface, dans l'éclat du soleil. Un espace de liberté fabuleux. L'eau de la mer Rouge est verte! Lorsqu'on plonge on n'y voit rien, du sable en suspension, des algues minuscules. Je suis dans la mer de la Bible et des prophètes. Je nage, nage, en fixant l'horizon lointain, je pourrais nager ainsi jusqu'à la côte d'Éthiopie. Ce n'est qu'à six heures de bateau a dit Abdul Khada. Je pourrais m'évanouir là-bas, à l'horizon, aborder les îles Hanisch, il paraît qu'on les aperçoit le soir au coucher du soleil, par temps clair.

Au loin la voix d'Abdul Khada hurle :

– Ne va pas si loin...

Comme s'il avait deviné mes pensées. Lui, il barbote au bord de l'eau, Abdullah aussi. Ils ne seraient pas capables de me rejoindre. Je filerais aussi vite que ces poissons longs et brillants presque bleus, de véritables flèches argentées, qui s'élancent entre deux eaux, vers le large. L'eau est extrêmement salée, et si tiède que l'on pourrait sans peine y dormir, flotter, dériver sur le dos, endormie, au gré du vent qui pousse au large.

– Ne va pas si loin, il y a des requins!

Il y a, c'est exact, des requins, et des méduses et des raies venimeuses. J'ai vu *Les Dents de la mer* en Angleterre ; l'idée d'un requin, surgissant soudain derrière moi et me poursuivant de son aileron pointu, me rend raisonnable. Je regagne le bord à contrecœur. La température est déjà tellement haute que mes vêtements sèchent en quelques minutes, tandis que je marche sur la plage. Vue de près, elle est moins idyllique qu'au premier regard. Des boîtes de conserve, des bouteilles de Coca, des boîtes de bière blonde surtout. Les hommes doivent venir s'installer ici la nuit pour boire l'alcool que la loi leur interdit.

Je m'assieds à l'ombre d'un palmier, et je regarde, je m'emplis les yeux de cette mer symbolique. Là-bas la liberté. Là-bas les bateaux de bois des pêcheurs. Si je pouvais marcher sur l'eau...

Mon bonheur a duré une heure, sur le sable, à rêver de l'Angleterre, par delà les continents. J'avais chaud, du sel dans la bouche, des larmes salées dans les yeux. J'étais une statue de sable de sel et d'eau.

Il faut rentrer. S'installer sur la banquette de moleskine brûlante du taxi, entre Abdul Khada, et Abdullah, mes deux geôliers.

Je me réveille brûlante de fièvre avec une atroce douleur dans la poitrine. Je ne parviens pas à me lever, mes jambes vacillent, la tête me tourne, une immense faiblesse m'a prise, je m'écroule sur mon lit.

Abdul Khada me regarde avec méfiance.

– C'est simplement la chaleur.

La journée passe dans une brouillard fiévreux, puis une autre, et ce n'est que deux jours plus tard qu'Abdul Khada se montre ennuyé. Je suis vraiment malade, incapable de me lever, incapable de rester dans la même position, la douleur ne me quitte pas, la fièvre non plus.

Maman me manque, elle m'a toujours soignée lorsque j'étais malade, elle a toujours été là avec une tasse de thé, un plateau, des magazines. Elle installait ma radio sur l'oreiller, allumait la télévision, les copains venaient me voir. J'avais treize ans et la varicelle, honte de mes boutons, mais être malade avec maman et toute la famille, c'était un doux plaisir, une bienheureuse fainéantise.

Je grelotte de fièvre, et je ne peux pas me nourrir seule. Il me vient l'idée que je vais mourir. C'est cela, je vais mourir. Je suis heureuse à l'idée de cette mort, je serai libérée, je m'envolerai du Yémen pour toujours. A quoi sert de vivre ici, ce n'est pas une vie, c'est une mort lente.

J'ai dû parler de mort, car Abdul Khada semble terrifié, et quelques heures plus tard, ramène un médecin de Hays. Un Soudanais, qui parle anglais.

– C'est la malaria.

Il me fait une piqûre, tandis que j'essaie de comprendre. « Malaria, est-ce une maladie mortelle ? » Il laisse quelques médicaments et dit qu'il reviendra le lendemain. C'est un grand bonhomme, extrêmement gentil et attentionné, mais Abdul Khada ne nous a pas laissés seuls une minute, de peur que je lui parle en secret.

Les trois jours suivants, il revient me faire une piqûre le matin, une autre le soir. Et peu à peu je me sens assez forte pour me lever, puis m'alimenter et retourner travailler. Mais quelque chose a changé dans mon corps. Je ne me sens jamais réellement en forme, toujours lasse ; à deux reprises, un accès de fièvre me rejette au lit. Comme le médecin n'est plus là, je me débrouille avec l'aide des femmes du voisinage. Le seul et unique remède qu'elles connaissent à la malaria, c'est le lait de chamelle. Il est difficile de s'en procurer. La première fois j'ai trouvé son goût bizarre, mais j'ai fini par m'y faire.

Alors tant bien que mal, je résiste. A la malaria, aux moustiques, aux mouches, à la chaleur d'enfer, à la cuisine, à Ward et ses petits yeux assassins, à Abdullah qui chaque nuit revient. Je ferme les yeux, je pense à mon fiancé secret, là-bas en Angleterre. Je n'existe pas, Abdullah n'existe pas. C'est un cauchemar qui ne dure pas longtemps. Il suffit de serrer les dents. Il suffit de se parler comme si l'on était une autre. Se dire : « elle » tiendra le coup. « Elle » en a vu d'autres. « Elle » est forte. Un jour, « elle » partira d'ici. Je m'appelle « elle ». J'ordonne à « elle » d'être plus résistante que moi, c'est « elle », qui supporte ce gamin dans son lit. Pas moi. C'est « elle » qu'on viole. C'est « elle » que je dois soutenir, aimer, consoler.

« Elle » devient folle.

Parfois j'écrase un lézard à portée de sandale. Je l'écrase avec une volupté mauvaise, c'est Abdul Khada que j'écrase.

Tous les quinze jours, Mohammed, le fils aîné d'Abdul Khada, vient de Hockail, pour rendre visite à ses parents. Dans la détresse morale et la solitude où je me trouve ici, c'est un événement que de pouvoir parler avec quelqu'un d'autre, même pour peu de temps. L'essentiel de notre conversation porte sur mon obstination à rejoindre Nadia.

– Mohammed, tu peux parler à ton père, il t'écoutera, dis-lui de me laisser retourner au village.

– Je ne peux rien faire. Tu le sais bien.

– Je t'en prie... Je ne sais même pas comment elle va.

– Tu n'as aucun souci à te faire, elle va très bien, elle s'entend bien avec son mari, tu devrais faire comme elle.

Je pourrais répéter ma demande cent fois, j'aurais cent fois la même réponse. Il hausse les épaules, comme si ce n'était pas important. Comme si je n'avais pas de raison de me plaindre. Pour lui tout est normal. Il ne me veut pas de mal, sauf que le premier jour, il s'est montré prêt à m'attacher sur le lit, pour permettre à son petit frère de me violer. La seule chose anormale pour eux, c'est la résistance d'une femme à leur volonté.

Un après-midi, alors que je suis assise dehors dans le jardin, à fixer le mur d'en face, j'entends la voix d'Abdul Khada crier : « Nadia ! »

Sur le moment je n'ose pas y croire, mais un bruit de pas me fait tressaillir. Puis à nouveau la voix d'Abdul Khada :

'adia et sa fille Tina. A l'heure où paraît ce livre, ma soeur Nadia est toujours prisonnière au
émen, avec ses trois enfants et mon fils Marcus. Depuis trois ans, j'ai perdu toute trace
'eux, depuis trois ans, je me bats pour qu'ils puissent me rejoindre.

Nadia et moi, petites filles à Birmingham. Nous sommes métisses et cela nous donne un air exotique. Mais nous nous sentons anglaises jusqu'au tréfonds de notre âme.

Nadia et moi, âgées de quatorze et quinze ans, à la veille de notre départ pour le Yémen. Nous pensions partir quelques semaines...

Muthana Muhsen, notre père. Il nous vantait la beauté de son pays. Il nous parlait des plages paradisiaques et des traversées du désert à dos de chameau... Il nous avait déjà vendues.

es montagnes arides du Yémen sont devenues notre prison. Ici, le village d'Ashube où vivait adia en compagnie de son "mari" et de sa "belle-famille". J'habitais à une demi-heure de arche de là.

Nadia, sa fille Tina et moi, en décembre 1987, lorsque deux journalistes de l'Observer *réussissent à nous rencontrer.*

Sept ans déjà que nous vivons au Yémen.

e Taez, Nadia téléphone en Angleterre. Grâce aux journaux et à l'action de maman, notre as est devenu une "affaire". Le gouvernement nous a fait transférer à la ville de Taez. espoir de retrouver l'Angleterre est plus fort que jamais.

Marcus, mon fils. Il ne partira pas avec moi.

Tina, Marcus et Nadia. J'ai pris cette photo le jour de mon départ. Depuis, je ne les ai jamais revus.

'nfin libre, avec maman à Brighton. Je passe mes premiers moments en Angleterre dans cette hambre d'hôtel.

1on frère Ahmed, envoyé au Yémen à l'âge de trois ans, a pu nous rejoindre à Birmingham. A ôté de lui, mes deux soeurs, Ashia et Tina, telles que je les ai retrouvées après huit ans de éparation.

A mon retour, j'ai tenté de vivre avec Mackie, le petit ami de mes quinze ans. Nous avons eu un fils, Liam. Aujourd'hui, je vis seule avec mon deuxième enfant.

– Zana ! ta sœur est ici !

L'émotion me serre la gorge à la vue de ma sœur transformée. Elle m'avait dit qu'on l'habillait ainsi, mais de la voir surgir en costume traditionnel me fait un drôle d'effet. Elle doit ressentir la même chose en ce qui me concerne. C'est elle, c'est moi, devenues femmes arabes, et nous nous regardons un instant, presque comme des inconnues. Je suis si heureuse de la voir que j'en pleurerais. On nous laisse seules pour la journée, dans ma chambre. Les questions et les réponses fusent.

– Tu as reçu des nouvelles de maman ?

– Non, et toi non plus ?

– Abdul Khada a déchiré toutes mes photos...

– J'en ai d'autres au village dans ma valise.

– J'ai été malade, la malaria.

– Regarde ma main...

Sa main est couverte de cicatrices. Nadia a la peau sensible, fine, la poindre piqûre de moustique trop grattée, s'est transformée en cicatrice indélébile. Mais il y a pire, des traces de brûlures.

– Gowad m'a forcée à mettre ma main dans le feu pour les *chapatis*. Toute ma main a brûlé, je n'avais plus de peau.

Elle résiste mal, je le savais bien, à la dureté des tâches qu'on nous impose. Le transport quotidien de l'eau par exemple, de six heures du matin jusqu'au soir. La marche épuisante vers le puits, le bidon de vingt ou trente litres sur la tête.

– Il n'a pas plu depuis des mois, au village. Et la chaleur est infernale dans la journée.

Le plus grave, elle me le raconte en baissant la tête.

– Une fois... j'ai refusé de coucher avec Samir, et Gowad m'a frappée. Il m'a tapé dessus, à coups de pied dans les côtes. Salama m'a entendue crier, elle est venue à mon secours.

Ma petite sœur n'aime guère évoquer l'humiliation quotidienne de partager son lit avec ce gamin de treize ans, beaucoup plus fort et plus adulte qu'Abdullah. Je sais qu'elle a souffert physiquement du viol, et continue à en souffrir. Ma propre expérience me permet d'imaginer ce qu'elle supporte. Mes mains tremblent de l'envie d'étrangler ces deux hommes. Gowad, Abdul Khada...

Pleurer, parler, et pleurer encore, nous n'arrêtons pas jusqu'au soir. Ils ont fait de ma sœur une esclave, son corps leur appartient. Ça me rend folle. Plus encore que pour moi.

Alors que nous pensions toutes les deux profiter de plusieurs jours ensemble, Gowad veut la ramener au village le soir même. Nadia le supplie, comme une petite fille, de la laisser avec moi quelques jours, mais il est intraitable.

Je la regarde partir, sans rien pouvoir faire que de laisser monter la haine une fois de plus. Le comble est la réflexion que se permet Abdul Khada. L'air suffisant, il m'affirme :

– Tu vois comme ta sœur est heureuse ?

– Heureuse ? Tu appelles ça heureuse ? Comment sais-tu qu'elle est heureuse ? Comment peux-tu savoir ce qu'elle ressent ?

Il hausse les épaules.

– Je le sais, c'est tout. Elle est bien mieux au village sans toi. Elle est bien installée dans la famille.

Je gronde comme un fauve :

– Elle n'est pas heureuses du tout. Elle vous déteste autant que moi je vous déteste ! Tu comprends ça. On vous déteste tous !

Qu'il me frappe s'il veut, ça m'est bien égal. Parfois il cède devant ma haine, et c'est le cas aujourd'hui. Menteur, lâche, il veut nous séparer, remarquant très bien l'influence que j'ai sur ma sœur. Il me craint pour cela. Il peut toujours prétendre qu'elle est heureuse, il sait parfaitement que c'est faux et que je ne le crois pas. Son système d'intox ne marche pas avec moi. Si Nadia se tait, et subit, c'est qu'elle n'a pas la chance d'avoir ma force, et ce mauvais caractère qui m'est venu ici. A cause d'eux.

Nous sommes parties depuis des mois, et je me torture à réfléchir au silence de maman. Mon père a dû lui raconter des histoires, d'après lesquelles nous serions chez grand-père par exemple, ou heureuses quelque part en vacances... Mais tout de même, ce genre de mensonges ne peut pas durer éternellement. Nous devrions être de retour en Angleterre depuis longtemps, la rentrée scolaire, mon stage de puériculture... De plus elle n'a pas de nouvelles de nous, depuis la cassette enregistrée au village...

Tout ce temps qui passe, inexorable, en une monotonie abrutissante. Je n'ai plus de repères. Des semaines passent encore avant qu'une nouvelle, venue du village, me donne l'espoir de retrouver ma sœur. Quelqu'un prévient Ward qu'une femme de ses amies à Hockail a été frappée par la foudre, elle est morte. Abdul Khada décide de rentrer pour l'enterrement.

Pour la première fois, je dois porter un voile sur le visage, durant le voyage, c'est un ordre. Ils peuvent m'obliger à porter n'importe quoi, je m'en fiche du moment que je retourne là-bas, que je vais voir Nadia, même pour quelques heures.

Dans la voiture, voilée, assise à l'arrière, les hommes devant, je regarde défiler la route tandis que nous quittons la ville. Les passants ne peuvent pas savoir que je suis anglaise. Une femme arabe parmi les femmes arabes. Si je me mettais à crier : « Je suis une étrangère », on ne me croirait pas. Les Yéménites transportent ainsi leurs femmes, voilées, d'un endroit à l'autre, selon leur bon plaisir. Plus personne ne me dévisagerait, cette nuit-là, comme au temps où je portais ma jupe courte, et mes cheveux libres. Je suis devenue invisible.

Nous arrivons tard dans la nuit, et Ward se rend directement à la maison voisine, en m'emmenant avec elle. Sur le chemin j'entends déjà les lamentations venant de l'intérieur de la maison de la morte. J'entre à la suite de Ward dans une pièce remplie de femmes en pleurs. Elles attendent que les hommes aient creusé la tombe. Le corps est ensuite enveloppé dans un voile vert, et ils l'emportent. Ils, les hommes, les femmes n'ont pas le droit de suivre le cortège. Elles restent à pleurer sur place, dans la maison de la morte, tandis que la défunte est emmenée sur un brancard de bois. Elles regardent de loin, elles prient de loin, pleurent de loin.

Comme personne ne fait beaucoup attention à moi, je retourne à la maison d'Abdul Khada, et monte dans la chambre où tout a commencé. Curieusement je me sens presqu'heureuse de me retrouver là, après ces longs mois au restaurant de Hays. Il n'y a plus ni matelas, ni couverture sur le lit, et Bakela m'apporte de quoi dormir sur la banquette, un oreiller, une couverture. Je retrouve mon coin sous la fenêtre, j'entends hurler les loups... à nouveau. Nadia n'est pas loin, je la verrai demain. En attendant j'expérimente mes connaissances de la langue avec Bakela, et ses enfants. Shiffa a grandi, elle approche des neuf ans, Tamanay est toujours aussi bavarde. Maintenant je peux communiquer, c'est la première fois que j'ai une vraie conversation avec Bakela.

– Je voudrais rester ici Bakela. Là-bas, à Hays, c'est épouvantable. Ward est méchante, je n'ai personne à qui parler. Tu me comprends ?

– Oui... Mais Abdul Khada décide...

Je fonds en larmes, et elle aussi. Elle me plaint, mais ne sait pas quoi dire.

– C'est une prison là-bas... Bakela. Je ne veux pas y retourner. Je veux rester ici, et voir ma sœur...

– Si Dieu veut.

Le lendemain matin, ma sœur arrive en courant, elle a entendu dire que nous étions là pour l'enterrement. Nous voilà de nouveau ensemble, dans ma vieille chambre, avec tant de choses à nous dire. Parler anglais nous redonne du courage. Elle me raconte l'orage meurtrier, les corvées habituelles. Je la trouve amaigrie, le visage pointu. On ne voit plus que ses yeux.

Nous sommes en janvier 1981. Là-bas à Birmingham c'est l'hiver. Ashia et Tina vont à l'école, Mo aussi. Nos copains, nos amis, la piscine, le tennis, le terrain de foot, le centre des jeunes, où nous faisions tant de choses, et le café, les poissons-frites, les juke-box, tout nous revient en tête. Et Mackie, mon boy-friend...

et le parc où nous nous baladions la main dans la main. Où je lisais perchée sur une balançoire, les fabuleux romans d'amour, qui finissent toujours bien.

La nuit est bien avancée et Nadia doit retourner dormir dans la maison de Gowad. Nous nous embrassons en nous disant à demain.

Même Ward, la mégère, est heureuse de rester au village. Elle n'aime pas plus que moi ce restaurant de Hays, où nous trimons comme des esclaves, et étouffons de chaleur. Elle ne fait qu'obéir en y allant. Mais je sais qu'elle aimerait vivre au village, s'occuper de sa vieille mère, devenue fragile et qui vit en bas, dans une maison solitaire.

Alors que nous nous apprêtons à dormir, Abdul Khada change d'avis. Il veut repartir immédiatement pour Hays. Je bondis de rage.

– Mais tu avais dit que nous restions ici pour la nuit!

– Il faut réouvrir le restaurant demain.

– Tu as dit à Nadia qu'elle pouvait revenir demain matin!

Je suis désespérée d'être séparée si vite de ma sœur. Depuis plus de six mois que je vis à Hays, nous ne nous sommes vues que deux misérables fois. Ce type est un monstre d'égoïsme. Il n'a aucun égard même pour sa propre épouse. Nous sommes fatiguées du voyage, elle vient d'enterrer son amie, et il s'en moque. Je n'aime pas Ward, mais ce soir-là, j'irais jusqu'à prendre sa défense, si cela pouvait servir à quelque chose.

– Pour Nadia, ce n'est pas grave, Bakela lui dira que tu es partie.

J'argumente encore, mais il se met en colère, et je sens venir la raclée. Il va me battre si j'insiste. Je n'en ai pas la force ce soir. Alors, sans rien dire, nous les femmes, nous refaisons nos bagages, et nous repartons dans la nuit noire, à travers ce désert. J'imagine Nadia grimpant la montagne demain matin, courant vers ma vieille chambre et la trouvant vide. Et Bakela lui disant :

– Ta sœur? Elle est retournée là-bas au restaurant!

C'est comme si je l'abandonnais personnellement.

Quelques semaines plus tard, Mohammed en visite au restaurant annonce à ses parents qu'il vient d'arranger le mariage de sa fille Shiffa. La petite fille a neuf ans. Elle va subir le même sort que nous. C'est horrible.

Après le départ de Mohammed, je questionne Abdul Khada :

– Qu'est-ce qui se passe avec Shiffa ?

– Elle va se marier. Elle est très contente...

« Tu parles... »

– Le garçon appartient à une famille riche, qui prendra bien soin d'elle. Le père a une bonne situation en Arabie Saoudite, beaucoup de gens travaillent pour lui.

J'imagine que c'est le moindre mal. Shiffa restera au village, et pourra continuer à se comporter comme une enfant. Ils ne l'obligeront pas à porter le voile immédiatement. Elle n'est pas encore nubile, et logiquement le mari ne pourra pas la toucher avant qu'elle ait eu ses premières règles. S'il est correct. Certains hommes ne respectent pas toujours cette loi, et violent les fillettes le soir même de la cérémonie.

Bakela était au courant de ce mariage lorsque nous avons parlé la nuit de l'enterrement, elle n'y a pourtant fait aucune allusion. Je me demande ce qu'elle éprouve à l'idée de perdre sa fille aînée, si petite encore. Peut-être rien du tout, peut-être que c'est normal pour elle. Abdul Khada est particulièrement fier de cette alliance avec des gens aisés.

– Ils ont une grande maison au village, en plein centre, ils sont riches. Elle sera encore mieux que chez nous.

L'important pour lui, j'imagine, c'est le prix que la famille a dû payer pour le corps de la petite Shiffa. Mohammed a dû négocier âprement cette vente. En retour, il devra offrir des vêtements à sa fille, une sorte de trousseau, et des bijoux en or.

Abdul Khada m'a offert des bijoux en or, à moi aussi. A plusieurs reprises. Il n'a obtenu aucune reconnaissance de ma part, pas un seul merci. Il n'a pas compris, furieux de voir rejeter ce qu'il considérait comme un honneur. Incapable de comprendre qu'on n'achète pas quelqu'un avec un peu d'or. Est-ce qu'il me prenait pour une femme de harem ? Pour une esclave que l'on pare avant le sacrifice ? Mon mépris le vexait. J'aime bien qu'il soit vexé en tant qu'homme. Piètre vengeance, mais les occasions de manifester mon rejet de leurs coutumes barbares et moyenâgeuses sont rares.

A la ville, j'ai entendu des femmes parler de mariage, bien différemment. Le garçon va demander leur main, elles ont le droit de refuser ou d'accepter. Certaines se marient même en blanc à l'européenne. On m'a même raconté que le voyage de noces à l'étranger était passé dans les mœurs.

Les choses changent doucement, mais pas dans les villages. Dans les villages, la coutume demeure. La preuve : Mohammed avait fait soi-disant un marché avec le futur époux de Shiffa, il ne devait pas la toucher avant quatorze ans. Mais le lendemain de la cérémonie pourtant, il y avait du sang sur les draps. Shiffa. La toute petite Shiffa de neuf ans devenue femme. De force. Je ne la verrai plus, elle vivra au village, dans la maison du maître. Je l'aimais bien. C'est elle, le jour de mon arrivée, qui m'a souri la première et m'a montré un verre, en disant *Shrep*... boire.

L'histoire du mariage de Shiffa illustre bien la précarité de leurs conditions de vie. A treize ans, elle sera enceinte deux fois dans la même année et perdra ses deux bébés. A quatorze ans, elle le sera de nouveau, sa mère l'emmènera en ville pour l'accouchement. Elle aura deux jumelles, dont l'une mourra à la naissance, et l'autre quelques jours plus tard.

Je suis de nouveau affectée par la malaria. Cette fois on n'appelle pas le médecin, on se contente de me soigner au lait de chamelle. Cette ville est un enfer. Les fourmis rouges, les moustiques, les rues sales encombrées de déchets de toutes sortes... Je grelotte de fièvre, puis me relève et recommence. L'éternité des semaines et des mois qui défilent. Le temps qui ne change ni de couleurs, ni de saisons. Soleil torride, poussière et chameaux qui passent. On se raconte, parmi les femmes voilées, le soir entre les hauts murs, qu'un homme, à Taez ou Sanaa, a lapidé une femme au visage découvert... Ragot ou histoire vraie... qui peut savoir. L'intox des hommes est permanente.

Au mois d'avril 1981, Abdul Khada prend soudain une décision. Et tout le monde obéit. Il en a assez de Hays, il va partir travailler quelque temps à l'étranger. Il a vendu le restaurant et prévu notre retour à Hockail sans nous prévenir. Ward est heureuse, et moi aussi. Tout est si facile, lorsque l'homme décide. Il a voulu partir, et nous partons. Nous sommes ses objets.

Joie, retour vers Nadia. Adieu poussière et fourmis rouges, et malaria. Je préfère ma prison des montagnes, à cet enfer entre quatre murs.

Quatre jours après son départ à l'étranger, une lettre d'Abdul Khada arrive d'Arabie Saoudite, en anglais, et qui m'est adressée. Même de loin, il s'assure que son autorité sera respectée. L'argent parviendra à Ward par son intermédiaire habituel, Nasser Saleh, établi à Taez. Si elle en manque, elle laissera les notes en attente chez les commerçants du village, et demandera à son fils Mohammed d'écrire une lettre pour en réclamer. Quant à moi, il se montre désolé que je n'aie plus grand monde avec qui parler en son absence.

Désolée, je ne le suis pas vraiment. Toujours déterminée à la fuite. Il doit bien y avoir un moyen. Abdul Khada n'est plus là ; quant à Mohammed, il travaille à Taez, dans une usine de beurre.

Sans les deux hommes la vie est différente. Nous ne mangeons quasiment plus de viande mais surtout des légumes et des *chapatis*. Et le travail est encore plus pénible. Mais l'atmosphère est plus reposante. Je ne crains pas d'être battue au premier prétexte. Je peux refuser qu'Abdullah m'ennuie, sans qu'il aille immédiatement se plaindre à son père.

Mais nous sommes toujours sous surveillance. L'influence d'Abdul Khada, sur sa famille et dans le village, la crainte qu'il provoque, sa réputation de violence, font que n'importe qui réfléchit avant de le tromper.

Gowad, lui, n'est pas reparti à l'étranger. Il est toujours là, propriétaire de ma sœur. Nadia parle bien mieux l'arabe que moi, elle voit plus de monde, rencontre les femmes de son village, et elle a beaucoup changé. En Angleterre, elle était plutôt le genre garçon manqué, toujours perchée quelque part, et riant de tout et de rien. Notre histoire l'a surprise en pleine enfance, elle obéit comme une enfant. Une tristesse infinie l'accompagne. Lorsque nous parlons de maman, et nous en parlons toujours, elle pleure presque résignée.

Bakela était enceinte lorsque je suis revenue de Hays. Elle semblait heureuse de l'être, désirant cette fois avoir un garçon. J'imaginais qu'on l'emmènerait à l'hôptial de Taez le moment de l'accouchement venu. En dehors de ce que nous avons appris à l'école, je n'avais aucune expérience en la matière.

Un jour, Bakela pose son chargement de bois et se met à gémir. Courbée en deux, elle monte dans sa chambre et s'allonge par terre. Les contractions ont commencé. Il n'y a que des femmes à la maison ce jour-là, à part le vieux grand-père aveugle, assis sur son banc, inutile.

La vieille mère d'Abdul Khada, Saeeda, qui doit avoir environ soixante-dix ans, et avec qui je n'ai presque pas de rapports, s'est assise par terre, elle contemple la progression du travail. Ward et Haola, sa nièce, attendent elles aussi. Allongée sur le sol, Bakela ne cesse de gémir. Elles n'ont pas besoin de moi, d'ailleurs je ne saurais quoi faire. La suite me remplit d'horreur à la pensée que la même chose puisse m'arriver.

Haola soutient la tête de Bakela, pour l'aider à respirer. Ward a monté de l'eau sur le toit pour laver l'enfant. Je m'étais juré de fermer les yeux mais, lorsque la tête apparaît, la fascination l'emporte. Le corps de l'enfant glisse dans un flot de sang. Ward coupe le cordon avec une lame de rasoir, elles emportent aussitôt le nouveau-né, pour le baigner là-haut sur le toit. Bakela épuisée, toujours à terre, attend qu'elles reviennent et se mettent, calmes et silencieuses, à laver par terre, puis à l'aider à s'allonger enfin sur le lit.

Elles placent l'enfant dans une sorte de petit hamac, consistant en un morceau de tissu qu'elles attachent à l'aide d'une corde au montant du lit. Le bébé est ainsi suspendu à la hauteur de sa mère.

Tout s'est bien passé, Bakela est mère d'un petit garçon en bonne santé. Mais je suis terriblement choquée. Ni médecin, ni médicament, aucune possibilité de soigner la mère ou l'enfant en cas de problème. Tout ce sang, cette femme allongée sur le sol, pas même une natte pas même un coussin, cette lame de rasoir... c'est monstrueux.

Abdul Khada m'a promis que si j'attendais un enfant, je pourrais aller en Angleterre. « Avant ou après ? Me faudra-t-il accoucher ainsi, comme Bakela, par terre comme une bête ? »

Mohammed devait rentrer ce soir-là de Taez ; en arrivant au village, la rumeur lui a appris qu'il avait un fils. Il était fou de joie. Un fils vaut mieux qu'une fille au Yémen, dans l'esprit du père. Et dans mon esprit également. Au moins il ne sera pas vendu.

Bakela demeure dans son lit une semaine, on lui apporte ses repas, Ward s'occupe du bébé, et c'est moi qui prends en charge les corvées supplémentaires. L'eau, la cuisine, les *chapatis*, les mains brûlées, le dos rompu. En apparence, je descends quelques marches de plus pour épouser la condition de la femme arabe respectueuse. Mais je continue à chercher comment fuir. La réalité de cet accouchement a été dure à supporter. Les suites le seront également.

Lorsqu'une femme a un enfant au Yémen, elle reçoit beaucoup de visites, des cadeaux, de l'argent. Pour un garçon, la fête est encore plus grande et, au septième jour, on le circoncit. Mohammed a tué un mouton pour la cérémonie. Un homme est venu du village, le spécialiste, payé fort cher pour pratiquer l'opération. Il n'a rien d'un chirurgien, aucune notion médicale, il a tout simplement hérité de cette charge, par son père.

Pour pratiquer la circoncision, l'homme étire le prépuce du bébé entre le pouce et l'index, il l'attache fortement avec un morceau de coton. Puis avec une lame de rasoir, il coupe la peau et la racle tout autour du pénis jusqu'à ce qu'il soit bien nettoyé. Le bébé hurle, le sang coule. C'est atroce.

Après quoi, la plaie est enduite d'une lotion aussi rouge que du mercurochrome, et on rend l'enfant à sa mère qui le berce pour calmer la douleur. Durant deux semaines, les seuls soins consistent à maintenir une compresse entre les jambes du bébé, pour éviter les frottements, et que la plaie ne saigne.

Le petit Ahmed est relativement chanceux. J'ai entendu dire que, dans d'autres régions, on pratiquait la circoncision beaucoup plus tard, à l'âge de l'adolescence, et que le rituel était affreusement barbare. L'opérateur jette le prépuce dans la foule qui regarde. Le jeune homme, lui, maintient un poignard sur sa tempe et ne doit ni crier, ni pleurer, ni bouger. Ainsi devient-il un homme...

Ahmed a pleuré longtemps dans les bras de Bakela et, lorsque j'ai décrit la scène à Nadia, elle m'en a raconté une autre encore plus effrayante. Sa belle-mère Salama a accouché d'une petite fille, et Nadia a assisté à l'excision.

Ils tiennent la petite fille toute nue, une femme étire les deux lambeaux de peau, qui constituent les petites lèvres, et les coud ensemble avec une aiguille. La couture faite, elle coupe avec une lame de rasoir l'excédent de peau. Nadia n'a pas pu me dire si la femme coupait la peau du clitoris.

En ville, à Hays, où les femmes parlent entre elles de ce sujet, la coutume se perd fort heureusement. Elles ne croient plus aux bobards que les villageois racontent encore aux petites filles pour les persuader que l'excision est hygiénique. On leur dit que si la peau n'est pas coupée, les lèvres pousseront en vieillissant et qu'elles marcheront dessus. Comment peut-on croire à de pareilles bêtises ? Au village, en tout cas, la plupart en sont persuadées et, lorsque les femmes ont appris que Nadia n'était pas excisée, elles se sont moquées d'elle. Les plaisanteries ne cessaient pas. Une fille a même eu le culot de lui demander comment c'était et comment elle faisait pour ne pas être gênée en marchant. Il a fallu que Salama intervienne auprès de Gowad pour que la fille cesse de l'ennuyer avec ça. Pour moi, c'est différent, la maison d'Abdul Khada étant isolée du village, je ne suis pas continuellement baignée dans l'atmosphère étouffante de cet univers féminin.

Trois mois de plus viennent de défiler ainsi depuis notre retour de Hays. Et je n'ai toujours pas l'espoir de trouver quelqu'un pour nous aider, malgré la relative liberté que me donne l'absence d'Abdul Khada.

Je peux me rendre seule au village, à présent, pour faire les courses et j'ai rencontré un sage, qui parle un peu anglais.

Le sage, c'est l'homme de référence, lorsqu'il y a un conflit, en cas de divorce par exemple. Une femme peut obtenir le divorce, à condition d'abandonner ses enfants au mari et de retourner vivre dans sa famille. Peu de femmes s'y résignent, à cause des enfants justement, et supportent, parfois pendant de longues années, un mari infernal.

Le sage est issu d'une bonne famille et il est habituellement plus riche que les autres. On le paye en échange de ses conseils... Le sage du village de Hockail est un homme assez beau, respectable, et en l'écoutant parler, je me suis rendu compte qu'il connaissait la plupart des secrets des femmes du village. Lesquels secrets ne durent pas longtemps et font rapidement le bonheur des commères.

Si je lui confiais mon problème, Abdul Khada en serait informé très vite, à la vitesse du téléphone arabe. Alors je me suis tue. A quoi bon lui demander de l'aide. Pour divorcer, il faut que le mari soit infidèle, que tout le monde le sache, que l'on réunisse la famille, et que l'on donne de l'argent au sage afin qu'il prenne une décision... Abdullah n'est pas infidèle malheureusement. Et où trouver l'argent pour payer cet homme?

Ma seule confidente est la nièce d'Abdul Khada et de Ward, Haola. Elle vit dans la maison la plus proche de la nôtre. A elle, je peux tout dire; que je suis malheureuse, que je ne supporte pas ce mariage-viol. Elle ne peut que me plaindre, pas m'aider. C'est par elle que j'apprends ce que pensent de moi les autres femmes. Elles sont curieuses de savoir comment se comporte Abdullah, si chétif et si faible qu'elles se moquent de lui. Certaines m'ont posé directement la question :

– Comment fais-tu pour t'occuper de lui ?

Et de rire et de se moquer... comme si j'étais privée d'un plaisir quelconque. Comme si l'essentiel de l'existence était d'avoir un homme dans son lit. Nous sommes à des lieues de nous comprendre. Je les trouve pathétiques. J'ignore ce qu'est le plaisir sexuel, j'ignore ce qu'elles entendent par là, d'ailleurs. Privées dès la naissance d'une partie de leur sexe, le savent-elles, elles-mêmes ? Et moi non plus. J'aurai bientôt dix-sept ans. Mon seul et unique flirt est à Birmingham, libre. Je ne connais de l'amour que les baisers qu'il m'a donnés. « M'attend-il ? Si je le retrouve, comment lui dire ? Comprendra-t-il ? »

Ward a pris le pouvoir en l'absence de son mari. Je dois faire ce qu'elle me demande, sous peine de prendre une raclée, lorsque Abdul Khada rentrera. Elle aime abuser de ce pouvoir sur moi. Elle aime me priver de nourriture plusieurs jours durant, à la moindre incartade de ma part. Elle me jette les vieux restes des jours précédents, comme à un chien. Parfois, je n'ai que du thé et des cigarettes pour deux ou trois jours. Si je m'en plains à Bakela, la réponse est toujours la même :

– C'est Ward qui est responsable. Je ne peux rien lui dire. Je dois le respect à ma belle-fille. Toi aussi.

Bakela n'est pas aussi maltraitée que moi, mais lorsque c'est le cas, elle ne proteste pas. Respecter la belle-mère, c'est la coutume. Mais Ward n'est pas une belle-mère ordinaire. Sa propre mère dit qu'elle est méchante. Les femmes du village reconnaissent qu'elle me traite très mal. J'ignore la véritable raison de sa haine, sinon qu'elle me rend la mienne. Peut-être a-t-elle été mortifiée que l'on achète une femme à son fils à l'étranger. « Putain blanche... » dit-elle.

Il m'arrive d'avoir si faim que la tête me tourne. Je ne peux même pas me débrouiller seule pour me faire à manger, elle garde les provisions dans sa chambre et la ferme à clé. Nous avons des poules et le luxe des œufs frais, mais elle les donne aux enfants de Bakela et jamais à moi. Nadia, qui a également des poules, m'apporte quelquefois des œufs à manger. Une voisine m'a donné de la nourriture une fois, tant j'étais affamée. Mais ce genre de secours est exceptionnel.

Je vois passer dans ma tête les cornets de *fish and chips* de Birmingham. Parfois j'en sentirais presque l'odeur, en fermant les yeux. Et les gâteaux au gingembre, mes préférés, qui laissent sur la langue un petit goût acidulé...

Aujourd'hui la tête me tourne sur le chemin, en allant chercher le bois pour le feu. Le soleil fait des cercles de toutes les couleurs devant mes yeux. Je n'ai rien avalé que du thé froid, ce matin, et un reste de *chapatis*.

Un serpent me nargue, il rampe vers moi en sifflant; sa petite tête droite dardée dans ma direction, il s'immobilise à la verticale. Je ne bouge qu'une main pour m'emparer d'un bâton et me mets à frapper, frapper, prise d'une furie terrible. La surprise, mon état de faiblesse, me rendent presque folle. Il aurait pu me piquer, j'aurais pu mourir, stupidement... Tuer ce serpent, le massacrer, est une sorte d'exorcisme. Je tue Abdul Khada, je tue Ward, je tue, je tue... Jusqu'à épuisement.

Il a la tête fracassée, je le prends par le cou, et soudain il me vient une idée. J'ai entendu dire que la chair du serpent est comestible. Un mètre de long de chair immobile devant moi. Un corps très mince. Venimeux ou pas? On dit qu'ils sont tous venimeux au Yémen. Il est mort la gueule ouverte.

Je vais faire un feu. Il me faut un couteau pour l'éplucher. Comme je ne suis pas loin de la maison, je me faufile dans la cuisine, rapporte le grand couteau à découper la viande de mouton et lui tranche la tête. Je l'ai à peine jetée un peu plus loin que les vautours se précipitent. Ils tournoient dans le ciel en permanence, à l'affût de cadavres d'animaux. L'un d'eux pique, rafle la tête et va se poser plus loin. Je coupe un morceau de serpent et me mets à le dépecer comme j'aurais épluché un melon, dans le sens de la longueur. Je n'aime pas la peau de la viande. Une fois pelé, le serpent laisse apparaître une chair comparable à celle du poulet, légèrement rosée.

Le feu a pris, je vais le faire griller, comme on faisait griller le poisson à Hays. Directement sur le feu. J'attends au moins une demi-heure que la chair prenne une couleur de grillade. Et je mange tout le morceau, d'un coup, avidement. C'est bon, c'est même meilleur que le poulet. Les vautours se régalent des restes, je suis une bête sauvage parmi les bêtes sauvages.

Une fois repue, je me demande pourquoi j'ai fait cela. Réflexe, faim, peur... En Angleterre, si on m'avait montré un serpent, j'aurais couru de toutes mes jambes. Comme la plupart des filles l'idée seule du serpent me faisait frissonner. Et je l'ai mangé. Je suis contente de l'avoir mangé.

Nadia me regarde avec stupéfaction, un peu plus tard, quand je lui raconte mon repas.

– C'est idiot, pourquoi as-tu fait ça ? Je t'aurais donné à manger.

Nadia n'a pas peur de tuer un animal. Aussi fragile qu'elle puisse être d'apparence, elle est capable de tordre le cou à un poulet, mieux que moi.

Au fond, ce n'était pas la faim. Une violence nécessaire plutôt. La même qui me fait écraser les lézards d'un coup de savate. Besoin de tuer.

Abdul Khada a été informé de la manière dont me traite sa femme Ward. J'ignore par qui, peut-être Mohammed. Il m'écrit d'Arabie Saoudite :

– On m'a dit que tu avais faim et que tu allais chercher à manger dans d'autres maison. Je veux que tu expliques.

J'ai répondu :

– C'est vrai. Je n'ai pas d'argent, je dépends de Ward et elle est très cruelle avec moi.

Quelque temps plus tard, il a envoyé une autre lettre, à Ward cette fois. Comme elle est incapable de lire, une des femmes du village vient à la maison, pour lui en dire le contenu. L'oreille tendue, je surprends l'essentiel du message. Il lui est ordonné de laisser les provisions à ma disposition. Elle est furieuse, mais l'extraordinaire est qu'elle ne peut rien faire d'autre qu'obéir à son mari. Si elle ne le fait pas, je pourrais le répéter. Elle sait maintenant que j'ai parlé d'elle à d'autres femmes, qu'on la juge. Résultat, elle me déteste encore plus.

– Tu resteras au village le reste de ta vie. Comme les autres. Que crois-tu ? Que tu retourneras un jour dans ta « belle et riche Angleterre » ? Maudite sois-tu !

C'est un délice d'ignorer ses insultes, de la regarder, dans la lumière de la torche, s'escrimer sur le feu, cuire les *chapatis*, chasser les poules, et traire les vaches.

Je deviens mauvaise.

Abdullah est malade. Depuis quelque temps il est de plus en plus faible et pâle, et une question angoissante me torture. Le fait d'avoir eu des rapports avec lui m'a-t-il contaminée ? J'ignore ce qu'il a, mais cela doit être grave car Mohammed l'emmène constamment à Taez chez un médecin, le ramène et l'emmène à nouveau. Personne ne semble comprendre de quoi il souffre. Ward dit qu'il a toujours été malade, toujours maigre et sans appétit, mais que cela empire en grandissant. Car il grandit, faiblement, mais tout de même. Samir, le « mari » de Nadia, a bien mieux tourné que lui, et prend des allures de petit homme. Abdullah dépérit. On lui donne des médicaments qui n'ont aucun effet, et un jour Mohammed nous apprend que le docteur conseille de l'emmener à l'étranger pour un diagnostic. Soit en Angleterre, soit en Arabie Saoudite. Il écrit à Abdul

Khada pour l'informer de la gravité de l'état d'Abdullah, et de la nécessité de lui faire suivre un traitement hors du Yémen. Abdul Khada fait la sourde oreille, on dirait qu'il refuse de reconnaître que son deuxième fils est un malade. Jusqu'à ce que ce dernier soit trop malade pour même se lever. Mohammed alors a l'autorisation de l'emmener pour quelques semaines à l'hôpital de Taez.

Quelques semaines de bonheur pour moi. Je n'ai pas honte de dire qu'à ce moment-là je souhaitais carrément qu'il meure. Ainsi j'aurais été libre de retourner en Angleterre.

De toute façon, c'est formidable de ne pas l'avoir à la maison. De dormir seule. Depuis quelques temps, il n'avait même plus la force de réclamer et d'obtenir des relations sexuelles. Mais sa seule vue me dérange. Ne pas l'avoir autour de moi, c'est déjà une partie de cette liberté que je désire plus que tout autre chose au monde. Libre de rêver la nuit, sans sa présence, son odeur, ses jérémiades. Libre de grimper sur le toit, la nuit, pour regarder les étoiles et respirer la fraîcheur. Rêver que je m'envole au-delà des montagnes. Frissonner aux hurlements des loups. Me prendre pour un aigle disparaissant dans le soleil couchant.

En fin de compte, Abdul Khada revient d'Arabie Saoudite pour constater l'état des choses et doit se rendre à l'évidence.

– Je vais emmener Abdullah avec moi...

Il me regarde comme un serpent regarde un mulot.

– En Angleterre... tu veux nous accompagner ?

C'est une ruse. Il attend que je dise oui, pour me frapper, ou m'insulter, au minimum.

– J'ai ton passeport, tu sais... si tu veux j'arrange le voyage pour nous trois...

Je commence à croire qu'il dit vrai. Tout simplement parce qu'il aura besoin de moi là-bas pour le soigner. Il me croit domptée...

– Tu as envoyé les lettres que j'ai écrites à maman ?

J'ai dû en faire une dizaine, obstinément, tout en sachant qu'il ne les ferait pas parvenir.

– Bien sûr. Ce n'est pas ma faute si elle ne vient pas te voir.

C'est terrible à supporter ce genre de réflexion. Le doute... Ta mère ne s'occupe pas de toi... elle sait où tu es et ne vient pas. Il ment... je m'accroche à cette idée. Et aussi à l'espoir qu'il va réellement m'emmener. Il a l'air sincère. De mon côté, j'ai fait tout ce que je pouvais pour lui donner le sentiment que je m'intégrais à sa famille. Et dans ces lettres, il disait régulièrement que si tout allait bien avec Abdullah, si nous avions un enfant, je pourrais retourner en Angleterre, et revenir ensuite...

Pour obtenir le visa d'Abdullah, cela lui prend énormément de temps et d'argent. Des tractations à n'en plus finir avec son intermédiaire de Taez, Nasser Saleh. Il doit fournir une lettre du médecin de l'hôpital certifiant la nécessité des soins à l'étranger, d'urgence. Le voyant si préoccupé, je m'installe de plus en plus dans l'idée que tout cela est vrai. Nous allons partir.

J'écris une longue lettre à maman, avec Nadia. Je lui raconte tout, la maladie d'Abdullah, notre départ imminent, en précisant : « Une fois en Angleterre, nous devrons faire tout notre possible pour faire revenir Nadia. Je t'aime maman, à bientôt. »

En tendant ma lettre à Abdul Khada, pour qu'il la poste, un petit frisson me parcourt le dos. Mais il ne pose pas de question, la met dans sa poche en disant qu'il l'enverra depuis Taez, où il doit aller une fois encore rencontrer Nasser Saleh, pour obtenir certains papiers officiels.

J'attends fébrilement le départ, sans le montrer. Première levée, à l'aube, pour les corvées d'eau, de bois, et de cuisine, je ne ménage pas ma peine. J'éprouve une tendresse soudaine pour les deux vieillards dont Ward ne s'occupe même pas, je me rapproche d'eux. Le grand-père raconte sa guerre, les fusils, au temps de la révolution et de la lutte entre les deux provinces. Les jours passent, et Abdul Khada me coince un matin dans la cuisine.

– Tu as écrit à ta mère une lettre que ton père m'a renvoyée.

Il ne l'a pas expédiée, j'en suis certaine. Il l'a ouverte et il prend ce prétexte pour m'empêcher de partir.

– Ton père est très fâché, il m'a dit que tu ne devais pas accompagner Abdullah en Angleterre.

J'étais si sûre de m'échapper cette fois, j'avais tellement confiance... que je prends la nouvelle comme un ouragan en pleine figure. Hors de moi, je bondis sur lui, en le frappant de toutes mes forces, étranglée par les larmes.

– Tu mens ! Tu n'as pas envoyé les lettres, tu ne les as jamais envoyées ! Tu les as toujours ouvertes ! Maman ne sait pas ce que nous sommes devenues ! Dis-le ! mais dis-le !

Impossible de me contrôler. Tous les efforts de ces dernières semaines pour l'amadouer n'ont servi à rien. Il m'a fait marcher. Il m'a laissé écrire, pour voir. Qu'il soit ou non de connivence avec mon père, peu m'importe. Ce que je voudrais qu'il avoue, c'est que maman ne sait pas. Qu'elle nous cherche, qu'elle va finir par nous retrouver, et qu'il en a peur.

Il me repousse comme un vulgaire moustique. Assise par terre dans cette cuisine infecte, qui sent la fumée et l'étable, je tape des poings dans le vide, désespérément seule.

J'ai appris à tuer les poules avec un couteau. Tout le monde dans cette maison doit savoir tuer une poule. Les gens du village achètent des poulets vivants à ceux qui les élèvent. Abdul Khada possède un poulailler, et si l'on veut manger, il faut tuer. Certains hommes arrachent tout simplement la tête de l'animal à mains nues. Le spectacle est horrible, car la volaille continue de s'agiter et court parfois sans tête, en agitant les ailes. Une fois la tête tranchée, la meilleure solution est de plonger l'animal dans un seau d'eau bouillante, cela tue les nerfs instantanément, et l'empêche de gigoter dans tous les sens. Après quoi il reste à le plumer, le vider, et le cuisiner.

Chaque fois que je tranche le cou d'un poulet, j'imagine que c'est le cou d'Abdul Khada. Je fais des cauchemars le jour comme la nuit à son sujet.

Le jour de l'Ead, une fête religieuse équivalente à Noël, il faut tuer le mouton. En l'absence d'Abdul Khada, c'est habituellement le rôle de Ward. Or ce jour-là, elle refuse. J'ignore la raison de cette attitude; peut-être veut-elle me mettre en difficulté, mais fort heureusement Tahamia, la sœur d'Abdul Khada, est montée du village pour passer quelques semaines avec nous, et propose de le faire, à condition que je l'aide.

J'ai déjà vu tuer le mouton, lorsque les hommes sont à la maison. Un mouton dure trois ou quatre jours, pendant lesquels la carcasse reste suspendue à la porte de la cuisine, environnée de mouches. La nourriture leur est offerte avant nous, j'ai dû m'habituer à cela aussi.

Tahamia maintient le mouton à terre, en lui relevant le cou pour trancher la gorge, elle tient le grand couteau de cuisine d'une main, le cou de l'autre, et dit : « Au nom de Dieu. » Chaque fois qu'ils tuent, c'est au nom de Dieu. Moi, quand je tue un poulet, je ne mêle pas Dieu à l'affaire.

Tahamia s'y prend mal, le couteau glisse de travers, et le mouton se débat dramatiquement alors qu'il aurait dû mourir d'un coup. C'est insupportable, je ne peux pas regarder. Le sang a giclé partout autour d'elle, elle ne sait plus quoi faire, et la pauvre bête est à l'agonie. Les cris, le regard de cette bête, me rendent malade.

– Tu es cruelle! Pourquoi as-tu fait ça?

Elle me regarde, affolée. Elle est tout simplement maladroite. Il faut une grande habitude pour trancher d'un coup la gorge d'un animal. Alors je bondis, lui arrache le couteau des mains, et refais le geste que j'ai vu faire souvent par les hommes. Avec une force et une détermination dont je ne me croyais pas capable, mue par le dégoût, la nécessité de faire vite, de ne pas voir souffrir la bête. Le sang éclabousse mes mains, mes bras, jaillit comme une source chaude, je serre les dents de souffrance. Mais l'animal est mort d'un coup cette fois.

Égorger un poulet ne ressemble pas à cette exécution que je viens d'accomplir. La force extraordinaire qui a guidé mon bras retombe presque aussitôt. Je suis vidée, épuisée, écœurée au-delà du possible.

J'abandonne Tahamia et la laisse dépecer le mouton. Elle jette la peau au loin sur le sentier, les bêtes sauvages s'en chargeront. Les hyènes rôdent toujours près de nos maisons. Elles vivent dans les montagnes et ont appris à attaquer les hommes, la nuit. Beaucoup de villageois racontent des histoires abominables, selon lesquelles ils auraient trouvé des mains et des pieds abandonnés sur le chemin menant au village. Il y avait des tigres autrefois. L'abattage des forêts les a éliminés.

Je n'ai jamais vu de près ni un loup, ni une hyène, mais chaque nuit ils m'acompagnent de leurs hurlements. Depuis ma chambre, je peux même entendre le bruit de leurs pattes sur les cailloux, les reniflements, les grognements. Ils cherchent les déchets, et cette peau de mouton fera leurs délices cette nuit. Ils se battront pour la déchiqueter.

L'autre nuit, j'ai entendu hurler en bas sur le chemin. Je suis allée à la fenêtre et j'ai vu briller des torches dans la nuit. Le lendemain on m'a dit que les villageois avaient poursuivi et tué une hyène qui était entrée jusque dans le village; celui qui l'a abattue porte ses dents autour du cou, en souvenir.

Il arrive aussi que les villageois chassent des hommes, des bandits pilleurs d'étable, voleurs de bétail. Je me demande comment ça se passe, et s'ils tuent vraiment. Probablement oui, puisqu'ils partent armés de fusils et de couteaux. Mais personne n'en parle avec précision. Les hommes ont « chassé » les bandits. Sans plus. Les hyènes et les vautours doivent faire le reste. Les vautours me fascinent toujours. Tous les rapaces de la montagne, petits ou grands. Il suffit de lever la tête vers le ciel, pour les voir tournoyer là-haut sans relâche.

Nous vivons à Hockail dans un état de sauvagerie moyenâgeuse et d'esclavage tout aussi moyenâgeux.

A la période des semailles, comme en ce moment, les femmes sont aux champs durant deux semaines consécutives. Les hommes n'étant presque jamais là, nous faisons tout. Ward refuse d'engager un homme et des bœufs pour labourer, elle est bien trop avare. Bakela et moi devons nous y atteler. Les instruments sont rudimentaires. Une simple petite bêche, et nous devons semer ou planter chaque graine ou chaque plant, individuellement. Je pars tôt le matin et ne reviens que tard dans la nuit, travaillant sous la chaleur intense, le dos courbé, douloureux, des ampoules aux mains et aux pieds. Il ne faut pas oublier de boire régulièrement, pour ne pas mourir de déshydratation. Bakela ne m'aide pas beaucoup, car elle doit s'occuper de ses enfants. Depuis la naissance du dernier, elle est retombée enceinte et a accouché d'un autre fils, Khaled.

Ward est autoritaire, haineuse, mais je dois bien reconnaître que comme toutes les femmes d'ici, elle est forte. Même vieilles, les femmes continuent à travailler dans les champs, dans les maisons, comme des bêtes de somme. Ward voudrait me forcer à travailler autant qu'elle a travaillé et travaille encore.

Les champs de maïs attendent la pluie qui n'est pas tombée depuis longtemps. La pluie est un événement important, magique. L'orage se prépare sur la montagne, gonfle les nuages, les teinte d'un jaune menaçant. Tout le monde rentre dans les maisons, terrorisé, car l'orage tue souvent. On attend. J'attends avec fébrilité. Si je n'avais pas peur des éclairs et de mourir foudroyée, je resterais sous la pluie, qu'elle me lave, qu'elle me purifie, de toute cette poussière, des moustiques acharnés, des mouches collantes, de la sueur poisseuse d'une journée dans les champs.

Mais Ward fait comme les autres, elle ferme les fenêtres et les portes, nous maintient dans le noir durant l'orage, et prie. Elle croit que Dieu envoie la foudre sur les hommes pour les punir. Il est vrai que chaque pluie est impressionnante. D'une violence telle que l'on ne s'entend plus parler, respirer. Cela dure des heures, et ils prient autour de moi tout ce temps, jusqu'à ce que l'ultime claquement de fouet d'un éclair ait achevé de résonner dans la montagne, et que la pluie cesse de labourer la terre comme les sabots d'un cheval au galop.

Un arc-en-ciel sur la montagne, une vapeur qui monte du sol, un drôle de silence, m'accueillent au dehors. Le ciel est allé porter ailleurs sa colère et ses bienfaits. Les puits seront pleins, d'une eau boueuse, les grenouilles vont s'y agglutiner. Il faudra se battre avec elles pour y puiser notre part.

Le maïs est mûr, nous devons le moissonner, casser chaque tige à la main, mettre les épis dans des seaux, transporter le tout à la maison, et dégrainer chaque tête dorée et rude. Après la période des ampoules et des coupures, mes mains s'endurcissent.

Le maïs trempe dans des seaux d'eau toute la nuit, et le lendemain, dans l'étable, il faut le broyer sous un énorme rouleau de pierre. Les poignets deviennent douloureux de cet effort répétitif. La récolte du maïs est le travail le plus dur, le plus épuisant pour nous. Le seul dont Ward se plaigne, Bakela aussi. Au village, certaines femmes ont des machines pour broyer. Des sortes de roues munies de manivelle. D'autres apportent leur récolte au marchand qui fait le travail pour elles. Ainsi elles n'ont plus qu'à stocker leur farine et à la pétrir pour les crêpes. Mais Ward refuse ce modernisme, ou cette facilité. Elle tient à ce que nous travaillions de manière traditionnelle, même si nous devons y passer la nuit et ne plus pouvoir bouger un poignet sans souffrir.

J'ai entendu ce matin au village une femme apostropher Ward en lui disant :

– Pourquoi fais-tu travailler cette Anglaise aussi durement ?

– Occupe-toi de tes affaires, elle doit apprendre.

J'ai appris. Si des gens venaient manger à la maison, il me fallait trois ou quatre heures pour broyer suffisamment de farine de maïs. Et si je devais aller aux plantations le même jour, il me fallait en fournir la quantité nécessaire pendant mon absence. En plus de cela, je devais puiser l'eau, ramasser le bois, nettoyer la maison avec un minuscule balai de paille.

Le ménage... La maison est toujours pleine de poussière, les lézards viennent y déposer leurs œufs en grappe au plafond. Nettoyer est une entreprise sans fin. La poussière revient dans mon dos, à peine envolée. Les paquets d'œufs réapparaissent au plafond comme par enchantement.

Il y a aussi les varans. Ces petits monstres dinosaures, comme celui que j'ai rencontré une fois sur le chemin. L'un d'eux est entré dans la maison l'autre jour, il est allé directement dans la chambre de Bakela où dormait le bébé. Je l'ai vu la première et j'ai hurlé. Bakela l'a battu à mort et jeté aux vautours. Le mois dernier un serpent s'était enroulé dans le hamac de l'enfant et dormait contre lui.

Il faut toujours se battre ou tuer quelque chose. Un après-midi, assise au soleil devant la maison, je me repose quelques instants, la tête appuyée au mur, les yeux fermés. Oublier où je suis, qui je suis devenue, l'esclavage quotidien qu'on me fait subir. Le seul répit est l'absence d'Abdullah. Soudain quelque chose bouge le long de mes cheveux et me chatouille l'avant-bras. J'ouvre un œil pour voir une énorme tarentule, velue, rayée de marron et de noir, qui se promène lentement sur mon corps. Horrifiée, je suis sa progression. Toute ma peau se hérisse, j'ai la chair de poule, je suis glacée, je n'ose plus respirer.

En principe il ne faut pas bouger, ni faire de gestes brusques. Mais au bout d'une minute qui me paraît un siècle, je ne peux plus résister. Mon bras la projette en l'air, elle retombe par terre et je bondis dessus. Je la sens s'écraser sous la semelle de la tong en plastique. Un bruit écœurant. Et je rentre à la maison en hurlant comme une folle. Ward me regarde en haussant les épaules de mépris. Ce n'est pas une affaire d'état qu'une tarentule en visite.

J'ai beau faire attention, prendre garde à chaque pas, un jour, en descendant l'escalier dans le noir, à l'aube, pour aller au puits, une douleur aiguë à l'orteil me fait bondir, lâcher le bidon qui dégringole l'escalier avec un bruit de ferraille. Je descends en trébuchant jusqu'à la lumière de la porte. Un énorme scorpion noir est accroché à mon orteil, suspendu par les pinces. Il tente de recourber sa queue pour me piquer, mais l'angle n'est pas facile, et je hurle si fort que Bakela se précipite à mon secours, attrape un bâton et frappe violemment pour l'envoyer voler à travers la pièce.

Nadia a eu moins de chance que moi. Au village les femmes cultivent des plantes en pot appelées *mushkoor*, sur les toits des maisons. La feuille est odorante et utilisée pour parfumer les cheveux et les vêtements. Nadia plantait des graines de *mushkoor* dans un pot lorsqu'un bébé scorpion l'a piquée. Salama l'a entendue crier, et s'est précipitée pour l'aider, mais le venin était passé dans le sang. Lorsque je suis venue voir ma sœur, son corps était gonflé comme une baudruche, sa peau entièrement rouge et j'ai cru qu'elle allait mourir. Salama et les autres femmes ont utilisé un onguent à base d'herbes que je ne connais pas. Au bout de quelques jours, Nadia s'est rétablie. Question de chance disent les gens d'ici. Certains meurent, d'autres pas. Juste la chance...

Le travail, la souffrance, la prison. Aucune nouvelle du monde, et de chez nous. Abdul Khada a repris sa télévision, voyant que les litanies de prières en arabe ne m'intéressaient pas. Il me reste ma musique, mes cassettes, dont deux ont disparu, mes préférées. Ils n'aiment pas ma musique. Lorsque je me réfugie dans ma chambre pour l'écouter, il est rare que Ward ne hurle pas après moi, parce que c'est trop fort.

Les moissons achevées, je dois m'occuper aussi des bêtes. Les sortir de l'étable, les nettoyer à mains nues. Puis les emmener paître et rester près du troupeau, pour les protéger des loups et des hyènes. Dans la chaleur torride de la journée, il faut trouver un coin d'ombre, un buisson malingre ou un arbre fruitier. S'asseoir et attendre que passe le temps.

Il passe et on ne le compte pas ici. Ni pendule, ni montre, le soleil est le seul guide. L'aube, la tombée du jour.

Le seul moment dont je puisse disposer, c'est le soir au coucher du soleil. Je m'assieds dehors près du vieux Saala Saef, qui a attendu lui aussi immobile et accroupi que le temps passe. Je lui parle de tout, il me raconte son passé, la vie d'avant, quand il cassait les pierres à la main pour construire les maisons. Il a construit celle-là. Ce vieillard aveugle est devenu un confident. Il ne peut plus rien faire, il se sait un poids pour les autres. Le silence le préserve le jour. Le soir il parle avec moi.

– Je suis malheureuse ici Saala Saef... Ward est mauvaise, je voudrais tant rentrer à la maison. Sais-tu où est ma maison ? Là-bas en Angleterre. Tu n'es jamais allé en Angleterre ? Veux-tu m'aider ?

– Je ne peux rien pour toi Zana. Sois patiente. Tu retourneras un jour dans ton pays, là-bas... tu verras, sois patiente... La patience est la seule vertu qui nous soutienne.

Deux années de patience. Deux années de silence, de souffrance. De résistance. Combien de patience encore ?

– Pleurer t'enlève la force Zana. Patience...

Patience, au milieu de la montagne, patience sous la pluie de l'orage, patience en broyant le maïs, en décrottant les vaches maigres et les moutons, patience en trimant comme un âne. Je suis maigre, et sèche, et grillée de soleil. Parfois la malaria me fait grelotter la nuit. Parfois le visage enfoui dans le coussin, je sanglote à en mourir.

Patience pour ne pas mourir ici.

Le maître est revenu. Abdul Khada doit avoir de l'argent car il a décidé d'agrandir sa maison. Il veut transformer le toit dont nous nous servons comme terrasse et en faire une pièce pour recevoir ses invités.

Il a engagé deux hommes pour ce travail. Et la présence d'étrangers à la famille implique que nous, les femmes, devons porter le voile en permanence. Le temps où l'on creusait la montagne pour en extraire des pierres est révolu : des camions apportent de la ville des parpaings énormes, qu'ils déchargent au pied de la colline. Nous devons les transporter ensuite jusqu'à la maison, en empruntant le sentier à pic. Deux ou trois parpaings en équilibre sur la tête, parfois un sac de ciment. Le sac de ciment est pire que tout, toujours prêt à crever, laissant échapper de la poussière qui me retombe dans les yeux et la bouche, mêlée à la sueur.

Là-haut, les deux ouvriers attendent les matériaux. Le poids des sacs courbe ma tête vers l'avant, tire sur les muscles de la nuque, et j'ai du mal à respirer en escaladant la montagne. Je suis obligée de m'arrêter souvent. Depuis une semaine, jour après jour, c'est la même noria épuisante en plein soleil, de l'aube à la tombée de la nuit.

Et pendant ce temps, Abdul Khada assis près de son père contemple le travail des autres, critique, bouscule; il est odieux.

Des voisins aident, Bakela aussi quand elle le peut, les fils des voisins, mais le tas de parpaings est énorme. J'essaie d'accélérer la cadence, en en portant plus à chaque trajet, mais l'effort est trop douloureux, je dérape, on laisse tomber un parpaing et tout est à recommencer sous les insultes du « maître ».

Une fois le tas entièrement transporté là-haut, il faut aider à mélanger le ciment sur le toit. Le problème alors c'est l'eau. Il en faut énormément. Cela veut dire aller de puits en puits autour du village. Seule je ne peux pas transporter la quantité d'eau suffisante assez rapidement. Il a donc engagé deux filles du village pour m'aider le jour. Mais je dois continuer le soir dans l'obscurité, pour maintenir l'approvisionnement.

J'ai peur la nuit, peur de rencontrer les loups, peur de marcher sur un scorpion, peur de tomber. Peur de tout. Bakela m'accompagne parfois, mais la plupart du temps je suis seule.

Il n'a pas plu du tout depuis deux semaines. Et lorsque un matin, la pluie se décide à tomber, c'est comme un miracle. Il pleut, pleut, à n'en plus finir toute la journée. Les puits vont se remplir, je n'aurai pas besoin d'aller aussi loin. Hélas, ce miracle se retourne contre moi. Abdul Khada sachant que cela ne durera pas, nous donne l'ordre de travailler encore plus. Il s'agit de ramener ce don du ciel à la maison, avant que les autres villageois n'en profitent. Avant que l'eau ne s'infiltre dans la terre et ne soit perdue pour nous. Il a installé deux énormes réservoirs sur le toit qui doivent être continuellement remplis.

Porter le voile dans ces conditions est une épreuve supplémentaire. J'étouffe en permanence. La poussière de ciment s'infiltre en dessous, j'en mâche, j'en éternue, j'en crache. Dès que je redescends du toit où les deux ouvriers travaillent, je le soulève rapidement pour chercher de l'air.

Je n'ai pas vu Nadia depuis longtemps avec ce rythme infernal et, lorsqu'Abdul Khada me donne l'ordre de descendre à Ashube, pour rapporter un réservoir que lui prête Gowad, je bondis sur l'occasion. Le trajet est assez long; à une heure de l'après-midi, le soleil tombe comme du plomb brûlant; j'emmène la petite Tamanay avec moi.

– Ne traîne pas en route! On a besoin de ce réservoir! lance Abdul Khada.

Nous arrivons à Ashube, épuisées par la chaleur, et je n'ai que quelques minutes pour parler à ma sœur et lui raconter la vie épuisante de ces dernières semaines. Elle veut venir m'aider, mais je refuse. C'est trop dur, je ne veux pas qu'elle souffre. Dans cette maison, elle est relativement à l'abri de ce genre de choses. On la fait travailler comme toutes les femmes, mais Gowad n'est pas Abdul Khada. Mon « beau-père » est un persécuteur-né. Nous discutons trop longtemps, je me rends compte que j'ai perdu du temps, il va me battre au retour.

Le réservoir est énorme, presqu'aussi grand que moi, il me faut l'aide de Nadia et de Salama pour le hisser sur ma tête. J'ai acquis une certaine expérience dans ce genre de transport, mais sur le chemin du retour pourtant, un faux-pas me déséquilibre, et le réservoir dégringole à terre. La pauvre petite Tamanay, qui trottait à mes côtés, ne peut pas faire grand-chose pour m'aider. Elle est maigrichonne et n'arrive même pas à le soulever. Je commence à paniquer; il est plus de trois heures, Abdul Khada doit déjà être furieux. La petite le sait comme moi, et la peur d'être battues nous fait pleurer.

Je m'accroupis pour tenter de hisser le réservoir sur ma tête et me lève ensuite le dos bien droit, pour qu'il ne retombe pas. Je crois bien n'avoir jamais fourni un pareil effort physique. Chaque muscle de mon corps semble craquer de douleur. Forcer sur les jambes, forcer dans le dos, raidir la nuque, les bras levés pour maintenir la charge, je suis tellement concentrée sur la douleur et l'acharnement à réussir que je n'ai pas pris garde à la haie. Une épine vient se planter dans ma joue et au moment où je me redresse enfin, dans un ultime effort, elle s'incruste complètement et me déchire la peau. Sous la douleur, je retombe accroupie et repose le réservoir à terre.

– Dépêche-toi Zana, dépêche-toi...

Tamanay pleure de plus belle, moi aussi mais de douleur insupportable, l'épine est restée dans la chair, ça brûle affreusement, et lorsque je l'arrache enfin à l'aveuglette, le sang se met à couler, inondant mon visage.

Je recommence, accroupie, muscles tendus, réservoir à bout de bras. Hisser sur la tête, maintenir l'équilibre, m'arc-bouter sur les jambes, me redresser... j'ai réussi, mais je titube sur le chemin. Il faut encore grimper en marchant entre les pierres. Les pieds se tordent, dérapent de sueur sur la semelle en plastique de mes tongs. S'il n'y avait les cailloux, et les scorpions, mieux vaudrait aller nu-pieds.

J'ai oublié, comme beaucoup de choses, la sensation d'avoir de vraies chaussures, de marcher sur du plat, sans effort, sans rien à porter sur la tête. Je me revois sur les trottoirs de Birmingham, déambulant le long des vitrines, je ne savais pas alors ce que c'était que marcher, qu'avancer péniblement pas après pas. Je ne pensais pas à mes pieds. Ils étaient à l'abri, dans des chaussettes ou des collants, dans des chaussures normales, avec une semelle normale. Ils n'existaient pas dans ma tête. En ce moment, mon cerveau enregistre la douleur de chaque pas, avec une précision incroyable, comme s'ils s'imprimaient l'un après l'autre.

Il est trois heures et demie, lorsque nous atteignons enfin la maison, Ward est sur le pas de la porte, elle m'aide à poser le réservoir.

– Qu'est-ce que tu as ?

Incapable de lui expliquer pourquoi le sang coule de mon visage. Plus de souffle, plus de mots, j'ai le sentiment que je vais m'évanouir sur place.

– Monte et va dire à Abdul que tu es rentrée !

Chaque marche menant au toit est une montagne à escalader.

– Qu'est-ce que tu as fait ? Pourquoi es-tu si en retard ?

Je ne peux toujours pas répondre. Mes poumons sont bloqués, ma gorge nouée, mes lèvres desséchées, je vois trouble. Furieux de mon silence, il s'empare brusquement de sa chaussure et me frappe en plein visage, de toutes ses forces. La violence du coup me fait tomber en arrière, dégringoler les escaliers. Je suis à terre sans réaction et il est déjà penché sur moi, blanc de colère.

– Je t'ai demandé pourquoi tu étais en retard!

Il va frapper de nouveau, alors je me redresse péniblement, et cette fois les mots se bousculent pour raconter, le réservoir, ma chute, l'épine... mais il ne m'écoute même pas.

– Va au magasin et rapporte de l'huile!

Je récupère Tamanay en larmes, et nous repartons au village. Tamanay, à sept ans, est considérée comme ma gardienne. Supposée m'empêcher de traîner ou de parler à quelqu'un. En tout cas de rester seule. On ne sait pas ce que peut faire une femme seule... surtout moi. Sa présence est à la fois dérisoire et efficace. La peur d'être battue à son tour fait qu'elle m'observe en permanence. Ce qui ne l'empêche pas de pleurer avec moi et de m'aimer.

Au magasin, un homme me regarde avec curiosité. Le voile dissimule une partie de la blessure, mais on voit le sang séché sur ma joue. Je connais cet homme de vue, il parle un peu anglais. Mais il ne dit rien dans la boutique. Il me regarde avec curiosité sans plus.

Le marchand me donne un bidon de douze litres d'huile, et comme d'habitude, le couvercle fuit. L'huile s'en échappe goutte à goutte, lentement, avec régularité, elle imprègne mes cheveux, coule le long de ma joue, s'infiltre dans la blessure, macule le voile, et je suffoque, car l'odeur est forte avec la chaleur. Je marche à nouveau, le bidon sur la tête, comme une somnambule, hypnotisée. Une bête de somme qui prend des coups pour avancer. Un âne. Un chameau.

Je dégouline d'huile en arrivant, mes vêtements collent à mon corps. Il va peut-être me frapper encore, étant donné l'état dans lequel je suis.

– Va te laver.

C'est tout ce qu'il trouve à dire.

Dans le cagibi de toilette, accroupie devant le seau d'eau, je me lave avec un chiffon, me déshabille, trempe mes vêtements, sans penser à rien.

Lorsque je suis de retour dans ma chambre, Bakela vient me soigner avec un onguent. Ma joue est déchirée, mes yeux si creusés de fatigue que dans le petit miroir anglais, vestige d'un autre temps, c'est mon fantôme qui me regarde.

Bakela n'est pas contente de la manière dont me traite Abdul Khada. Mais personne n'ose le lui dire. A part sa mère, Saeeda. Elle se dispute souvent avec lui quand il me bat. Il la respecte mais ne la craint absolument pas. Le respect fait qu'il ne lui répond pas quand elle l'enguirlande comme aujourd'hui. L'absence de crainte fait qu'il s'en moque et l'ignore tout simplement. La pauvre vieille peut toujours élever la voix, et se fâcher, ce n'est qu'une femme... Quant à son père, en m'écoutant ce soir devant la nuit noire, sur le banc, il a toujours la même consolation.

– Sois confiante, sois forte, un jour tu retourneras chez toi.

Voit-il l'invisible ce vieillard aveugle ?

Enfin le ciment et les parpaings ont disparu. La maison a un étage de plus. Ce travail a pris des mois. Ward veut maintenant la décorer. Ici on n'utilise pas de peinture sur les murs, mais une sorte de craie blanche trempée dans l'eau, et qui forme une pâte, un enduit pour les murs. On peut en trouver dans certains endroits de montagne, et notamment dans un village dont le nom est Rukab. Bakela et moi sommes donc chargées d'aller y ramasser cette craie. Ward nous donne des sacs à remplir, et nous partons de bonne heure le matin.

Ce petit voyage est une aubaine. La première fois que je peux aller ailleurs qu'à Hockail ou Ashube. Et Bakela n'est jamais hargneuse avec moi, au contraire.

Liberté de la promenade. Nous sommes dans la région du Maqbana. Je ne pourrais guère nous situer sur une carte, quelque part entre Ibb, Taez et la côte. Quelque part au Yémen dans les hauts plateaux. Un jour Abdul Khada m'a dit : « Tu sais ce que veut dire Yémen ? Le pays du bonheur... » Quelle ironie.

Pour l'atteindre nous avons dû descendre un sentier à flanc de montagne, parfois pas de sentier du tout. Rukab s'étale au fond d'une vallée, il y a des arbres fruitiers, un peu de verdure, c'est agréable. Le village est bien plus grand que Hockail. Les maisons sont serrées les unes contre les autres, on y sent la vie, du monde. Des gens parcourent les ruelles étroites, il y a des chèvres, des poulets, des chiens. Une vraie fourmilière.

Nous sommes assoiffées en arrivant, et Bakela décide de faire une halte chez une sœur d'Abdul Khada pour boire.

A peine sommes-nous arrivées que les gens affluent pour me voir. Je demeure une curiosité pour eux. L'Anglaise. Je supporte les femmes, mais déteste les hommes qui me posent des questions. Déteste qu'ils m'interrogent comme une bête curieuse. Aux hommes, je réponds toujours avec impertinence.

– Je vivais bien en Angleterre. Là-bas c'est chez moi ! Pas ici...

Cela suffit en général pour qu'ils me fichent la paix.

Ce sont les hommes que je hais dans ce pays. Tous les hommes ressemblent à Abdul Khada, à mon père. Ils sont tous responsables de l'esclavage des femmes, de la vente des fillettes à marier. De leurs frontières que jamais personne ne franchit. On m'a dit qu'il y avait des touristes sur la côte de la mer Rouge, ou à Hays, je n'en ai jamais vu. Je n'ai pas rencontré le moindre étranger depuis notre arrivée.

Abdullah, mon supposé mari, est toujours en Angleterre, pour sa maladie mystérieuse. Mes compatriotes le soignent, il a des médecins anglais à son chevet, des médicaments anglais, et je suis là, dans cette assemblée de yéménites curieux.

Bakela semble très populaire ici, car on nous offre de l'aide pour aller creuser la craie dans la carrière. On nous offre du café et des *chapatis*. Un peu de repos. J'apprécie ce répit, et la nouveauté des visages qui m'entourent. Soudain j'aperçois dans un coin une jeune fille d'environ quatorze ans, ronde et potelée, aux cheveux blonds comme ceux d'une Anglaise, très jolie. Elle ne ressemble pas aux autres, et je demande à Bakela :

– Qui est-ce ?

– Une autre Anglaise. Elle est arrivée quand elle était petite.

L'émotion fait battre mon cœur. Une autre Anglaise ici, il faut que je lui parle absolument. Par précaution, je dis à Bakela que je vais prendre l'air et, en sortant, je demande à la fille et à quelques autres de venir avec moi. Elle ne parle qu'arabe et a oublié l'anglais. C'est donc en arabe que nous nous racontons mutuellement nos histoires qui se ressemblent étonnamment.

– J'avais sept ans, ma sœur neuf ans. Mon père est yéménite et ma mère est anglaise. Mais elle est morte, et mon père a épousé une autre femme anglaise.

– Il t'a emmenée ici en vacances ?

– Il a dit un jour que nous allions rendre visite à sa famille et nous sommes tous partis ensemble avec ma belle-mère aussi. C'était une femme méchante. Quand nous sommes arrivés à Rukab, elle a dit à mon père que ma sœur et moi nous serions mieux ici. Mon père était d'accord. Ils sont repartis tous les deux en Angleterre, et nous sommes restées chez notre oncle.

– Tu es mariée ?

– Mon oncle m'a mariée à son fils quand j'avais dix ans. Ma sœur a été mariée à un autre cousin, avant moi. Je ne me souviens plus quand.

Le temps, les années, comme moi elle ne les compte plus. La seule chose qui importe ici est de survivre jour après jour, nuit après nuit, à l'infini.

– Tu te souviens de l'Angleterre ?

– Non.

– Tu as de la famille là-bas ?

– Je ne sais pas. A part mon père, mais il a disparu, je n'ai pas de lettres.

– Tu ne te souviens même pas d'un mot de notre langue ?

Elle me regarde toute fière.

– Je sais compter jusqu'à dix. Tu veux que je te montre ?

J'écoute, les larmes aux yeux, cette petite poupée blonde au teint de porcelaine, ânonner lentement les chiffres avec l'accent arabe. Un... deux... trois...

Je pleure sur son sort. Elle ne se souvient plus de rien. C'est pire encore que pour Nadia et moi. Sa vie en Angleterre a disparu de sa mémoire. La petite fille qu'elle fut jadis n'est plus. Sa mère est morte. Il n'y a plus d'espoir pour elle. Personne pour l'aider.

– A part ta sœur et toi, il y a d'autres Anglaises ici ?

– On m'a dit qu'il y en avait mais dans d'autres villages, je ne sais pas où, je ne les connais pas.

– Tu es heureuse ici ?

– Oh non. La femme de mon oncle me bat tout le temps, elle ne m'aime pas. Elle m'insulte, elle veut que je fasse tout son travail.

– Et ta sœur ?

– Elle est dans un autre village, je crois qu'elle a des enfants. On ne peut pas se voir pour l'instant.

Même scénario que pour nous deux. Isoler l'aînée pour détruire son influence sur la cadette. Dans leur cas, ce fut sûrement plus facile, étant donné leur jeune âge. Arriver ici à neuf ou sept ans, cela signifie : aucun espoir de retour. Ce ne sera pas notre cas. Nous rentrerons au pays. Un jour maman viendra.

Nous sommes reparties avec Bakela qui ne m'a pas posé de question sur la jeune fille. D'Anglaise, il ne lui reste plus que ses cheveux blonds, ses yeux bleus et sa peau fragile. Juste de quoi la faire détester par sa belle-mère.

Si j'étais blonde, je me demande jusqu'où irait la haine de Ward à mon endroit. Ward... rose en arabe. Joli nom pour un paquet d'épines. Je n'ai pas encore donné d'enfant à son fils, le précieux Abdullah. Toujours malade en mon pays. Pour cela aussi elle m'en veut, comme si la faute m'en incombait et non à lui. Les plaisanteries des autres femmes à ce sujet sont insupportables à ma « belle-mère ». Un homme n'est pas un homme, même à seize ans, s'il ne procrée pas. Et mon « mari » doit avoir seize ans maintenant. Là-bas, les médecins doivent le considérer comme un adolescent. Et je suis certaine qu'il ne s'est pas vanté de son « épouse » anglaise qui aura bientôt dix-huit ans. La majorité chez nous. J'ai le droit de voter... Sauf que j'ai disparu des listes; inconnue au pays, Zana!

En jetant aux pieds de Ward les sacs de craie blanche, je crache ma peine une fois de plus.

– J'ai rencontré une Anglaise au village de Rukab! Elle est aussi malheureuse que moi!

Tu peux toujours faire la grimace, Ward... je n'appartiens pas à ce pays, et je ne lui appartiendrai jamais.

Je cours voir Nadia pour lui raconter l'histoire. Depuis quelque temps, ma sœur est devenue très proche d'une jeune femme, veuve d'un neveu de Gowad mort en Arabie Saoudite, en laissant deux enfants derrière lui.

Samira aurait pu se remarier, mais elle a préféré rester seule, pour élever ses enfants. Beaucoup de veuves font ce choix du célibat. Enfin tranquilles, peut-être. Sûrement.

Elle doit gagner elle-même de l'argent pour subvenir aux besoins de sa famille, et en qualité de couturière, voyage de village en village. Elle reste sur place le temps de confectionner des vêtements pour les femmes. Elle a appris comment faire à Nadia qui s'est procuré une vieille machine à coudre et s'est mise à l'ouvrage elle aussi. Lorsque Samira voyage, elle confie à Nadia le plus jeune de ses enfants, encore bébé, tandis que sa fille reste à la maison, pour accomplir les tâches quotidiennes.

En allant voir ma sœur ce jour-là, j'entends des clameurs venant du village. Une femme crie qu'un enfant est mort et parle de Nadia. Je cours à perdre haleine, en me demandant ce qui se passe, et je tombe en plein drame. Nadia en pleurs me raconte :

– Je surveillais le bébé à la maison, quand une femme est arrivée en disant qu'elle avait vu les sandalettes de la petite fille à côté du puits, et un bidon qui flottait sur l'eau. Nous avons couru avec Salama, il y avait déjà foule. Ils étaient tous là en train de chercher dans l'eau avec des bâtons. Personne ne savait nager. J'ai demandé à Salama si je devais y aller. Elle a dit oui. J'avais peur de ce que j'allais trouver, mais il y avait peut-être une chance de sauver la petite. Alors j'ai piqué une tête.

– Dans le puits ?

– Oui, ils avaient remué la boue avec leurs bâtons, je ne voyais rien, j'ai cherché à tâtons. La première fois j'ai dû remonter pour respirer, j'avais remué encore plus de boue, c'était étouffant. La seconde fois j'ai touché quelque chose au fond, c'était mou. C'était la petite. Je l'ai remontée à la surface, et les hommes l'ont hissée. Ses yeux étaient ouverts, elle avait de l'écume à la bouche.

– Elle était morte ?

– Je crois que oui, mais j'ai essayé de faire les mouvements qu'on m'a appris à l'école, je l'ai retournée pour lui faire cracher l'eau, j'ai fait du bouche à bouche, je voulais tant la sauver, j'étais persuadée d'y arriver. Un vieil homme est venu m'arrêter, j'aurais continué comme ça pendant des heures, je devenais hystérique.

La mort de cette petite fille a secoué Nadia, d'autant plus que la mère était absente : il a fallu envoyer quelqu'un la prévenir, alors qu'elle revenait de son travail. Lorsqu'elle est arrivée en courant, accablée de douleur, on a presque dû la porter pour la faire entrer dans la chambre où le corps était étendu.

Pour les obsèques, elle dut se tenir à l'écart. Une femme n'a pas le droit d'assister à une inhumation, même à celle de son propre enfant.

La petite fille avait huit ans. Ils ont fait deux trous perpendiculaires. Ils ont déposé le corps de l'enfant dans l'un, ils ont rempli l'autre de sable, ont cimenté le dessus, et ont prié. La veuve les regardait de loin, son bébé dans les bras.

En rentrant, la nuit tombée, je pensais sur le chemin que cette enfant était morte pure, ils n'avaient pas eu le temps de la marier.

Nadia est enceinte. Ma petite sœur attend un enfant.

Nous avons écrit plus de cent lettres à maman, cent bouteilles perdues dans le désert. 1983, an 1361 de l'hégire... troisième année de notre emprisonnement. Et ma sœur est enceinte.

Samir, son « mari », travaille en Arabie, dans un magasin de parfumerie. Gowad est en Angleterre. Tous les deux envoient de l'argent à leur famille. Ils ne reviennent au pays que tous les six mois.

Le ventre rond de Nadia témoigne du dernier passage de Samir. Gowad a écrit d'Angleterre pour lui dire que, lorsque Samir aura réuni l'argent des billets, elle pourra les rejoindre.

Toujours la même histoire. Abdul Khada m'avait promis la même chose. Ils imaginent que dès que nous serons enceintes, nous ne nous battrons plus contre eux, que nous nous installerons en bonnes épouses arabes. Cette promesse de billets d'avion est un leurre. Sans doute... mais peut-être pas... Combien de fois me suis-je posé la question, sans pouvoir y répondre avec certitude.

Nadia ne semble pas du tout effrayée à l'idée de donner naissance à un enfant dans ce village. Elle est calme, en m'annonçant la nouvelle, sa poitrine a grossi, son visage n'exprime ni désespoir, ni espoir. Elle a seulement dit : « Ça y est, je suis enceinte. »

Par certains côtés, elle est très forte. Je n'ai pas son calme. Mais ils la dominent plus facilement. Je suis sûre que sans moi, elle aurait oublié son anglais. C'est à cause de moi et pour moi qu'elle continue à le parler. Conserver la mémoire de notre langue est très important, pour affirmer notre résistance. Continuer à penser anglais, en parlant arabe toute la journée depuis trois ans, c'est difficile. Parfois, lorsque nous discutons toutes les deux, Nadia mêle un mot d'arabe à sa phrase, sans y faire attention. Elle pourrait facilement devenir le genre de femme qu'ils veulent. Je la secoue chaque fois que je m'en rends compte.

– Fais attention... tu ne résistes plus. Il faut continuer à espérer, continuer à se défendre.

– Mais c'est ce que je fais...

– Tu le fais pour moi, devant moi. Mais avec eux ?

Nos villages ne sont qu'à une demi-heure de marche l'un de l'autre, mais cette distance met une frontière terrible entre ma sœur et moi. Si je n'étais pas là, si je ne m'obstinais pas à venir la voir, à grignoter quelques minutes sur le temps de travail, juste pour lui parler, elle se laisserait piétiner sans réagir.

Sa grossesse m'effraie. Le souvenir des accouchements successifs de Bakela n'est pas encourageant. Sur le sol de la maison, avec une lame de rasoir pour couper le cordon... sans médicaments, sans médecin.

Nadia ne semble pas souffrir. Aucune nausée, aucun symptôme ennuyeux, et Salama se montre gentille, elle la laisse se reposer, lui épargne certaines corvées. Vers le septième mois, Nadia est même autorisée à venir me voir jusqu'à Hockail.

J'avais pris l'habitude de faire le trajet moi-même pour lui éviter de marcher. Mais Abdul Khada, toujours attentif et méfiant, même depuis l'Arabie Saoudite, s'est manifesté : « Ne va pas aussi souvent à Ashube. Ta sœur n'a pas besoin de toi, tu dois rester dans ta maison. » Il me craint toujours et imagine que nous complotons notre fuite. Par principe il n'aime pas me savoir hors de la maison, excepté pour faire les courses, ou certains travaux, et jamais seule. A Hockail, il dispose d'une armée d'espions pour l'informer de mon comportement. Non seulement il y a toute sa famille de cousins, neveux, sœurs, etc., mais aussi les autres villageois qui le craignent. Alors qu'à Ashube, il n'a aucun contrôle réel.

Plus je suis habituée à la vie arabe, plus il se montre strict. Je ne suis autorisée, à partir de maintenant, à me rendre qu'un jour par semaine, à Ashube. « Si tu désobéis, je le saurai et je te punirai à mon retour. » Le comble, c'est que la plupart du temps, je fais ce qu'il veut et ce qu'il dit. Mais au fond de moi, je n'ai jamais abdiqué. Jamais cessé de le haïr.

Au neuvième mois de sa grossesse, Nadia m'inquiète, elle se fatigue à venir me voir, je la supplie de se reposer, le chemin est trop difficile pour elle. Cette résolution est dure pour moi aussi, car je suis coupée d'elle au moment où le bébé va naître.

Ce matin, de bonne heure, une voisine de Nadia est venue à la maison annoncer à Ward que ma sœur avait accouché d'un garçon dans la nuit. Personne ne m'a prévenue, personne n'est venu me chercher. Je m'en prends à la messagère.

– Il fallait m'avertir !

– Mais c'est arrivé dans la nuit, il était trop tard, tu sais bien que nous ne sortons pas la nuit.

– Il n'y avait pas un homme avec vous ?

– Qu'un homme vienne te voir ? Dans ta maison ? La nuit ?

Je demandais l'impossible en effet. Qu'un homme soit venu m'avertir de l'accouchement de ma sœur, en pleine nuit, jusque dans la maison d'Abdul Khada ! Si ce dernier l'avait appris ! Il m'aurait tuée ! Il est inacceptable, pour une femme, de se trouver avec un homme dans une telle situation. Quel que soit le prétexte ou la nécessité.

Je pars en courant, les hurlements de Ward dans le dos.

– J'espère que tu seras de retour à midi !

– Pas question, je ne reviens pas aujourd'hui. Je reste avec ma sœur !

Je cours tout le long du chemin jusqu'à Ashube, jusqu'à la maison de Gowad, jusqu'à la chambre de Nadia. J'arrive à bout de souffle au milieu des femmes en visite. Le bébé est dans un hamac accroché au lit de sa mère. J'éclate en sanglots.

Nadia est calme, reposée.

– Arrête de pleurer Zana, tu vas me faire pleurer aussi.

Je crois bien que je suis à nouveau malade. La fièvre sûrement, je n'ai presque plus de voix.

– Raconte-moi, tu as souffert ? Tu as eu mal ?

– J'ai eu mal, tard hier soir, mais ça n'a pas duré très longtemps. Salama a couru au village chercher une vieille femme qu'elle connaît bien et qui a l'habitude des accouchements. Elle m'a parlé, elle m'a très bien aidée. Je n'ai pas eu peur. Le bébé est venu une heure plus tard.

Le bébé est normal. Un petit garçon, un bébé... Je suis fascinée en le regardant dormir, enveloppé de linge, dans ce hamac du bout du monde. Ma sœur a un enfant... Je n'arrive pas à y croire. Je consulte le calendrier pour noter ce jour : le 29 février 1984, année bissextile.

– Nadia, il ne fêtera son anniversaire que tous les quatre ans !

Quatre ans. En disant cela, il me prend un frisson. « Où serons-nous tous dans quatre ans... » Si Gowad tient sa promesse, Nadia va peut-être retourner en Angleterre avec son bébé. Voir maman, me faire sortir d'ici. Avoir un enfant, au fond, c'est peut-être obtenir la liberté. Mais Abdullah n'est toujours pas guéri. Il semble difficile que je sois mère un jour, d'ailleurs je n'y pense pas... Je n'y pensais pas jusqu'à ce jour.

– Comment vas-tu l'appeler ?

Une des femmes propose différents noms et Nadia choisit Haney. C'est joli Haney, cela ressemble un peu à *Honey*, « miel » en anglais. Un petit garçon couleur de miel.

Malgré les menaces de Ward, je reste avec Nadia trois jours durant. Dormant avec elle, la surveillant elle et le bébé. Je veux être sûre que tout aille bien, qu'elle ne soit pas malade, ni l'enfant. Or c'est moi qui suis tombée malade. Dès le lendemain je ne peux me lever, et c'est Nadia qui me nourrit à la cuillère tout en s'occupant de son enfant. Le deuxième jour, elle lui donne le sein. C'est une autre femme que j'ai sous les yeux. Une vraie femme, adulte, une mère, qui adore son fils, et que je devine plus vulnérable maintenant.

Si je parle de retour en Angleterre, elle me répond :

– Ils me prendront Haney si nous partons maintenant. Je ne veux pas. D'ailleurs tu n'as trouvé aucun moyen de fuir. Et avec le bébé, maintenant, c'est impossible...

– Et si Gowad te donne la permission d'aller en Angleterre avec Samir ?

– Je n'irai pas sans Haney. Et il ne voudra pas que je l'emmène.

L'idée d'être séparée de son enfant la terrifie. Ils ont gagné, j'ai perdu. Ils ont le moyen de l'empêcher de fuir avec moi, si je trouve une solution.

Lorsque nous étions ensemble toutes les deux, nous nous mettions à l'écart des autres femmes, pour parler « d'avant ». Les vieux souvenirs d'Angleterre, les farces à l'école avec les copines. C'était la seule chose qui faisait encore sourire ma sœur. Et nous rêvions d'évasion, nous faisions des plans plus fous les uns que les autres. Le plus fou étant de partir toutes les deux, sur les routes, de gagner la mer, et de monter sur un bateau en passagères clandestines... Complètement irréaliste.

Le seul véritable espoir consistait à écrire une lettre à maman. A trouver le moyen que cette lettre lui parvienne enfin. Qu'elle sache. Car nous n'avions aucune idée de ce qu'elle pensait de notre situation. Si elle avait cru les mensonges enregistrés sur la cassette, au début de notre séjour, elle pouvait imaginer que nous ne voulions pas revenir chez elle. Que nous avions réellement décidé de vivre ici et de l'abandonner. Cette possibilité nous paraissait difficile. Nous devions croire qu'elle cherchait à nous retrouver, comme elle avait cherché à retrouver Ahmed et Leilah.

Seulement voilà, elle n'a rien pu faire pour eux. Ils sont toujours au Yémen. J'aurais bien aimé revoir mon frère d'ailleurs, et faire connaissance avec ma sœur, mais pour cela, il faut attendre le bon vouloir de « monsieur Abdul Khada ».

Grande nouvelle. Un médecin s'est installé à Hockail. On dit au village que c'est un homme de la région qui a étudié à l'étranger et a décidé de revenir dans son pays pour aider les habitants, les soigner, les familiariser avec la médecine moderne.

Pour moi, c'est une grande nouvelle, car je souffre de la malaria de plus en plus souvent. Je ne dors pas. Mes yeux refusent de se fermer durant des nuits entières. Les douleurs dans ma poitrine reviennent régulièrement.

Il ne parle pas anglais. Il a fait ses études ailleurs qu'en Grande-Bretagne ; en Allemagne, je crois. Mais je parle suffisamment l'arabe maintenant pour m'expliquer.

Il me donne des somnifères pour dormir, et des pilules contre la douleur. Il a l'air bon, aimable, doux. Toujours vêtu d'une longue blouse blanche, les cheveux très courts, mince et le teint plutôt clair pour un Yéménite, il se tient très droit, l'air professionnel, l'air respectable, et il est respecté d'ailleurs.

Sa maison est réellement la plus belle du village. Son père, l'un des sages les plus importants de la communauté de Hockail, l'a construite lui- même. Elle est complètement différente de celles où nous vivons. En fait, c'est comme une maison de la ville qui serait installée au village. Beaucoup de tapis, un réfrigérateur, une télévision. Je suppose qu'il a un générateur pour faire marcher tout ça, car il n'y a toujours pas d'électricité dans la région. L'idée d'un verre d'eau fraîche... d'un bol de lait qui ne soit ni tiède ni couvert de mouches...

A chaque visite, j'observe un peu mieux cet homme jeune, d'une trentaine d'années, formé à une vie plus moderne. « Peut-être écoutera-t-il mon histoire... » Il est amical. Un jour je me lance :

– Je n'ai jamais reçu de nouvelles de ma mère... Si je vous donnais une lettre pour elle, pourriez-vous la poster à Taez ?

– Tu as sûrement quelqu'un dans ta famille qui peut faire cela pour toi. Poster une lettre ce n'est pas compliqué.

– Ce que je voudrais, c'est que vous la postiez dans une vraie boîte aux lettres, une boîte publique, vous comprenez ?

– Pourquoi ?

– Parce que... parce que j'ai envoyé beaucoup de lettres, mais Abdul Khada, mon... beau-père... ne les a peut-être pas postées... Ou alors c'est son agent à Taez qui ne l'a pas fait... S'il vous plaît...

– Je ne désire pas intervenir dans une histoire de famille, Zana, je n'en ai pas le droit. Ça ne me regarde pas...

J'ai insisté, tant et tant à chaque visite... qu'un jour, finalement, il me répond :

– C'est si important pour toi ?

Il voit les larmes dans mes yeux. Il me connaît bien maintenant, il sait qu'on m'a mariée de force, et que j'en suis toujours malade, à ne pas en dormir la nuit depuis des années.

– Bon. Je vais le faire pour toi. Je la posterai en secret à Taez. Écris à ta mère qu'elle peut te répondre à mon numéro de boîte postale.

Je bondis de joie. Pour la première fois depuis quatre années, j'ai enfin trouvé une aide. Un circuit qui me permet de passer outre Abdul Khada, et son agent Nasser Saleh, qui est forcément à sa botte.

– Nadia... Ça y est... J'ai trouvé le moyen de prévenir maman... j'ai confiance...

Un éclair d'espoir dans ses yeux est le plus précieux des bonheurs.

– C'est vrai ? Il va le faire, tu crois ? C'est vraiment vrai ?

Et nous rêvons à nouveau d'escapade.

Je suis quand même terrorisée à l'idée que quelqu'un dans le village, ou à Taez, ouvre la lettre, la lise, la rapporte à Abdul Khada. Dans ce cas, je serai battue à nouveau, pour l'avoir trahi. Et puis comment écrire cette lettre ? Sous quelle forme ? Je ne peux pas tout dire, comme ça, en clair. Il faut utiliser un code, par sécurité, avec l'espoir qu'elle saura lire entre les lignes et comprendra que je l'appelle au secours.

Nous ignorons où est notre père, ce qu'il fait, où il travaille. Si c'est lui qui ouvre la lettre, tout est fichu. Il faut insinuer les choses, choisir des mots qu'elle seule comprendra, qui n'alerteront personne d'autre. Enfermée dans ma chambre, sous le prétexte que j'ai la fièvre, je cherche de quoi écrire, et tombe finalement sur un vieux livre d'exercices d'arabe que m'avait donné Abdul Khada, lorsque nous étions au restaurant de Hays. Je déchire soigneusement une page au dos vierge.

« *Maman chérie...* »

Ma main tremble, mon cœur bat. L'espoir dans une prison est comme une fièvre. On transpire, la tête prête à exploser.

« *Nadia va bien, elle a un petit garçon appelé Haney, il a dix mois maintenant, il est très beau. Il faut que tu le voies. Le docteur me soigne. Tu peux répondre au numéro de boîte postale, c'est le sien. Il est très gentil et me soigne très bien. Tu nous manques affreusement, maman chérie. Nous pensons à toi tous les jours. S'il te plaît réponds vite.* »

Je me relis. Si quelqu'un ouvre cette lettre avant elle, il ne pourra pas dire que je me plains. Mais si la lettre lui parvient, à elle, elle connaîtra l'essentiel.

L'enveloppe cachée sous ma robe, je dois attendre encore quelques jours avant de réclamer d'aller chez le docteur. Ward ne se méfie pas, j'ai une sale mine, et l'anxiété me ronge les yeux, ce qu'elle peut prendre pour de la fièvre. C'en est. Malaria et espoir mêlés, je cours sur le sentier des femmes. Derrière la maison, les singes me font la grimace, les serpents peuvent siffler dans les buissons, les cailloux meurtrir mes pieds, je porte l'espoir en moi, comme un feu d'artifice invisible.

Je confie cette enveloppe, avec l'adresse de chez nous à Birmingham. De la main à la main, cette fois, de ma main à une main amie. J'en pleure de joie et de reconnaissance.

Sur le chemin du retour, les larmes continuent de couler. Pleurer. Quand je suis seule, je peux pleurer des heures. Je suis une source de larmes intarissable depuis quatre ans. Tout ce temps immobile connaît enfin une palpitation. Une raison. A partir de ce jour, j'attends quelque chose, les jours les minutes ont un sens. La lettre voyage... Demain, elle sera à Taez. Elle tombera dans une de ces boîtes aux lettres que je n'ai jamais pu atteindre, ni même voir.

Ma lettre. Mon secret. Ma délivrance.

Je m'assieds ce soir près du vieillard aveugle. Les rapaces tracent leur cercle éternel dans le ciel sombre, tout là-haut, surveillant les montagnes, les champs de maïs, à l'affût. Parfois un cri léger annonce une prise. Parfois l'oiseau remonte à grands coups d'ailes, un serpent suspendu au bec.

– Patience Zana... un jour tu retourneras dans ton pays.

« Si tu savais, vieillard... »

J'ai patienté deux semaines, longues, terribles. Aujourd'hui la femme du docteur est venue jusqu'à la maison et Ward l'a reçue fort poliment. Elles sont dans sa chambre, j'attends dans la mienne, en me rongeant les ongles et en fumant une cigarette après l'autre. Ward sort enfin et vient me parler. D'une voix feutrée, elle murmure :

– La femme du docteur dit qu'il a reçu une lettre pour toi et que tu dois aller la chercher.

Mon cœur fait un tel bond que j'en perds le souffle une seconde. Elle m'observe, je dois rester calme. Si elle soupçonne quelque chose, les ennuis ne tarderont pas à se produire. Pour l'instant elle est impressionnée par le fait que la femme du docteur soit venue jusqu'ici, sans autre raison que cela : une lettre pour Zana... une lettre... une lettre. Je le chante dans ma tête, en silence, sur tous les airs.

A la première occasion, entre les tâches habituelles, je cours au village, et arrive en sueur chez le docteur. Il me tend une enveloppe, c'est l'écriture de maman! Après si longtemps... Comment se fait-il que cela devienne si facile tout à coup de la joindre, alors que c'était impossible depuis des années ?

Le docteur me sourit gentiment :

– Tu veux rester ici pour la lire ?

– Non merci, je préfère m'en aller.

M'en aller quelque part, l'ouvrir en secret, et surtout me laisser aller à pleurer, mais pas devant lui. Je dissimule l'enveloppe sous ma robe pour sortir, en le remerciant. Mon cœur s'emballe à nouveau, le sang bat dans mes oreilles pendant que j'escalade le chemin vers la maison. Je la tâte à travers le tissu, cette lettre, je n'y crois pas encore. Quelqu'un va me sauter dessus pour me la prendre, l'arracher, la déchirer en petits morceaux. Je revois Abdul Khada déchirer ainsi mes photos à Hays, méchamment. Il n'est pas là, ni Abdullah, ni Mohammed, aucun des hommes n'est là, en ce moment. Quant à Ward, elle ne me fait pas peur, elle n'osera pas.

Enfermée dans ma chambre, je l'ouvre enfin, tandis que les idées se bousculent dans ma tête. Cette fois, maman sait où nous sommes, nous allons rentrer à la maison très vite. Les autres lettres ne sont jamais arrivées jusqu'à elle. Jamais. Ils les ont détruites, mais celle-là... je la tiens.

Je pleure tellement que je ne parviens pas à me concentrer sur les mots. Elle semble avoir compris depuis le début que quelque chose n'allait pas. La cassette qu'on nous avait forcées à enregistrer au début a été reçue par mon père ; maman ne l'a pas vue, jusqu'au jour où mon frère Mo la lui a volée, pour la donner à maman. Ce jour-là, elle a deviné, comme je l'espérais, au ton de nos voix, que l'on nous forçait à dire que nous étions heureuses et que tout allait bien. Ce fut la rupture définitive avec mon père, qu'elle avait déjà quitté apparemment, puisqu'ils n'habitaient plus ensemble. Notre père était furieux contre Mo. Il lui a dit de choisir entre lui et maman ; Mo a choisi maman et n'est plus jamais retourné chez lui.

La lettre est longue, confuse, pleine de questions et de nouvelles, que j'essaie de trier, de mettre en ordre, mais je ne possède pas la chronologie des faits, et toutes ces informations me saoulent... Elle demande comment nous allons, où nous vivons, si nous avons vu Leilah et Ahmed. J'ai fondé tant d'espoir sur cette lettre que je suis déçue. Manifestement elle ne se rend pas complètement compte de la situation. Elle ignore tout de l'esclavage que représente cette vie, de ce que nous avons subi Nadia et moi. Je vois bien que ce ne sera pas facile, qu'il faudra beaucoup de temps avant que nous puissions partir du Yémen, bien plus que je ne l'avais imaginé en attendant la lettre.

« Où sont nos passeports ? Comment les récupérer ? Comment gagner Sanaa pour y prendre l'avion, si maman nous envoie des billets... Et puis, nous sommes mariées, comment prouver le contraire ? Nadia a déjà un enfant... il faut partir avec Haney. » Toutes les difficultés m'apparaissent soudain nettement, réelles, insurmontables peut-être.

Le vrai soulagement est de constater avec certitude qu'elle n'est pour rien dans cette histoire. Notre père nous a mariées et vendues, sans le lui dire évidemment. Maman nous aime. Jamais nous n'aurions dû en douter. Le piège était énorme mais il a fonctionné avec une simplicité incroyable. Comme la première fois, pour Leilah et Ahmed. La seule différence est qu'ils étaient petits, incapables d'opposer la moindre résistance en exil. Alors que je me suis défendue comme une diablesse.

Depuis que je suis ici, j'ai cru comprendre une chose : les Yéménites, qui pourtant n'aiment pas les étrangers, cherchent à épouser des Anglaises, dans l'espoir d'obtenir des papiers pour eux ensuite. C'est sans doute un élément du marché dont nous avons été l'enjeu. Autrement dit, c'est nos passeports que notre père a vendus en même temps que nous. C'est un être immonde. Je le tuerai pour ça. Je veux qu'il paye. Je le jure sur ma propre tête, il le paiera.

Maintenant le plan se dessine dans ma tête. Inutile de nous cacher, au contraire. Il faut que tout le monde sache que nous sommes en relation avec notre mère, que nous avons des contacts avec notre pays, que l'on sait où nous sommes. L'attaque est la meilleure des défenses, la transparence la meilleure des armes.

Dès le lendemain, je file à Ashube, au nez de Ward, montrer

la lettre à Nadia. Elle la tourne et la retourne dans ses mains abîmées par les travaux d'esclave, elle la porte à sa bouche, l'embrasse...

– Je le savais... je le savais...

Nous avons un petit secret toutes les deux, une petite magie. Depuis notre enfance, lorsque nous allons recevoir une lettre, la main nous démange. Cela nous arrive régulièrement, et environ une semaine avant, parfois plus. Il y a quelques jours, j'en avais parlé à ma sœur, et elle m'avait répondu « moi aussi ». Cela peut paraître étrange, mais, lorsqu'on est tenu prisonnier, ce genre de prémonition prend une importance exceptionnelle.

Nous pleurons de joie ensemble, serrées l'une contre l'autre.

– Maman va venir. Quoi qu'ils nous fassent à présent, ça n'a plus d'importance. Maman va venir...

A partir d'aujourd'hui je vais écrire, sans arrêt. Nous nous mettons d'accord sur les textes, et c'est moi qui écris. J'écris nos souffrances, notre esclavage, la vie affreuse que nous menons ici, sans personne à qui parler, sans amour, sans un seul être qui nous comprenne et s'indigne devant les mêmes choses que nous. Sans liberté, sans même le droit de faire un kilomètre seules.

Les lettres partent et arrivent maintenant régulièrement. Parfois la femme du docteur les apportent, assez librement, jusqu'à la maison. Personne n'essaie de me les soustraire. Le docteur est un homme suffisamment instruit et de bonne famille, pour ne rien craindre ici de la tribu d'Abdul Khada, ni même d'Abdul Khada en personne. Nous avons enfin trouvé un allié assez fort pour nous aider.

Le vieil homme avait raison patience... Maintenant, lorsque je l'aide à manger, ce qui prend beaucoup de temps, car il n'a plus de dents, je lui souris. Même s'il ne voit rien. Surtout parce qu'il ne voit rien. Je souris à l'espoir.

Abdul Khada est bientôt informé de ce qui se passe en son absence. La rumeur. Mais il est bien trop rusé pour montrer ses véritables sentiments, devant ce défi à son autorité. Il m'écrit en disant qu'il est « content de savoir que j'ai reçu une lettre de ma mère », comme si de rien n'était, me demandant même des nouvelles de sa santé ! Agissant comme un vieil ami de la famille. En fait il ne peut rien me reprocher puisqu'il a prétendu avoir expédié lui-même toutes mes précédentes lettres. Ma centaine de lettres, pendant quatre années.

Pour la première fois, je le sens, nous avons réussi à le contrer. Mais notre vie n'en est pas changée pour autant, et je ne vois pas ce qui pourrait la modifier dans l'immédiat. Corvées d'eau, de bois, broyage du maïs, soins du bétail, ménage... et on recommence.

Maman écrit aujourd'hui que la première fois qu'elle a entendu parler de notre situation, c'était dans un café. Un ami de notre père lui a dit :

– Alors vos filles sont mariées là-bas au Yémen ?

Stupéfaite, maman lui a demandé innocemment pourquoi il affirmait cela, et il a répondu l'avoir entendu, dans la province du Maqbana d'où il est originaire. Il a cité les noms d'Abdul Khada et de Gowad... Alors maman s'est précipitée à la maison, folle d'angoisse, et, devant le fait accompli, notre père a répondu :

– C'est vrai et alors ? J'avais les documents pour un mariage légal, elles ont épousé des Yéménites, elles sont yéménites !

Il avait subtilisé nos actes de naissance dans les affaires de maman, un jour où elle travaillait au restaurant.

Maman m'écrit : « Je suis devenue folle, et j'ai crié après lui : “ comment as-tu pu faire cela ? Ce sont des enfants, des bébés ! Elles sont à moi. Et ce sont aussi tes filles, et tu les as vendues ! ” »

Il paraît qu'il a souri en disant :

– Prouve-le...

– Je vais les faire revenir !

Et il se moquait d'elle, il lui riait en pleine figure :

– Tu peux toujours essayer. Tu n'arriveras à rien ; elles sont parties comme les deux autres !

Maman a écrit au Foreign Office, comme elle l'avait fait pour Ahmed et Leilah. On lui a répondu que si nous avions bien les deux nationalités, le gouvernement yéménite nous considérait à présent comme des citoyennes de leur pays, puisque nous étions mariées à des Yéménites! La seule façon pour nous de revenir en Angleterre était d'obtenir une permission de nos « maris » pour que l'on nous accorde un visa de sortie.

Même l'assistante sociale de Nadia a voulu aider maman. Elle a écrit à des associations, à l'ambassade d'Angleterre au Yémen, à des tas de gens. Et la réponse était toujours la même : « Désolés, nous ne pouvons rien faire ».

Lettre après lettre, nous apprenons tout ce qui s'est passé là-bas, chez nous, depuis quatre ans. Inquiète de ne pas recevoir de nouvelles, maman a d'abord écrit à l'adresse postale de Gowad et d'Abdul Khada, à Taez. Toutes ses lettres demeuraient sans réponse, puisqu'elles étaient interceptées. Alors elle s'est renseignée auprès de l'ambassade à Sanaa, mais il était impossible de nous retrouver à partir d'un numéro de boîte postale. Et c'était le seul indice dont disposait maman. Qui ne connaît pas le Yémen aura du mal à comprendre peut-être. Mais ici, on ne peut pas s'adresser ainsi à la police, ou a une ambassade et dire : « Retrouvez mes filles, Zana et Nadia Muhsen, elles ont disparu chez vous... » Nous étions perdues, comme on est perdu en mer.

Une amie de maman, sa meilleure amie anglaise, a écrit à la reine d'Angleterre pour lui demander de l'aide. Une dame d'honneur a gentiment répondu pour l'informer que sa demande était transmise au Foreign Office... Maman alors a découvert une association, dirigée par un certain Nigel Cantwell, basée à Genève, et appelée *Défense internationale de l'Enfance*. Même réponse. Monsieur Cantwell ne pouvait rien faire, car nous avions les deux nationalités de par notre mariage... En revanche, il avait un point de vue légal sur l'affaire : maman et notre père ne s'étant jamais mariés légalement, maman était considérée en principe comme notre seul tuteur légal. Étant donné qu'elle n'avait pas consenti aux mariages de ses deux filles mineures, il était possible que le gouvernement yéménite puisse statuer sur l'illégalité de ces mariages...

Nous en sommes là. Je m'accroche à cette paille, qui est notre seule issue, j'en suis certaine. Car ces mariages sont illégaux. Comment pourrait-il en être autrement ? On ne nous a jamais demandé notre avis, nous n'aurions jamais accepté. De plus nous n'avons rien signé, n'avons participé à aucune cérémonie légale... et notre mère ignorait où nous nous trouvions. Sans parler du viol permanent que représente ce soi-disant mariage pour chacune de nous. Alors ?

Maman se montre toujours prudente dans ces lettres, elle ne veut pas nous donner trop d'espoir. Elle n'a pas l'air persuadée que le gouvernement yéménite soit disposé à gaspiller son temps pour débrouiller des histoires de mariages, illégaux ou non, dans de lointains villages. En même temps, elle a peur pour Ashia et Tina. Notre père pourrait leur faire subir le même sort.

Au fil des mots et des nouvelles, du récit des combats qu'elle a menés récemment, je devine que maman a traversé une sévère dépression après notre départ, et qu'elle n'a retrouvé la force de continuer qu'en recevant enfin ma première lettre. Depuis, il y en a eu beaucoup et notre correspondance est maintenant régulière. Relativement régulière car, dans ce pays, il peut y avoir un écart de deux mois entre l'envoi d'une lettre et la réponse. Mais ce n'est rien comparé aux quatre années de silence dont nous avons souffert. Je reçois même de nouvelles photos de la famille. Ma sœur Ashia a une petite fille ! Nous nous étions quittées enfants... Je dois compter sur mes doigts pour réaliser qu'elle est à présent une jeune femme. Que suis-je devenue moi ? Et qu'est devenue Nadia ?

Abdul Khada est de retour. Il a rapporté un appareil photo de son voyage, et nous fait poser, Nadia, le petit Haney et moi.

– Pour envoyer à ta mère, elle verra son petit-fils, ça lui fera plaisir.

Il croit sans doute que ce genre de geste peut faire paraître ridicule notre affirmation d'être détenues ici comme des prisonnières. En Angleterre j'avais vu des photos d'otages que l'on passait à la télévision, pour prouver qu'ils étaient vivants, et pouvoir continuer le chantage. Ce n'est rien d'autre que cela. Il prouve que nous sommes vivantes. Des survivantes, devant un mur lépreux ou galopent les lézards, égarées sur une montagne inaccessible en voiture. Dans un pays fermé comme une huître.

Il faut que je persuade maman d'alerter les journaux, la télévision, de raconter notre histoire à tous les organes de presse, d'alerter les médias. Elle n'ose pas le faire, et se repose sur l'idée que la légalité est de notre côté. Mais la légalité ici est tout autre. Elle consiste en la loi des mâles.

Lorsqu'Abdul Khada a emmené Abdullah en Angleterre pour qu'il y subisse un traitement, mon soi-disant mari a été la risée des amis de notre père. Marier sa fille aînée à ce gamin malade et maigre ? L'orgueil des mâles était en cause et notre père a dû souffrir des quolibets. Si Abdullah avait été un garçon normalement constitué, quel que soit son âge, aucun de ses amis yéménites ne l'auraient plaisanté de cette façon.

Durant son séjour en Angleterre, qui n'a donné aucun résultat pour la santé de son fils, Abdul Khada a eu le culot de se présenter à maman et de lui dire que nous étions très heureuses dans son pays. Cette obstination à désinformer, à prétendre toujours le contraire de la réalité me met en rage plus que tout autre chose. J'ai supporté beaucoup, je m'habitue à supporter, mais pas cela. Le mensonge est un système permanent dans cette famille. Même s'ils volaient un mouton, et que ce mouton soit sur leur dos, ils continueraient à mentir, et à prétendre que le mouton n'existe pas.

Après neuf mois, Abdullah quitte l'Angleterre, son visa a expiré. De retour à Hockail pour quelques semaines,il m'apparaît un peu grandi, mais toujours aussi maigre. Quand je le regarde, installé dans ma chambre, quand je pense qu'il était chez moi en Angleterre, qu'il a vu Birmingham, maman, mes sœurs... je l'étranglerais. Il va repartir sur les instances de son frère, en Arabie Saoudite, pour une opération sérieuse. Qu'il parte. C'est toujours un soulagement de ne pas l'avoir devant les yeux. Je n'ai jamais très bien compris de quoi il souffrait et ne m'y intéresse guère. Mais j'entends dire à présent qu'il a une malformation d'une artère, partant du cœur, ce qui bloque le flux du sang. Il faut remplacer cette artère par un tube de plastique, et il risque de ne pas survivre à l'opération. Abdul Khada dit qu'il a cinquante pour cent de chances de survivre.

Je prie le soir pour qu'il meure. Pour être libre enfin de quitter ce pays. Je ne me sentirai pas veuve de ce faux mari, seulement libérée des chaînes qu'il représente. Je prie, sans honte, le dieu des chrétiens comme celui des musulmans. Je suis meurtrière en pensée.

Durant deux jours, je ne pense qu'à cela. En cuisant les *chapatis*, en enfournant le bois dans le poêle, en grattant le cuir des vaches, en hissant les bidons d'eau sur ma tête. Qu'il meure, et je reverrai l'Angleterre. Qu'il meure et je ferai payer sa lâcheté à celui qui se prétend mon père. Qu'il meure, et je ferai sortir Nadia de ce trou. Qu'il meure et je revivrai.

Il a survécu. Le télégramme qu'Abdul Khada adresse à Ward dit que tout va bien, qu'elle ne doit pas s'inquiéter. Quelques jours plus tard, le maître de maison est de retour. La convalescence de son fils se passe bien, il va rester quelque temps en Arabie, puis revenir au Yémen. Tout va bien... Ils sont contents.

Enfin Abdullah est de retour à Hockail. Maintenant, il est guéri. Abdul Khada espère qu'il va enfin pouvoir faire un enfant. Il a grossi en effet, il semble moins faible.

Pour la première fois de ma vie, je n'ai pas mes règles. Je suis enceinte à mon tour. Ward est tout émue, Abdul Khada tout fier. Je réfléchis froidement à la situation. Il m'a toujours promis que si j'étais enceinte, j'irais accoucher en Angleterre. Pour Nadia ça n'a pas marché, mais les rapports de force sont différents à présent. Même si le jeu est serré, j'ai peut-être une chance de gagner. Je suis donc contente d'être enceinte, contente que tout le monde soit content. Porter le voile ne me gêne pas. Je vais être une belle-fille dévouée qui s'entend bien avec sa famille, qui est attachée au village... Mentir, mentir sans relâche.

Nadia, elle aussi, est enceinte pour la seconde fois. Haney son premier fils a déjà deux ans. Il est superbe, tout bouclé, des yeux rieurs.

L'année 1986 sera forcément l'année de notre libération. Maman y travaille en secret, à Birmingham. Je la bombarde de lettres, en la suppliant de trouver le moyen d'alerter la presse.

Et en attendant, je traîne ma grossesse avec moins de facilité que Nadia. Ward n'a pas la même gentillesse que Salama. Ce n'est pas parce qu'elle attend de moi un petit-fils, que je suis dispensée des corvées. J'ai même plus de travail qu'avant, car Bakela est partie à Taez rejoindre Mohammed. Ma « belle-mère » refuse d'assumer elle-même le travail supplémentaire que représente l'absence d'une femme à la maison.

J'envie Bakela d'avoir quitté le village. La naissance de son dernier enfant, malade, et qui doit être suivi à l'hôpital de Taez, a décidé Mohammed à la faire venir. Ce n'est que Taez, mais il y a là-bas des maisons modernes, de l'eau courante, de l'électricité, des gens...

Je suis seule avec Ward, et ses petits yeux méchants. Seule avec les vieux grands-parents. Seule à tout faire. Parfois j'ai l'impression que je vais tomber d'épuisement, les reins douloureux, le dos raide, j'ai du mal à escalader le sentier, à porter l'eau. Le soir mon corps n'est plus qu'un poids de souffrance. Je relis mes romans, inlassablement. Si j'ai un peu oublié le premier, je m'y replonge. Lire anglais, penser anglais. Espérer. Certains soirs je crois fermement que mon plan va marcher. Accoucher en Angleterre auprès de maman, dans un vrai hôpital. Ils vont dire oui... D'autres soirs je désespère. Jamais ils ne diront oui. Je voudrais pouvoir dormir, sans ce cauchemar permanent, ce doute, cet espoir, ce désespoir.

Je deviens énorme, et avec la chaleur intense qui règne en ce moment, sans pluie, sans orage, c'est difficilement supportable. Au puits les autres femmes sont étonnées de me voir travailler autant et si durement dans mon état. M'obliger à transporter l'eau, à mon huitième mois de grossesse, c'est de la folie, de la méchanceté de la part de Ward. Alors, elles essaient de m'aider. Nadia aussi, dont la grossesse est un peu moins avancée que la mienne.

J'essaie, autant que possible, de voler quelques instants de repos au moment où la chaleur est la plus insupportable. Ainsi je m'allonge sur mon lit quelques minutes, par un après-midi torride d'avril 1986. Je n'oublierai jamais ce jour. Soudain du bas de la colline, j'entends la voix d'Amina hurler quelque chose. Je sors pour mieux entendre, elle est debout sur le toit de sa maison, juste en dessous de la nôtre, et crie :

– Il y a un paquet pour vous, Mohammed l'a envoyé de Taez ! Vous pouvez descendre au village le chercher ?

Ward descend la première, car il me faut du temps pour emprunter le chemin à pic, qui descend le long de la colline. Avec mon ventre, c'est encore plus périlleux. Enfin j'arrive au bout, pour voir une petite foule chuchotante de villageois. Il se passe quelque chose d'inhabituel, ils jettent des regards dans ma direction, puis se détournent, se parlent à l'oreille... J'ai beau regarder, je n'aperçois pas la Land Rover, qui pourtant devrait encore se trouver là si on avait bien apporté mon paquet.

Haola vient alors vers moi et me dit doucement :

– Zana... Ta maman est là... elle est en bas de la route, elle t'attend...

Je la regarde sans y croire, muette, elle hoche la tête et me montre, sur le versant de l'autre colline, une voiture arrêtée et deux personnes debout sur le bas-côté du chemin. Une femme avec un chemisier rouge, et un jeune homme. C'est la première fois depuis longtemps que je vois une femme les cheveux dévoilés. Je reste un instant immobile, regarde fixement en clignant des yeux dans la lumière, les battements de mon cœur s'accélèrent brutalement. Les larmes coulent le long de mes joues, l'émotion me serre la poitrine et me noue la gorge. Je glisse et trébuche en descendant vers eux. Maman.

Maman est là, debout sur le bas-côté, le chemisier rouge c'est elle. Les bras tendus elle me reçoit contre sa poitrine. Jamais je n'ai ressenti une pareille émotion, un tel bonheur. Accrochées l'une à l'autre, nous nous étreignons à en étouffer. Incapables de parler, secouées de sanglots. Autour de nous, les femmes du village se sont rapprochées et nous observent en silence.

C'est tellement irréel... maman ici, sur le chemin de Hockail. Enfin je la regarde, et elle me dit d'une voix étranglée :

– Dis bonjour à ton frère...

« C'est Mo ? Ce grand garçon ? Ce jeune homme ? » Il a tellement changé en six ans, que je ne l'aurais jamais reconnu. Et voilà qu'il pleure lui aussi.

La dernière fois que je l'ai vu, il m'arrivait à peine à la taille, et maintenant il est plus grand que moi, alors qu'il n'a que treize ans. Je suis si fière de lui, il est devenu fort, musclé, sa tignasse de cheveux noirs est toujours aussi frisée. Mo, mon petit frère, m'écrase entre ses bras.

La chaleur est ardente et maman n'en peut plus, je le réalise, alors que nous sommes là à pleurer et à nous embrasser sous le soleil.

– Viens... allons à l'ombre...

Je l'entraîne sur le sentier qu'elle a plus de mal à grimper que moi, malgré mes huit mois de grossesse.

– Attends-moi... mais comment fais-tu pour monter si vite...

Il semble que tout le village nous ait suivi. Ils nous regardent fixement, comme des bêtes curieuses, et je ne sais plus quoi dire ! Tout à coup je l'assomme de questions :

– Comment es-tu arrivée jusqu'ici ? Que s'est-il passé ? Tu es venu nous chercher ? Quand partons-nous ?

– Laisse-moi respirer Zana... je vais t'expliquer... Où est la maison ? C'est ici ?

– Non, c'est la maison d'Abdul Noor. Celle d'Abdul Khada est là-bas...

Je pointe le doigt vers le haut de la colline.

– Il faut grimper là-haut ?

Je me revois la première fois derrière Abdul Khada, peinant sur ce même sentier de rocaille, terrifiée par le ravin, épuisée par le voyage sur la piste cahotante, harassée de chaleur.

Maman n'en croit pas ses yeux. Je la laisse respirer un instant, puis l'entraîne avec Mo, avide de savoir, de parler, d'être avec elle, à l'abri des curieux. Amina lui apporte une boisson fraîche que maman trouve tiède. Comment la faire monter là-haut ? Cette maison est un nid d'aigle, je ne m'en rendais même plus compte. Il nous faut une bonne demi-heure pour grimper ; en arrivant, maman s'effondre sur le banc devant la maison, sans avoir même la curiosité d'entrer.

Si seulement j'avais su. J'aurais préparé des boissons, de la nourriture fraîche, installé un endroit confortable pour elle. Mais il n'y a rien que l'habituelle galette de maïs. Rien qui puisse convenir à quelqu'un venu d'Angleterre. Moi j'y suis habituée, mais maman ne peut pas manger ça.

Ce qui semble la terrifier le plus, ce sont les mouches qui grouillent partout sur la peau, à la recherche du moindre endroit découvert, qui collent aux yeux, bourdonnent au oreilles...

C'est drôle, je vois, tout d'un coup, ces choses avec un œil différent, parce qu'elle est là. Parce qu'elle trouve tout cela insupportable, comme moi au début. Il est si loin le début. J'ai vingt et un ans, et je suis toujours ici avec les mouches et le reste.

Maman me prend par la taille, palpe mon ventre, avec émotion. Que dire... un enfant est là.

Haola s'est portée volontaire pour aller prévenir Nadia à Ashube.

– Surtout ne l'affole pas, elle est enceinte et fragile. Dis-lui seulement de venir me voir, sans parler de maman.

Mo regarde autour de lui avec stupéfaction et curiosité. Les lézards le fascinent.

Dans ma chambre, enfin, nous pouvons parler et maman essaye de toute me raconter dans l'ordre.

– J'ai commencé à me douter que quelque chose n'allait pas au moment où vous deviez rentrer de vacances. Quand j'ai tout compris, j'ai quitté ton père. J'ai aussi quitté le café-restaurant, et je me suis installée seule avec Mo, Tina et Ashia. Je n'ai contacté ce monsieur de Genève qu'un an après votre départ.

– Est-ce que tu en as parlé aux journaux ?

– J'ai eu peur de cette publicité Zana, peur que l'on vous emmène ailleurs, qu'on vous cache plus loin dans les montagnes. Monsieur Cantwell écrivait sans cesse au gouvernement yéménite à cette époque, je ne voulais pas faire de vagues et risquer de gêner son action.

– Il n'a rien obtenu ?

– Rien. On lui répondait que le dossier était à l'étude. En fait il n'arrivait même pas à situer l'endroit où vous étiez. Il n'existe aucune carte de la région. De plus il y avait manifestement une entente entre le gouvernement et la police de Taez, qui faisait tout pour que l'on ne puisse pas vous rechercher. Nous avons tenté l'impossible. Sans jamais obtenir le moindre renseignement. A ce moment-là, par malchance j'ai été victime d'un accident. J'étais au coin d'une rue, dans une cabine téléphonique de Birmingham, quand une voiture est venue la heurter. J'ai été gravement blessée, on m'a opérée, et l'assurance m'a proposé une indemnité de six mille cinq cents livres. C'était peu, j'aurais pu obtenir davantage en faisant un procès, mais le temps pressait et j'avais besoin de cet argent pour venir ici. J'avais décidé de partir avec Mo. Monsieur Cantwell m'a encouragée, en me disant que si cela ne réussissait pas, alors nous alerterions la presse, puisqu'il n'y aurait plus rien à perdre. Seulement voilà, j'ai dû attendre près de trois ans, pour que cette indemnité de six mille cinq cents livres me soit enfin versée. Je t'avais écrit tout cela dans une lettre à la boîte postale d'Abdul Khada...

– Je n'ai jamais rien reçu. Je ne savais même pas que tu avais eu un accident. Tu n'en as pas reparlé ensuite...

– Je ne sais plus. J'ai écrit tant de lettres.

– Nous aussi... Comment as-tu fait ensuite pour nous trouver ?

– Je connaissais le nom du village, grâce à celui qui m'avait dit un jour que vous étiez mariées... Mais le nom tout seul ne suffisait pas, impossible de trouver une carte de la région. Alors en arrivant à Sanaa, je suis allée voir le vice-consul britannique, un monsieur Colin Page. Il m'a tout simplement découragée, durement et d'une manière agressive. D'après lui je perdais mon temps, et il valait mieux que je rentre directement en Angleterre. Il m'a répété que la seule façon de vous sortir de là, c'était d'obtenir la permission des maris...

– Il ne t'a même pas dit où était Hockail ?

– Non. Il disait n'en avoir jamais entendu parler et de toute façon il ne cessait de répéter : « Même si vous connaissez le nom d'un village, ça ne sert à rien, il n'y a pas de carte de la région ! » Quand je l'ai quitté il m'a conseillé de faire attention à Mo : « Ils voudront certainement mettre la main sur lui aussi. » En fait, il ne voulait pas m'aider.

« Le vice-consul de Grande-Bretagne... Et moi qui espérais, lorsque j'étais à Hays, rencontrer un Anglais, me faire conduire au consulat... »

– J'ai compris, poursuit maman, qu'il fallait se débrouiller seuls. Comme tu m'avais parlé dans une lettre de cet agent d'Abdul Khada, Nasser Saleh, j'ai pris un autocar pour Taez. J'avais avec moi une photo que tu m'avais envoyée sur laquelle on voit Mohammed et Bakela avec leurs enfants. Tu m'avais dit qu'il travaillait à Taez dans une fabrique de beurre.

– Qu'as-tu fait avec ça ?

– J'ai traîné en ville pendant trois jours, j'ai discuté avec tous ceux qui parlaient anglais, je leur montrais la photo, en leur demandant s'ils reconnaissaient les gens, en parlant de Nasser Saleh... et finalement je suis tombée sur quelqu'un qui connaissait cet homme. Il m'a guidée jusque chez lui, et on a fait prévenir Mohammed. Voilà.

– Mohammed a été gentil avec toi ?

– Choqué de me voir là, mais aimable. Il s'est montré aussi serviable qu'il pouvait l'être, étant donné que j'étais arrivée jusque-là... Il a arrangé le voyage jusqu'ici. Il a téléphoné à Abdul Khada en Arabie Saoudite, et me l'a passé.

– Comment était-il ? Furieux ?

– Furieux et effrayé. Il voulait savoir ce que j'étais venue faire, il m'a demandé de ne pas créer de problèmes. J'ai répondu que j'ignorais ce qu'il entendait par là, je ne voulais causer d'ennuis à personne, que j'étais seulement venue rendre visite à mes filles. Là il s'est montré presque menaçant, il m'a affirmé qu'il possédait une lettre de ton père l'autorisant à vous emmener à Marais dans le golfe d'Aden, si je provoquais des difficultés. Je l'ai rassuré encore une fois, et il a raccroché.

– Quel culot ! Te demander ce que tu viens faire au Yémen ? Et Mohammed qu'est-ce qu'il a dit ?

– Il avait l'air ennuyé. Il m'a dit que votre père vous avait vendues pour mille trois cents livres chacune à son père. C'est la première fois que j'ai eu la preuve de cela. Pour le reste j'ai quand même marqué des points, à propos de ce Nasser Saleh justement. Quand il m'a vue arriver, il n'était pas tranquille, j'avais déposé une plainte contre lui, pour avoir intercepté les lettres que nous nous adressions. Mohammed m'a dit qu'il avait été en prison pour cela, et qu'ils avaient dû payer pour le faire libérer.

– Je n'ai jamais rien su de tout ça. Abdul Khada ne s'en est pas vanté !

– Je crois que ce Nasser Saleh a eu peur de retourner en prison quand il m'a vue. Il disait à tout le monde : « C'est la femme qui m'a apporté tous ces ennuis. » Il a vite prévenu Mohammed... Enfin, nous avons passé la nuit chez eux, j'ai vu Bakela et les enfants – ils sont gentils – et le lendemain nous avons pris un taxi pour venir ici. Cet endroit est épouvantable. Ce désert, ces cabanes de terre, ces maisons de pierre en ruines. Par moments, j'avais l'impression de passer derrière un bombardement. Un véritable cauchemar cette région.

– Pourquoi papa a-t-il fait cela ? Tu le sais ? Pour l'argent ? Pour que nous devenions musulmanes ?

– Il n'est pas croyant, il ne prie jamais. Quant à l'argent, ce n'est pas la première fois qu'il s'en procure malhonnêtement. Il prétendait que lorsqu'il avait quitté ses parents pour venir en Angleterre, il fuyait pour éviter un mariage arrangé par sa famille. En réalité il avait volé de l'or à sa future belle-mère pour se payer le voyage... Je l'ai appris il n'y a pas longtemps... Il court toujours après l'argent. Rappelle-toi ses dettes en Angleterre, les amendes qu'il ne payait jamais... Mais ce n'est pas les deux mille livres qui l'ont rendu riche...

– Moi, je pense que c'est pour te faire du mal. Il ne t'aime pas, il n'aime personne, il n'a jamais eu qu'une idée en tête, se débarrasser de ses enfants. D'abord Ahmed et Leilah, puis nous deux... Non seulement il se dispense de nous élever, avec les frais que cela comporte, mais en plus il y gagne de l'argent.

– Je voudrais le voir mourir. Qu'il souffre autant qu'il vous a fait souffrir.

Maman a tout dit. A présent je peux raconter mon cauchemar. Maman m'écoute horrifiée, chaque détail la fait pleurer pour nous. Maintenant seulement elle se rend compte de ce que furent tous ces jours, ces semaines, ces mois, ces années. Je n'en finis pas de raconter, un véritable fleuve. Jusqu'à l'arrivée de Nadia.

Je vais à sa rencontre pour la préparer au choc. Mais à peine a-t-elle entendu le mot « maman » qu'elle se précipite à l'intérieur avec Haney dans les bras. C'est à mon tour de les regarder, d'assister aux retrouvailles. De pleurer de les voir pleurer.

Haney regarde sa grand-mère avec hésitation. Cette dame en chemisier rouge, avec des cheveux... c'est étrange pour lui. Pauvre petit bonhomme, il n'a que deux ans, et n'a jamais vu d'Anglaise. Sa mère est comme les autres, comme moi, comme toutes les femmes du village... Comme Ward, qui prépare des boissons pour les « invités », sans mot dire, regard baissé.

Pendant que Nadia refait avec maman le même chemin de

paroles bousculées, avides, je réfléchis amèrement. Ce ne sera pas si facile de partir. Mon espoir est en miettes pour l'instant. Pauvre maman, elle n'a pas contacté les gens qu'il fallait, elle n'a pas fait le scandale qu'il fallait, que je réclame de toutes mes forces.

– Maman, il faut que tu alertes les médias. C'est la seule solution. Nous n'avons rien à perdre.

– Mais comment, avec quelles preuves ? Ton père a pris tous vos papiers... il m'a même repris la cassette que Mo lui avait volée...

– Je vais t'en enregistrer une autre. Et cette fois, je parlerai sans crainte, je dirai la vérité, tous les détails. Tu la donneras à ce monsieur Cantwell à Genève, pour qu'il la communique à la presse.

– Le gouvernement d'ici va nous faire des ennuis, Zana.

– Qu'il en fasse. Que les ennuis pleuvent sur la tête de tout le monde. Je veux que le monde sache que nous sommes prisonnières. Je veux aussi qu'on sache que nous ne sommes pas les seules. Il y a au Yémen des petites filles anglaises, je le sais, qui n'ont jamais revu leur famille. Qu'on a mariées ici de force, parce qu'elles avaient un père ou un oncle yéménite. Je veux un scandale maman...

Sans attendre, je prends mon magnétophone et monte sur le toit de la maison pour être tranquille. Le micro est petit, c'est dur de commencer. Par où commencer... Je ne trouve même plus les bons mots en anglais, et j'éclate en sanglots à plusieurs reprises. J'éteins le micro plusieurs fois, sans avoir pu dire le premier mot.

Devant moi il y a les montagnes, cette prison de montagnes. Je les fixe, en serrant les dents pour me calmer. Pour cesser de trembler, et parvenir à articuler enfin une phrase convenable. « Bonjour monsieur Cantwell... Je m'appelle Zana Muhsen... je suis anglaise... »

Le récit de six ans d'angoisse, c'est dur. Cette machination que mon père a mené à bien, j'en sais peu de choses. Des noms de gens, la somme payée, les papiers volés, les faux certificats de mariage. Je m'arrête régulièrement pour réfléchir, ne rien oublier. J'entends hurler les loups. Entendra-t-il hurler les loups monsieur Cantwell, là-bas à Genève... Il faut achever cette drôle de lettre chuchotée dans la nuit. Ma bouteille à la mer, dans ce désert noir.

« Monsieur Cantwell... Je ne veux pas rester ici, je vais me suicider, je préfère mourir que de rester ici. C'est pire que tout ce que l'on peut imaginer. Si vous voyiez les garçons, ceux que l'on appelle nos « époux », vous n'en croiriez pas vos yeux. Des enfants plus jeunes que nous. Je suis complètement pétrifiée de peur devant Abdul Khada, il me frappe quand ça lui plaît, même si je ne fais pas de mal. Il m'a forcée à enregistrer une cassette, pour dire que j'étais heureuse. Quand des journalistes viendront ici, comme je l'espère, pour nous poser des questions, il faudra nous emmener hors du village. Sinon les gens d'ici vont essayer de leur cacher la vérité, ils leur feront écouter la cassette de « l'heureuse » Zana. J'ai parlé sous la contrainte, il faut me croire. Abdul Khada dira aussi : “ Je lui ai offert des bijoux et de l'or. ” Je ne veux pas de leur or, je veux ma mère. Je ne porte pas leur or, je le lui ai jeté à la figure. Mon père doit être expulsé d'Angleterre pour nous avoir vendues. Abdul Khada est en Arabie en ce moment, il nous fait surveiller parce qu'il a peur. Ils ont tous peur. Mais ils payent tout le monde, même la police pour obtenir le silence. J'ignore comment ils ont réussi à faire tout ça sans encourir la moindre punition. Ils doivent être punis, pour nous avoir forcées au mariage, forcées à coucher avec leurs fils, pour avoir gardé nos lettres, et nous avoir battues et fait travailler si durement que nous en sommes malades. Faites attention, ils sont malins, ils ne veulent pas perdre. Pourtant cette fois je veux qu'ils perdent, je vous en supplie, je veux qu'ils aient honte. Dieu les punira au jour du Jugement dernier, mais moi je veux qu'ils soient punis aujourd'hui. Je veux rentrer en Angleterre, simplement chez moi. Je veux être heureuse. Si on ne me délivre pas, je me tuerai un jour. Ma sœur souffre encore plus. Je ne sais quoi dire d'autre. Maintenant c'est à vous, monsieur Cantwell, que Dieu soit avec vous, et prenez garde, ils ont menacé ma mère. S'il vous plaît aidez-nous, je vous en supplie, il faut nous délivrer. Au revoir monsieur Cantwell et bonne chance pour nous tous. Au revoir... »

Cela m'a pris deux heures, mais j'ai finalement réussi à enregistrer la précieuse cassette, qui va désormais contenir tous nos espoirs. En la remettant à maman, je lui demande de me promettre une chose.

– Ne l'écoute pas maman...

– Pourquoi ?

– Il y a des choses là-dedans que je ne t'ai pas avouées, je ne veux pas que ça te bouleverse, c'est inutile.

Ce que je n'ai pas dit concerne Abdul Khada, et les sévices qu'il m'a fait subir. Comme il me battait chaque fois que je refusais d'aller au lit avec son fils. Inutile que maman souffre plus encore à cause de ça.

– Cache-la dans ton sac, emporte-la, et fais-y bien attention, maman..Ne la remets qu'à monsieur Cantwell.

C'est extrêmement difficile de résumer ainsi six ans de vie. Les mots manquent pour dire exactement, pour faire comprendre la souffrance, l'humiliation. Et je me sentais si seule, là-haut sur ce toit, face à la nuit du Yémen. Cette nuit sinistre, désespérante, qui ne s'achève que pour vous replonger dans le malheur, dès l'aube.

Je dois aller chercher de l'eau. La présence de maman et de Mo en réclame davantage que d'habitude. Comme moi au début, elle ne se rend pas compte du labeur exigé pour obtenir de l'eau ici. Elle a si chaud qu'elle veut se laver sans arrêt.

Maman va rester deux semaines avec nous. Une semaine avec moi, une semaine avec Nadia. Elle ne veut pas sortir, rien ne l'intéresse au-dehors. Les femmes du village en revanche viennent en masse pour la voir. La maison ne désemplit pas.

Elles bavardent, se querellent, crachent par terre sous le regard incrédule de maman, qui n'a jamais vu cela. Certaines femmes ont fait un long trajet, juste pour exprimer leur sympathie, et lui dire combien elles trouvent terrible de perdre ses filles ainsi. Leur solidarité n'est pas feinte. Hélas, elle ne peut se traduire qu'en paroles. Les femmes n'ont aucun pouvoir. Seule Ward se tait avec obstination. Tout ce qu'elle peut faire en ce moment est de réprimer sa méchanceté naturelle en présence de ma mère.

Mon frère Mo est absolument furieux. Il voudrait tuer tout le monde. Notre père et Abdul Khada en premier. Il a la révolte de son âge, celle d'un adolescent élevé en Grande-Bretagne, habitué à la liberté, au droit. Je crois que s'il avait rencontré Abdul Khada en arrivant, les choses se seraient mal passées; or nous avons intérêt, en ce moment, à temporiser, aussi difficile que ce soit, et je dois le lui expliquer.

Pendant leur séjour ici, je dois aller au magasin du village plus souvent, pour me procurer de la nourriture fraîche. Salama a autorisé Nadia à demeurer avec nous. Mais lorsque ma famille s'en va pour Ashube, dans la maison de Gowad, Ward refuse de me laisser aller avec eux. Mon frère voudrait en discuter avec elle, cette interdiction lui paraît monstrueuse.

– Elle n'a aucun droit de faire ça Zana. Nous n'avons plus qu'une semaine à passer ici, envoie-la promener...

– Mo... Tu vas repartir avec maman... moi je dois rester ici, dans cette maison avec elle, pour combien de temps je n'en sais rien... encore longtemps. Si je désobéis... Abdul Khada...

– Quoi Abdul Khada? Il te battra? Je vais le tuer ce bâtard...

– Mo, sois raisonnable... c'est moi qui te le demande.

– C'est dégueulasse ici... regarde, les moustiques m'ont fait des cloques sur tout le corps... maman est malade tout le temps, c'est plein de mouches, et de saloperies de bestioles... Je refuse de vous laisser là. Il doit bien y avoir un moyen.

– Le seul moyen est que vous rentriez en Angleterre et que maman fasse ce que je lui ai dit. Aide-la Mo, elle a peur, aide-la à faire un scandale en Angleterre, c'est notre seule chance.

La tension de ces deux semaines est terriblement éprouvante, aussi bien pour Nadia que pour moi. Plus vite maman repartira en Angleterre, pour travailler à notre libération, et mieux ce sera. J'aurais bien aimé qu'elle reste pour mon accouchement... mais il est plus important qu'elle commence la lutte. Et aussi qu'elle s'en aille avant le retour d'Abdul Khada. Ce retour, je le crains.

– Maman, il faut t'en aller. Chaque jour compte.

– Je suis malade de ne rien pouvoir faire pour vous deux... malade Zana...

– Je sais. Mais plus vite tu seras sur place, plus vite nous sortirons de là et ne t'en fais pas pour nous. Nous avons attendu si longtemps que nous pouvons encore tenir. Ce ne sera plus pareil maintenant que nous savons ce que tu fais en Angleterre.

– Mais ce pays... c'est horrible de vous laisser là...

– Crois-moi, c'était encore plus horrible quand nous ne savions rien de toi.

– Comme tu as changé, Zana...

Oh! oui j'ai changé! J'ai avalé toutes ces années comme du poison, il s'est infiltré en moi, je suis une autre personne, une femme remplie de haine et de volonté. M'échapper. Je sais maintenant ce que veulent dire les mots « enfermement », « prison », « liberté »... Je devine les épreuves qu'il nous reste à subir. Cet enfant que je dois mettre au monde, et le deuxième enfant de Nadia..., la pression que nous allons vivre, jour après jour, les menaces, les promesses, les mensonges...

– Je suis forte maman...

Nous avons organisé leur retour : un taxi doit venir chercher maman et Mo, au village. Le matin du départ, je descends la colline avec eux, jusqu'à la route. Nadia a préféré rester à la maison, et dire au revoir à maman la veille. Elle n'aurait pas supporté l'émotion de cette séparation. Nadia est encore une enfant... un bébé comme dit maman. Mais un bébé de vingt ans, mère de famille.

Nous voilà sur la route, le soleil se lève, rouge, menaçant déjà de la chaleur du jour.

– Tu as la cassette...

– Je l'ai.

Des mots pour nous raccrocher à l'espoir.

– Je vais la faire connaître.

Il y a six ans, je disais au revoir à ma mère à l'aéroport de Heathrow et lui demandais : « Maman si je ne plais pas là-bas, je pourrai revenir tout de suite ?... » « Bien sûr Zana... »

– Au revoir maman...

Ils montent tous les deux dans la voiture, le chauffeur démarre, et je retourne en prison, sans un regard en arrière, sans me retourner une seule fois, sur le nuage de poussière qui s'éloigne vers le désert. Si je les regarde partir, mon cœur va lâcher.

Je m'effondre sur le lit en arrivant dans ma chambre, et j'explose enfin en un torrent de larmes. « Pourquoi, mais pourquoi... j'aurais dû monter dans la voiture, m'enfuir, faire un scandale à l'aéroport de Sanaa, exiger un avion, réclamer l'ambassadeur... l'asile politique, je ne sais pas moi... »

Pas de passeport, plus d'identité, je n'existe pas. Comment un fantôme pourrait-il prendre un avion pour rentrer chez lui ?

Trois jours après le départ de maman, Abdul Khada est de retour.

– Où est ta mère ?

– Repartie à Taez.

– Pour quoi faire ?

– Organiser son voyage de retour ! Elle rentre en Angleterre !

– On m'a dit qu'elle devait rester quelques mois ici.

– Elle a décidé de partir.

Il m'observe avec méfiance.

– Qu'est-ce que vous avez fait en mon absence ?

– Rien de spécial. Nous sommes restées ici.

– Je vais à Taez, il faut que je lui parle.

Il part et revient le lendemain, bouillonnant de colère, accompagné de Mohammed.

– Vous m'avez trahi ! J'en étais sûr. Ta mère a dit qu'elle allait tout faire pour que vous retourniez en Angleterre ! Je l'avais prévenue pourtant ! Qu'est-ce que tu lui as raconté ? Des mensonges ?

– Je n'ai rien dit, et ça ne te regarde plus.

Je devrais me taire, mais la tentation est trop forte. Nous allons partir, j'en suis sûre, maman va faire ce qu'il faut, alors au diable Abdul Khada !

– Je ne resterai pas longtemps ici, crois-moi, tu ne pourras plus m'empêcher de rentrer chez moi !

La gifle m'atteint en plein visage, de face, d'une violence meurtrière. Mais je l'encaisse sans bouger.

– Tu crois ça hein ? Tu as de la chance de porter un enfant, sinon je t'aurais battue si fort que tu n'aurais pas pu marcher pendant des jours !

Mohammed qui n'avait rien dit jusque-là ajoute froidement :

– Si ta mère veut te reprendre, elle devra payer pour toi, comme nous l'avons fait. C'est la loi.

Plusieurs jours durant je dois subir ce genre de persécution et de menaces.

« Tu ne t'en iras jamais d'ici... »

« Ta mère doit payer... »

Gifles et menaces m'indiffèrent.

– Je m'en fous !

L'accouchement approche, et il n'y a plus aucune chance pour qu'ils tiennent leur promesse. La visite de maman, son retour précipité vers l'Angleterre, représentent une menace pour eux. Tous les efforts obstinément fournis pour obtenir leur confiance sont annulés. Je les ai « trahis ». Il me reste la perspective effrayante d'accoucher ici, comme Nadia, comme Bakela.

Deux jours plus tard, seule à la maison, je perds les eaux. La quantité de liquide m'effraie. Je suis ignorante à ce sujet. Mon pantalon de coton est trempé. Je me change et monte sur le toit pour le laver. Les douleurs me saisissent dans le dos, et tandis que je frotte le linge, je m'aperçois que les vêtements que je viens d'enfiler sont tachés à leur tour. J'ai sali un deuxième pantalon... Je ne pense qu'à cela. Il va me falloir de l'eau à nouveau pour le laver... Alors je m'en vais au puits. En revenant, le bidon sur la tête, une atroce douleur me serre les reins. Le souffle coupé, j'attends sur le chemin, ne sachant trop quoi faire. Puis la douleur s'estompe et je repars. Arrivée à la maison, en bas de l'escalier, j'éprouve une autre douleur, encore plus forte. Je n'ai qu'une idée en tête : gagner le toit, remplir le réservoir et m'allonger par terre.

Je suis là depuis un moment, à m'asseoir et à m'allonger alternativement, ne sachant plus quoi faire de cette douleur, comment la diminuer, respirant comme un animal malade, seule, et complètement abrutie par la souffrance. Ward apparaît.

– Qu'est-ce que tu as ?

– J'ai perdu les eaux, j'ai mal.

Elle court aussitôt vers Abdul Khada dehors. Ses cris résonnent dans les collines. Puis ils viennent tous les deux me chercher et me descendent dans ma chambre.

Là, j'ai peur. Je vais accoucher, je le sens. Pourtant je ne crie pas comme les autres femmes, peut-être ai-je la chance de moins souffrir, je n'en sais rien. Cependant les douleurs se rapprochent, de plus en plus violentes, et me laissent à peine le temps de reprendre mon souffle. Je me mets à pleurer, j'étouffe. La vieille Saeeda est venue me réconforter. Sa main ridée tient la mienne, elle marmonne des litanies, me berce comme un bébé. Ward attend.

Il faut que je me lève, il faut que je marche, j'ai trop mal ; allongée sur ce lit, je respire avec difficulté. Me voilà en train de faire les cent pas, le dos plié par la douleur.

Les heures ont passé, la nuit est tombée, Ward et Saeeda ont éclairé la chambre avec les lampes à huile. Les ombres sur les murs, la fumée âcre, ces deux femmes qui attendent. Ward n'a prévenu personne d'autre. Habituellement, lorsqu'une femme accouche au village, on fait venir une matronne, qui a l'habitude, connaît les gestes nécessaires.

Je suis seule avec une belle-mère qui me hait, et une vieille qui ne peut pas grand-chose pour moi, elle est si menue, courbée, fragile. Elle déteste sa belle-fille qui la traite mal, et sa sympathie va vers moi. Elle n'a que sa main à m'offrir mais je m'y accroche à chaque poussée de douleur. Elle me fait du bien, calme attentive, silencieuse. A présent, elle guette dans mes yeux la prochaine souffrance et l'accompagne. Tandis que Ward est repartie dans la cuisine. La « putain blanche » qui accouche de son petit-fils ne semble pas l'intéresser plus que cela.

Il doit être plus de minuit, les douleurs ont commencé au début de l'après-midi, et cette torture n'en finit pas. Je ne crains pas de mourir, je voudrais seulement que cet enfant sorte de moi, qu'il s'en aille avec cette douleur effrayante. « Qui va couper le cordon ? » J'accouche comme un animal ici, comme une vache qui met bat dans l'étable. Mais les vaches savent se débrouiller seules. Moi je suis à la merci de cette mauvaise femme, et de sa lame de rasoir.

Ward est revenue et s'est endormie sur la banquette. La vieille est accroupie dans un coin, je suis allongée sur le sol. Il me semble que la douleur n'est plus aussi forte, il faut que je pousse, il le faut, cet enfant va mourir dans mon ventre si je ne l'aide pas. Je me mets à crier, et Ward se réveille.

– Il arrive...

– Mais non, tu es bête... il ne viendra pas avant demain... Tu n'as pas besoin de crier comme ça.

Tout mon corps me dit qu'elle a tort. Cette fois je retire mon pantalon taché à nouveau, et je pousse, les deux mains à plat, le torse à demi levé, j'ai du mal à ne pas glisser. Saeeda accroche une corde à la fenêtre et me tend l'autre bout pour que je m'y accroche. Par moment un réflexe me fait fermer les jambes, et Ward me crie de les ouvrir. Elle est furieuse après moi.

La tête du bébé a glissé, je l'ai sentie, et j'attends que Ward le prenne, coupe le cordon et me le montre comme je l'ai vue faire avec Bakela. Mais elle reste là, à genoux entre mes jambes, et se met à hurler :

– Abdul ! Apporte une torche !

Je ne comprends pas ce qui se passe, je ne sens plus rien, que la tête de l'enfant entre mes jambes. Je me mets à crier :

– Qu'est-ce qu'il y a ?

– Le cordon est enroulé autour du cou, je suis en train de le défaire.

Elle a répondu sans me regarder. Abdul Khada tient la torche au-dessus d'elle. Je ferme les yeux d'angoisse, et d'humiliation de le voir là. Mon ventre est comme une pierre silencieuse. Puis je sens quelque chose, et dans le peu de lumière, j'ouvre les yeux sur l'enfant. Il est inerte, elle le frappe pour qu'il crie. Le premier vagissement est faible, je me redresse pour la voir attacher ce qui reste du cordon ombilical à ma jambe, à l'aide d'un fil de coton.

– Pourquoi fais-tu ça ?

– Pour qu'il ne retourne pas à l'intérieur de ton corps. Maintenant il faut te lever, le placenta doit descendre.

J'obéis, chancelante, en m'appuyant sur la grand-mère. C'est à ce moment-là que je distingue réellement le visage de mon bébé. Elle l'a placé sur le lit, dans un chiffon, tout ensanglanté.

Mon bébé. Cette petite chose minuscule est à moi.

Une vague de tendresse et de fierté m'envahit. Puis aussitôt une vague de haine. Je pense à celui qui m'a fait cet enfant. Il n'est pas à lui, il ne lui appartient pas. Je voudrais pouvoir l'effacer d'un coup d'éponge, qu'il disparaisse à jamais de ma vie. C'est moi, et moi seule qui ai fait cet enfant.

Ward annonce triomphalement à son mari :

– C'est un garçon !

Il a l'air enchanté. A cette seconde, je voudrais le tuer sur place, en finir une fois pour toutes dans le sang. Le sang est partout, le goût dans ma bouche, l'odeur sur mon corps, et sur le bébé...

Ward l'emporte pour le laver, la grand-mère s'affaire à nettoyer le sol, autour de moi. Quelque chose ne va pas. Le placenta n'est pas descendu. Mais je suis si fatiguée que je m'allonge à nouveau par terre et Ward me recouvre d'une couverture. Abdul Khada m'observe narquois.

– Alors ? Nous avons ton souvenir maintenant. Plus besoin de toi ! Tu peux retourner en Angleterre si tu veux !

Son sourire est une injure. Ce qu'il dit, une monstruosité. Mais si je pensais seulement une minute qu'il dit vrai, je m'en irais sur-le-champ.

Les deux femmes m'obligent à me redresser, j'ai le vertige. Ward appuie sur mon ventre, sans ménagement, mais rien ne vient. Je ne peux plus tenir debout, il faut que je m'allonge, même si je dois en mourir, je veux m'allonger. Ward s'en va en disant qu'elle va chercher une femme au village pour l'aider. Abdul Khada sort avec elle, et je reste seule avec la vieille Saeeda.

– N'aie pas peur... n'aie pas peur.

Je n'ai pas peur. Mourir m'est complètement égal en ce moment. Je vais m'endormir, m'en aller, mes idées se brouillent je ne vois plus clair, le plafond danse, danse, danse...

Je n'ai plus la notion du temps.

On ne veut pas me laisser dormir, on me tire, on me soulève, on m'oblige à tenir debout. Des mains pressent mon ventre et la douleur est pire que celle de l'accouchement. C'est une femme du village, je sens ses doigts crochus fouiller l'intérieur de mon corps, s'y incruster. Elle veut arracher le placenta, et la douleur infernale me fait reprendre conscience. Le visage grimaçant sous l'effort, la femme transpire, une odeur âcre mêlée à la fumée des torches me donne la nausée. Elle en appelle aux djinns, aux génies, il faut que cette chose sorte de moi, sinon je vais mourir. C'est une sorte d'agonie que je vis, debout, durant une demi-heure, avec cette femme accrochée à mon ventre.

La délivrance vient enfin, me libérant de cette poche immonde et sanglante. Et soudain, je me sens propre. Elle me lave, puis lave le bébé, on m'apporte une nourriture que je suis incapable d'avaler. Je veux dormir. Seulement dormir. Ensuite je ne me souviens que d'une chose, on m'a réveillée pour nourrir l'enfant. Il faisait jour, je n'avais pas de lait, ce petit corps qui cherchait mon sein, m'a paru chétif, si minuscule, si fragile.

– Il faut l'appeler Mohammed!

Abdul Khada a décidé.

– Je l'appellerai Marcus.

Il hausse les épaules en riant. Sûr de lui. Mais ce prénom est une vengeance et il le sait.

Un jour Abdul Khada a raconté qu'il avait eu un enfant d'une mère anglaise, et en Angleterre. C'était un fils et il s'appelait Marcus, mais il ne pouvait plus le voir. Sa mère avait rejeté Abdul Khada. Mortifié, il n'avait qu'un souvenir à montrer de ce fils perdu. Une photo d'un enfant d'un an environ, beau comme un cœur, tout frisé avec de grands yeux noirs, et la peau mate, comme moi. Un joli produit du mélange des races. Mais de nationalité anglaise, et son père n'avait rien pu contre cela.

Chaque fois que je prononcerai le prénom de mon fils, Marcus, je réveillerai le souvenir de cet enfant, et l'humiliation d'Abdul Khada.

Je leur ai donné un enfant dont ils feront un Yéménite. Jamais ils ne me laisseront l'emmener en Angleterre. Ce garçon est la chaîne qu'ils voulaient me passer, la marque indélébile de ce qu'ils m'ont fait subir. La consécration du viol.

Je le berce en anglais, je lui parle en anglais, pour que les premiers mots qu'il entende de sa vie soient ceux de ma langue. Ce Marcus a, lui aussi, une mère anglaise. Je ne cesserai jamais de le leur dire. Même si le combat est désespéré.

Durant deux semaines, Marcus pleure, il a faim et je n'ai pas de lait pour le nourrir. J'ai beau presser, rien ne sort. Il me faut demander à Ward d'aller chercher du lait au village; grâce au ciel elle a également trouvé une tétine. Mais ici il n'y a pas de couches. Chaque fois que Marcus se salit, il doit être changé. Il est emmailloté dans des linges, et les lessives se font plusieurs fois par jour. Ward ne m'aide pas. Depuis l'accouchement elle n'a même pas balayé ma chambre. Le troisième jour j'ai dû le faire moi-même, tant la poussière était devenu insupportable.

Je pense à l'Angleterre, aux supermarchés remplis de produits pour bébé, aux paquets de couches, à l'eau de Cologne qui sent le bonbon. Aux baignoires de plastique bleu et rose, pour les baigner dans l'eau tiède, avec des petits canards qui flottent. Et les jolis petits vêtements d'éponge, de toutes les couleurs, les chaussons, les bavoirs... les petits pots à la fraise ou à la pomme...

Marcus n'a rien de tout cela, il dort dans un hamac accroché à mon lit, petit tas de chiffons qu'il faut préserver sans cesse des mouches. Je lave le hamac tous les jours, les chiffons plusieurs fois par jour, ce qui ne me dispense nullement des corvées habituelles.

Ils l'appellent tous Mohammed, obstinément, et obstinément je l'appelle Marcus.

– Tu n'as pas de père Marcus... tu n'es qu'à moi.

Heureusement, c'est un fils. Si je dois l'abandonner à ce pays, il n'en souffrira pas autant qu'une fille. C'est un véritable soulagement. Si j'avais eu une fille, j'aurais eu trop peur de ce qui l'aurait attendue. L'imaginer mariée à huit ou dix ans, livrée à un autre Abdullah, ou à un autre Abdul Khada...

Abdullah est toujours en Arabie Saoudite, il a appris là-bas que j'attendais un enfant et n'est pas revenu. C'est ce qu'il pouvait faire de mieux pour ma tranquillité.

J'apprends à écraser les *chapatis* dans du lait, et à nourrir Marcus du bout du doigt, par petites bouchées. Il ne pleure plus et, la nuit, j'ai trouvé la solution à mes insomnies... Le bercer, et rêver à l'impossible : un joli berceau anglais que nous n'aurons jamais ensemble.

Le 8 mai 1986, est né, en prison, à Hockail, un enfant de père inconnu, fils de Zana Muhsen, et d'elle seule.

Nous sommes deux prisonniers de plus au Yémen.

Recevoir des documents d'Angleterre, dans une grosse enveloppe avec des timbres anglais, est un bonheur sans égal. Le plus beau cadeau pour mes vingt-deux ans. Il s'agit de remplir des formulaires d'obtemption de passeport anglais. J'ignore ce que prépare maman, mais remplir ce papier ligne après ligne... nous fait éclater de rire toutes les deux. Quelque chose va se passer. Nous allons à nouveau exister en tant que citoyennes, Nadia a un fou rire presque hystérique.

Le docteur se charge de renvoyer les documents, et deux semaines plus tard, nouvelle demande de maman. Nous avons besoin de photographies récentes pour les passeports...

« Pouvez-vous aller à Taez pour les faire faire ? »

Tout notre bonheur s'écroule d'un seul coup. Comment peut-elle nous demander une chose pareille, après avoir constaté nos conditions de vie au village ? Ici personne n'a l'intention de nous emmener en promenade à Taez, ici nous sommes prisonnières. Je me rends compte avec amertume de la difficulté qu'il y a pour les autres, à l'étranger, de bien comprendre notre situation. Même notre mère s'est laissée abuser. Et c'est un peu de ma faute. Si je ne lui avais pas caché qu'Abdul Khada me battait au moindre prétexte. Et ceci serait un énorme prétexte. Il est même inutile de lui en parler.

Voilà, c'est fichu. Maman s'est imaginée que nous étions

libres de nos mouvements, susceptibles de faire quelque chose qui lui paraît à elle, normal, anodin... Alors tout s'écroule, toutes les étapes que nous pensions avoir franchies vers notre libération.

Que dirait maman, si elle savait que l'on ne m'a même pas prévenue que ma sœur accouchait pour la deuxième fois ? Elle a souffert pendant trois jours avant de mettre au monde un enfant si gros qu'il a l'air d'avoir six mois. En descendant à Ashube le lendemain de l'accouchement, je ne pensais pas découvrir cette petite fille aux longs cheveux noirs. Tina a donné bien du mal à ma sœur.

– Au bout de trois jours, les contractions sont enfin venues mais j'avais beau pousser il ne s'est rien passé pendant des heures. Le bébé ne bougeait pas. J'ai crié sans interruption pendant six heures. Toutes les femmes autour de moi étaient sûres que j'allais mourir, elles avaient peur et ne savaient absolument pas quoi faire. En fin de compte elles ont appelé la vieille qui pratique les excisions, elle a plus d'expérience que les autres. Elle a vu que je ne m'en sortirais pas toute seule. Alors elle a pris une lame de rasoir et m'a opérée.

– Opérée ? Avec une lame de rasoir ? Qu'est-ce qu'elle t'a fait ?

– Elle a agrandi l'ouverture pour que l'enfant puisse passer. Sinon nous serions mortes toutes les deux.

– Tu as mal ?

– Oui, beaucoup.

– Ils n'ont pas fait venir le médecin ?

– Si, mais quand il est arrivé la vieille avait déjà opéré et il est reparti sans m'examiner.

Notre docteur à Hockail aurait pu aider Nadia. Mais ici, il est hors de question qu'un homme examine une femme aussi intimement. On préfère la laisser mourir, que d'attenter à sa pudeur... Ces coutumes moyennâgeuses me mettent en colère. Une femme du village a eu un accouchement difficile un jour, par le siège. L'enfant ne voulait pas sortir, il est mort en elle, c'était horrible car on pouvait voir pendre ses deux jambes hors du corps de la mère. Notre docteur a été alerté trop tard. Il aurait pu sauver la vie de l'enfant, mais la famille ne voulait pas faire appel à lui. Honte. Plutôt la mort d'un enfant que de montrer son ventre à un homme...

Tina a subi l'excision, au quatrième jour de sa naissance, conformément à la tradition. Marcus aurait dû être circoncis au septième jour, mais il était trop faible. Il l'est encore. Il a deux mois, et en ce moment il ne veut plus manger et refuse toute nourriture sans exception. Je ne sais plus quoi faire, car par malchance notre docteur est absent du village. Il a pleuré quarante-huit heures sans interruption. Cette nuit dernière, alors que, désespérée par ces hurlements, je m'épuise à le bercer, Ward entre, mauvaise.

– C'est toi qui lui fais du mal, tu lui as jeté un sort pour qu'il pleure sans arrêt, pour qu'il soit malheureux. Tu l'as empoisonné !

– Sors d'ici !

Je suis toujours la « putain blanche » pour elle.

– Fiche le camp et laisse-nous tranquilles !

Si elle n'avait pas filé, je l'aurais fait sortir moi-même à coups de bâton. Je suis à bout de forces cette nuit, mais tenir Marcus dans mes bras, vingt-quatre heures sur vingt-quatre, ne va pas le guérir.

Le troisième jour, je descends en bas de la colline, dans la maison d'Abdul Noor.

– Écoute, Marcus est malade, il va mourir. Si tu ne m'aides pas, je loue une voiture moi-même et je l'emmène à Taez...

Je n'ai aucune chance de réaliser ma menace. Personne ne me louera une voiture en l'absence d'Abdul Khada, et sans argent. Mais je suis à bout et capable de n'importe quelle folie, même de partir à pied s'il le faut. Marcus va mourir, et tout le monde s'en moque.

Abdul Noor accepte de m'aider. Il s'est toujours montré relativement neutre à mon égard. Nous partons tôt le matin, comme d'habitude pour éviter la chaleur. Marcus gémit toujours, faiblement. Son petit visage chiffonné me fait peur. Je n'ai absolument aucune idée de ce qu'il peut avoir. Abdul Noor connaît l'existence d'un hôpital pour enfants à Taez, et nous y conduit directement.

Dès l'entrée, nous sommes confrontés à un véritable troupeau d'enfants et de mères, installés partout sur des bancs, ou assis par terre. Le bruit est infernal. Les enfants pleurent, les mères s'interpellent, cherchent à trouver quelqu'un pour les aider. Elles sont aussi perdues et désespérées que moi.

Personne pour nous renseigner, il faut attendre comme les autres, faire la queue... Il y a là des enfants gravement blessés, couverts de sang, d'autres brûlés, c'est effroyable. Tandis qu'Abdul Noor fait vainement le tour du bâtiment, à la recherche d'une indication, je dois attendre là, avec Marcus, durant des heures, femme voilée parmi les autres, mère angoissée parmi les autres. Jamais nous ne trouverons quelqu'un de qualifié ici pour examiner Marcus. Cet hôpital n'est que misère, et désorganisation totale.

Je ne sais plus au bout de combien d'heures, Abdul Noor réussit enfin à dénicher un homme en blouse blanche, un médecin. Il prend Marcus, l'examine un instant, me le rend sans explication, avec une boîte de médicaments.

– Donne-lui ça.

Et il s'en va, pour examiner un autre bébé. Je n'ai même pas le temps de protester, de demander de quoi il souffre, il est parti. Consultation finie, elle n'a duré que trois minutes.

Abdul Noor m'entraîne au-dehors, il faut repartir. Nous reprenons le taxi, et retournons aussitôt à Hockail. Et maman qui nous demandait des photographies...

Sous la surveillance d'Abdul Noor, je n'ai quasiment rien vu de Taez, encore dois-je le remercier de son aide exceptionnelle.

Le médicament est inconnu, j'ignore ce qu'il est censé soigner.

Pas d'autre choix que de forcer Marcus à l'avaler. J'écrase les pilules, pour en faire de la poudre, et lui mettre dans la gorge. Au bout de quelques jours, il semble aller mieux et ne pleure plus. Enfin les hurlements ont cessé. C'était à devenir folle. Mais il mange toujours aussi peu, il reste maigre, et faible.

Unique commentaire de Ward :

– Il est comme son père au même âge.

Je hais cette idée que mon fils puisse ressembler à Abdullah.

Depuis plusieurs mois, une rumeur courait dans la famille de Gowad, selon laquelle son épouse Salama allait le rejoindre en Angleterre, où il travaille. Depuis deux années, il s'efforçait de lui obtenir un visa. Elle avait un problème de santé, et ce voyage devenait de plus en plus nécessaire. Salama espère ce voyage, elle s'ennuie de son mari, absent depuis quatre ans, et serait ravie de s'installer en Angleterre, pour quelque temps, de guérir, puis de revenir au village.

La rumeur se concrétise et Nadia reçoit une lettre de son « beau-père », lui recommandant de ne pas s'inquiéter. Il lui promet que Salama reviendra bientôt... En attendant, Nadia doit rester seule à la maison, et s'occuper de toute la tribu d'enfants. Salama a deux enfants : Shiab le garçon âgé de neuf ans et Magida la petite fille de quatre ans. Avec Haney et Tina, la charge est lourde pour ma sœur, mal remise de son accouchement difficile. Magida est agréable et douce, rondelette, avec de jolis cheveux châtains, bouclés. Mais Shiab est un enfant insupportable. Il n'écoute personne, il est méchant, agressif, il bat Nadia chaque fois qu'elle le réprimande, et lui crie sans arrêt : « Je m'en fous. » Ce petit monstre promet, il refuse d'aller à l'école et a toujours une insulte à la bouche.

J'aimerais bien aider ma sœur, mais Ward, comme d'habitude, me refuse l'autorisation d'y aller.

– Tu négliges ton travail ici, et je dois prévenir Abdul. Je vais lui faire écrire une lettre.

La réponse arrive sous forme de brimade. Interdiction d'aller à Ashube jusqu'à nouvel ordre, et si je désobéis je serai battue au prochain passage d'Abdul Khada. Pour voir Nadia, je dois donc attendre qu'elle-même puisse venir d'Ashube à Hockail, et ses visites sont de plus en plus rares, étant donné le travail que lui donnent les quatre enfants, et les corvées domestiques qu'elle assume seule.

Depuis la visite de maman, qui nous a donné tant d'espoir, nous travaillons encore plus, nous sommes plus esclaves que jamais. Encore plus prisonnières. Et toujours abreuvées de mensonges et de promesses.

Gowad écrit à Nadia d'Angleterre et, à chaque fois, lui annonce le retour prochain de Salama. Il lui promet aussi que bientôt elle pourra le rejoindre en Angleterre avec son « mari » Samir et leurs enfants.

Samir, lui, travaille toujours en Arabie Saoudite. Il y passe une année, rentre pour quelques mois, et repart. Lorsqu'il est là, il parvient à maîtriser Shiab, son petit monstre de frère. Mais tout recommence dès qu'il a le dos tourné.

Nadia semblait croire aux promesses de Gowad. Mais les mois passent, et Salama ne rentre pas. Il est évident pour moi que ma sœur ne partira pas d'ici. J'ai entendu dire, chez Abdul Noor, que Gowad essayait d'obtenir un passeport anglais à Salama...

– C'est fichu Nadia. Il t'a menti depuis le début. Il te laisse là avec tous les gosses, pendant qu'il se débrouille pour faire rester sa femme en Angleterre...

– Mais je n'ai presque pas d'argent, il n'en a pas envoyé...

– Ouvre un compte à son nom chez l'épicier, et sers-toi !

– J'ai peur...

– Toutes les femmes d'ici font cela. L'épicier le sait...

Elle se résigne à adopter les méthodes locales. Mais je vois bien qu'elle souffre de cette trahison. Elle s'était un peu attachée à Salama, qui avait le mérite d'être une femme normale, sans méchanceté comme Ward. Or Salama l'a abandonnée sans remords. C'est elle qui profite de l'Angleterre, en ce moment. C'est elle qui est libre. Alors que Nadia connaît l'existence épuisante des femmes d'ici, surchargée d'enfants et de corvées. Elle doit même faire des travaux de couture sur une vieille machine, pour gagner un peu d'argent. Les enfants grandissent, il leur faut des vêtements, une nourriture convenable.

Des amis venus voir Samir en Arabie Saoudite lui ont reproché de laisser son épouse dans le dénuement. Comme il ne peut pas influencer son père et faire revenir sa mère, le voilà contraint d'envoyer un peu plus d'argent, pour améliorer la vie de Nadia.

On peut considérer qu'il est un meilleur « mari » qu'Abdullah. La première fois qu'Abdullah a vu son fils, il ne lui a manifesté aucun intérêt. Comme si cet enfant lui avait été imposé ainsi que sa femme. Il ne pensait qu'à repartir. Je le considère toujours comme un gamin, et il l'est. Son désintérêt ne me trouble pas. Lorsqu'il est là je l'ignore, et je le hais dans mon lit. Je m'efforce d'être invisible. Les rapports sexuels obligatoires m'ont transformée en pierre depuis le début. C'est exactement comme si rien ne se passait. Il y a un mur dans ma tête, de la glace sur ma peau. La haine est une protection redoutable. Ils la connaissent tous ma haine, le père, la mère et le fils. A cause d'elle, ils ne m'atteignent jamais. Je suis capable de manger en face d'eux sans les voir.

Marcus a un an, lorsque je reçois une visite inattendue : c'est mon frère Ahmed que j'ai à peine entrevu, une fois, il y a longtemps, en 1980. La veille de l'arrivée de Nadia. Par chance, ni Abdul Khada ni Abdullah ne sont au Yémen en ce moment. Ward m'appelle, en disant qu'un homme désire me parler. Je ne le reconnaissais pas.

– Salut... dit-il...

– Salut...

– Je suis ton frère Ahmed.

Je dois être saturée d'émotions, car il ne se passe absolument rien en moi. Rien. Seulement de la politesse.

– Entre, installe-toi... Tu n'as pas de bagages ?

– Non juste une chemise de rechange.

Une fois assis tous les deux dans ma chambre, mon petit univers-refuge, avec mes romans, mes cassettes et mon ancienne valise, vestige d'une liberté disparue... je le regarde enfin, et réalise. C'est Ahmed, mon frère aîné, ma famille... Cette fois nous pouvons utiliser la même langue et nous parler. Alors nous parlons, et j'apprends tellement de choses à la fois...

– Je ne savais pas ce qui se passait quand on s'est rencontré. Sinon j'aurais tenté de faire quelque chose... Comment ça se passe ici ?

Je lui raconte nos malheurs, bientôt sept années de malheur, la visite de notre mère, nos espoirs. Il pleure avec moi. Puis il raconte à son tour :

– Quand papa nous a laissés au Yémen, c'est notre grand-père qui nous a élevés, Leilah et moi. Ils ont marié Leilah à dix ans. Elle s'est habituée. Je crois qu'elle aimait son mari. Elle est restée avec lui quelques années, puis il est parti à l'armée, et il a été tué au combat. Alors la famille a obligé Leilah à épouser un autre homme qu'elle déteste. Il la bat, elle me l'a dit. Maintenant ils vivent à Aden, elle a trois enfants, et elle est enceinte d'un quatrième. Je ne l'ai pas revue depuis des années, mais j'ai parfois de ses nouvelles. Je crois qu'elle a ton caractère, elle résiste comme elle peut à son nouveau mari.

– Elle peut divorcer ?

– A Aden, les femmes ont le droit de faire condamner leur mari par la justice, si elles sont maltraitées. Elle a déposé une plainte, et le tribunal a déclaré à son mari que s'il ne se comportait pas mieux avec elle, elle aurait le droit de divorcer la prochaine fois... Alors il fait attention maintenant.

Ahmed a l'air triste, et désemparé. Son histoire ne vaut guère mieux que la mienne. Lorsque notre « père » les a laissés sur place, le grand-père travaillait au Koweit. Sa première femme, notre grand-mère donc, était morte, et il a laissé les deux enfants à la garde de sa deuxième femme. Une marâtre épouvantable, qui les a nourris de déchets, battus et obligés à travailler tout de suite.

– Elle nous envoyait dehors toutes les nuits, pieds nus et sans lumière, pour chercher du bois. On faisait des kilomètres quelquefois, pour en ramasser suffisamment. J'étais presque tout le temps malade. A treize ans, on m'a envoyé à l'armée. Il n'y avait pas assez de volontaires, et on recrutait des jeunes gens partout. Les hommes de la police faisaient des descentes dans les villages, et embarquaient tous les gosses, que la famille le veuille ou non. Quand ils sont venus chez nous, ils ne voulaient pas de moi, j'étais malade, mais la vieille les a suppliés pour qu'ils m'emmènent quand même. Elle voulait se débarrasser de moi. Je suis toujours dans l'armée depuis. La vie est dure. Mais je peux revenir de temps en temps au village en permission, et je gagne un peu d'argent. De toute façon, je n'ai pas le choix. Grand-père a refusé de me marier. Il ne veut pas payer une femme pour moi.

Comme il ressemble à notre père! Seul le regard diffère. Triste, doux, habitué aux brimades, à l'acceptation, la soumission. Il n'a connu que cela toute son enfance. Lui non plus n'a pas eu de jeunesse, et sa vie d'homme est amputée.

Quand je pense aux malheurs qu'a causé l'auteur de nos jours, je me demande pourquoi il a fait des enfants. Pas pour les élever en tout cas. Ni les aimer, ni les nourrir, ni les protéger de quoi que ce soit. Même les loups se conduisent mieux que lui.

– Je me souviendrai toujours du départ de notre père. Leilah hurlait pour qu'il revienne... Il a écrit parfois pour demander de nos nouvelles, je ne lui ai jamais répondu.

Ahmed est si fatigué qu'il s'endort en parlant. Je le laisse se reposer, pour aller puiser de l'eau, et chercher du bois, moi aussi dans le noir. J'imagine mon frère, à quatre ou cinq ans, faisant la même chose, terrifié. Plus de mère, plus d'amour, rien que la terreur d'un pays sauvage... Dieu, que de haine j'ai encore en réserve!

Dans la nuit, nous reprenons le fil de nos histoires.

– Tu te souviens de maman ?

– Non.

Je lui montre une photo qu'il contemple un moment. Sa mère... il n'en a aucun souvenir, c'est comme s'il n'en avait jamais eu. Quant à notre père, il le déteste autant que moi. Curieusement, le fait qu'il soit venu sans prévenir, et après la visite de maman, me rend soupçonneuse. Et si Abdul Khada, ou notre père, l'avait envoyé pour découvrir ce que nous préparons ? Je ne révèle donc rien de nos projets. J'ai appris à me méfier de tout le monde, même de mon frère. Les seules personnes en qui je puisse avoir confiance sont Nadia et ma mère. Bien que ce soit toujours à moi de les pousser à se battre.

Durant toutes ces années, j'ai lutté pour ma sœur, pour qu'elle résiste à l'environnement qui peu à peu menaçait de l'engloutir. Parler yéménite, vivre yéménite, travailler, subir comme une femme yéménite, quand on n'a que quatorze ans, que l'on est une enfant, tendre, influençable... Sans moi, elle aurait sombré. Ahmed ne connaît rien d'autre que son village et l'armée qu'il déteste. En quelque sorte, il est devenu yéménite contre son gré. Cela ne l'empêche pas de se rendre compte que nous ne menons pas, dans ces villages, une vie normale.

– Ils sont rétrogrades ici, c'est dépassé tout ça. Presque plus personne ne vit ainsi.

– Tu as vécu comme ça toi aussi.

– Parce que grand-père détestait notre père. Il a reporté sur nous tout le ressentiment qu'il avait.

Je commence à voir le vieillard aux cheveux blancs sous un autre jour. Et moi qui aurais tant voulu me confier à lui à l'époque.

Ahmed peut demeurer quelques jours avec nous, et je l'emmène voir Nadia à Ashube. Les villageois ne tardent pas à se méfier de lui. Une rumeur circule, d'après laquelle il serait venu pour nous aider à fuir. Or je sais parfaitement qu'il ne peut rien pour nous. Il n'a aucun pouvoir, pas d'argent, il est prisonnier ici, autant que nous le sommes.

Toujours informé du moindre mouvement au village, Abdul Khada m'écrit en nous avertissant de ne rien tenter. Tout en expédiant de l'argent afin que j'achète de la nourriture pour mon frère. Brute, geôlier, sous le couvert de l'hôte parfait. Ahmed s'en voulait de son côté de ne pas avoir pensé à apporter de la nourriture. Il y a si longtemps que je n'ai pas mangé une orange, ou une pomme. Nous sommes à court de fruits, et la sécheresse n'arrange rien. Du thé et du maïs, un poulet... c'est notre seul luxe.

Je respire un peu de parler à quelqu'un, de raconter la vie en Angleterre qu'il n'a pas connue. De lui décrire ses autres frères et sœurs. L'école, le rock, le reggae, la danse, toutes les joies d'avant qui ne sont plus.

– Un jour peut-être ils te laisseront partir, rejoindre maman...

Je ne réponds pas. Par méfiance, mais aussi parce que l'espoir me quitte lentement, comme on perd son sang en une hémorragie sournoise.

Jour étrange, ciel blanc de chaleur, Ahmed est chez Nadia. Je regarde Marcus allongé à plat ventre sur le linoléum de la chambre, jouant avec un morceau de plastique, lorsque j'entends du bruit à l'extérieur. C'est une femme, qui vient d'Ashube, essoufflée et en sueur sous son voile. Elle annonce d'une seule traite :

– Il y a ta mère au village avec des étrangers anglais.

Le cœur serré, je prends Marcus sous mon bras et me dirige vers la porte. Ward se met à crier :

– Où vas-tu ?

– Je vais chez ma sœur.

– N'y va pas ou ça ira mal.

– Je m'en fiche, j'y vais.

Et je me précipite pour descendre la montagne avec la messagère. Une demi-heure plus tard j'arrive devant chez Nadia pour me trouver nez à nez avec deux personnages inconnus. Un homme et une femme. On dirait des touristes bardés d'appareils photo. Je crie :

– Où est maman ?

La femme me répond :

– Votre mère n'est pas là. Nous sommes journalistes.

La messagère s'est trompée ; elle a vu des Anglais, dont une femme, et a cru que c'était ma mère. Nadia sort posément de chez elle, calme malgré tous les curieux accourus pour regarder les visiteurs.

– Ils sont journalistes, et ils sont venus nous chercher.

Je bondis de joie. Je m'attendais à rencontrer des émissaires de l'association de Genève, ainsi que maman l'avait laissé supposer. C'est beaucoup mieux. La presse anglaise, la presse de mon pays est là. Je suis en extase devant eux. Ils vont témoigner en rentrant, le plan entre en action, enfin! Enfin, maman a trouvé le moyen de nous faire sortir d'ici.

Nous entrons dans la maison de Gowad, bourrée de monde. La femme est reporter à l'*Observer* de Londres. Elle se présente :

– Eileen MacDonald. Voici Ben Gibson, notre photographe.

Je les dévore des yeux. Des Anglais. Eileen, blonde, cheveux courts, un visage à l'expression déterminée, pantalon et chemise, l'air d'une touriste. Ben aussi, l'air d'un touriste, mais comme s'il venait vraiment d'une autre planète, avec une tête de chasseur de papillons, sourire aux lèvres.

On me présente également une femme interprète, c'est elle en fait que l'on a prise pour maman au village. Et le chauffeur de leur voiture. Il porte un pistolet à la ceinture, et le tripote nerveusement, en regardant autour de lui. Des hommes du village le surveillent, certains armés de fusils.

– Eileen, nous avons tellement attendu. Vous nous emmenez? S'il vous plaît, partons, maintenant!

Elle me regarde avec calme, comme si je n'avais rien dit d'autre que « Bonjour comment allez-vous... » ou une banalité de ce genre. Nous parlons en anglais, mais devons rester prudents, et donner le moins de précisions possible, car certains de ces hommes en armes, dans la pièce, peuvent comprendre. Eileen s'adresse au chauffeur, à mi-voix et l'air de rien.

– Y a-t-il un moyen d'emmener les filles et leurs enfants à Taez avec la Jeep?

Le chauffeur semble tout à coup très embêté. Il vient seulement de comprendre qu'il a amené des journalistes jusqu'ici. Il conduit une Jeep de l'Unicef, et croyait convoyer des médecins, amis de maman, venus nous voir pendant leurs vacances au Yémen. Apparemment les journalistes ont bien manœuvré pour parvenir jusqu'à nous. La Jeep de l'Unicef, d'un blanc éclatant, est connue dans la plupart des villages de montagne. Elle sert à transporter les médicaments jusqu'au petit centre hospitalier de la province du Maqbana.

Le chauffeur discute avec mon frère Ahmed, qui lui raconte très vite notre histoire. Il secoue la tête négativement. Il aimerait bien nous aider, mais il a peur d'avoir des ennuis.

– Ils m'ont dit qu'ils apportaient des cadeaux, c'est tout. Je ne peux pas prendre ces filles... Si je les emmène, les hommes vont me tirer dessus.

– Ils n'oseront pas... dit Eileen.

– Même s'ils ne me tirent pas dessus, je n'irai pas loin. Je suis trop connu dans la région. Ils savent tous que je travaille à l'hôpital de Taez. Ils me retrouveront facilement. Ce serait un suicide pour nous tous que de les enlever de cette manière... Jamais ils ne nous laisseront franchir les montagnes.

Le regard des hommes en cercle autour de nous, leurs fusils, nous obligent à admettre qu'il a raison. D'ailleurs d'autres hommes arrivent, la pièce est pleine à craquer, tous les hommes disponibles du village ont été alertés de la présence d'étrangers dans la maison de Gowad.

L'un d'eux s'avance et dit en mauvais anglais :

– Qu'ils prennent les deux filles, mais pas les enfants!

La tension de cette situation me rend folle. Je nous voyais déjà libres, sur la route; il y a là une voiture, un chauffeur de l'Unicef, deux journalistes anglais... C'est la première fois que nous sommes si proches de la liberté. Je me mets à hurler :

– D'accord! Gardez mon enfant! J'ai été violée pour avoir cet enfant! Vous le savez tous! Alors gardez-le, gardez-le!

Nadia s'efforce de me calmer. Elle sait bien à quel point je désire partir d'ici, bien plus violemment qu'elle, et elle est si malheureuse de me voir dans cet état de furie, de m'entendre dire une telle chose. Abandonner mon fils! Elle ne supporte pas l'idée de quitter ses enfants, je le sais bien. Et le petit Haney accroché à la jupe de sa mère regarde tout le monde d'un air apeuré, il est en âge de comprendre.

J'ai osé leur crier à tous, à leurs faces sombres et menaçantes, mon enfant sous le bras, qu'il était le fruit d'un viol, et que j'étais capable de l'abandonner, pour les fuir.

Ils se mettent tous à parler et à crier en même temps, certains dressent le poing, menaçants. Le chauffeur porte la main à sa ceinture, et la femme interprète explique à Eileen que cela risque de mal tourner, il faut faire quelque chose.

– Quoi ?

– Leur distribuer du qat, ça les occupera un moment.

Ils ont apporté du qat avec eux, bonne précaution. Eileen est manifestement soulagée d'avoir de quoi désamorcer la situation. Le chauffeur fait circuler la plante miracle, et les hommes se calment effectivement. En quelques minutes, ils sont tous occupés à mâcher consciencieusement. Eileen me demande si nous pouvons parler à l'écart.

Avec Nadia nous les emmenons tous les deux à l'extérieur, et nous allons nous installer derrière une maison, sous une falaise abrupte. Là, accroupis sur le chemin, à l'ombre des vieilles pierres, nous ne serons entendus de personne. Ben, le photographe, prend rapidement quelques clichés. Un peu calmée, je dis à Eileen :

– On croyait que tout le monde nous avait oubliées. On attend depuis sept ans que quelqu'un vienne nous sortir d'ici. Je croyais que c'était vous!

– Je suis désolée Zana...

Elle est sincère, et je la trouve déjà étonnamment courageuse d'être venue jusque-là. Mais la déception est telle... Sept années... pour rencontrer des journalistes. Sept années de toutes les souffrances. J'ai de plus en plus de mal à vivre sur les nerfs de cette façon. Insomnie, maladie, angoisse, douleurs diverses, le médecin du village a beau me donner toutes les pilules qu'il peut trouver, je deviens folle parfois. Personne ne peut comprendre. Il faut vivre ici, dans la saleté, les mouches, la nourriture approximative, les corvées d'eau, de bois, il faut vivre dans cette misère morale...

– Ce n'est pas aussi simple de vous emmener, je le crains. Si le chauffeur avait pu coopérer... et encore, le risque est trop grand. Nous nous retrouverions tous en prison, sans avoir rien obtenu... Nous sommes venus en espérant au moins vous trouver, et vous parler. Mais vous sauver... il nous faut une aide officielle. Tout le monde dans ce pays a essayé de nous dissuader de venir dans cette province de montagne. A Taez, on nous a dit que les gens d'ici étaient des bandits, et qu'ils tuaient facilement les étrangers qui se mêlent de leurs affaires. On nous a dit aussi que le gouvernement n'a même pas réussi à recenser la population de cette région. Tous les recenseurs ont disparu, paraît-il. Personne ne voyage sans une arme dans ces montagnes, même pour une promenade, et les touristes n'y sont pas autorisés.

– Je sais, nous n'avons vu personne en sept ans.

– La grande difficulté a été de localiser les villages. Aucune carte, pas d'indications, et si nous n'avions pas engagé cette femme comme interprète, nous n'aurions même pas trouvé de chauffeur. La route est infernale.

Je le sais bien qu'elle est infernale, cette route. Mais je la ferais à pied si je pouvais.

Eileen a été surprise des changements brutaux de paysage. Oasis, arbres fruitiers, cours d'eau avec des martins-pêcheurs, et soudain plus rien, le désert aride, la montagne de rocaille.

– Une fois dans les montagnes nous avons enfin rencontré des gens qui avaient entendu parler de vous. Ils vous appellent « les tristes sœurs du Maqbana », parce que vous pleurez toujours. Ils sont parfaitement au courant de votre situation ici. Ils nous ont dit que les hommes du village ne vous laissent pas partir...

– Comment êtes-vous arrivés à Ashube ?

– Nous avons aperçu le village de loin et quelqu'un nous a dit que la maison de Nadia avait des portes et des fenêtres jaunes. Là j'ai compris que nous avions enfin atteint notre but. Nous n'avons jamais dit à personne ce que nous venions faire ici, bien sûr. Je crois qu'on nous aurait abattus avant même d'atteindre la route principale. Il paraît qu'il y a un camp militaire non loin d'ici. On nous a dit de faire vite avant que les soldats soient au courant. On dit qu'ils tirent avant de poser des questions... Maintenant il faut me donner le maximum de détails, nous n'avons pas beaucoup de temps.

– J'ai tout raconté dans la cassette que j'ai donnée à maman.

– La radio en a passé un extrait. Le *Birmingham Post* a publié un article, un journaliste est allé voir ton père pour recueillir son point de vue sur la question. Il a répondu qu'il « était très mécontent de votre comportement en Angleterre et qu'il avait voulu vous faire connaître la culture traditionnelle musulmane. » Il ne reconnaît absolument pas vous avoir vendues. Il était difficile de l'accuser sans preuves. Alors le journal s'est contenté de dire que vous aviez disparu « mystérieusement ».

« Mystérieusement... pour mille trois cents livres chacune. Le monstre... Nous faire connaître la culture traditionnelle musulmane... Viol et esclavage. »

Eileen me raconte encore que les journalistes doutaient de la véracité de l'histoire. Heureusement, le *Birmingham Post* a contacté l'*Observer*, et c'est elle qui a pris l'affaire en main. Toute cette publicité dans les journaux est un résultat, mais je ne pense qu'à une chose. Eileen et Ben vont repartir en nous laissant là. Cette idée m'est totalement insupportable. Il y a cette Jeep de l'Unicef, sur la piste avec un chauffeur... il faut trouver un plan qui nous permette de filer dès maintenant. Mon cerveau travaille à toute vitesse, je pense et parle en même temps :

– Et si on leur disait que maman est à Taez, qu'elle est malade à l'hôpital, et qu'elle vous a envoyés nous chercher parce qu'elle veut voir ses petits-enfants ?

Idée folle, mais dans cette situation folle, ça peut marcher.

– On va essayer.

Il est temps de toute façon que nous nous décidions à entreprendre quelque chose. Les hommes ont profité du qat, maintenant ils sortent de la maison, et s'agglutinent autour de nous. Il n'est plus possible de parler tranquillement. Je me décide à expliquer mon histoire au plus vieux du village, il hoche la tête en m'écoutant, puis :

– On va envoyer quelqu'un à Taez, pour voir ta mère. Si elle est vraiment malade, il reviendra vous chercher.

Maintenant il faut réfléchir encore plus vite. Je me tourne vers Eileen, et chuchote :

– Il faut que le journal paie le voyage à maman, qu'elle entre à l'hôpital de Taez...

– On n'a pas le temps, c'est impossible.

Ahmed cherche une autre idée. Il propose de faire intervenir des copains soldats pour intimider les hommes du village, provoquer une bagarre qui nous permettrait de fuir. C'est insensé, et irréalisable. Rien ne marche. C'est fichu. Ils vont partir. Le chauffeur s'impatiente, il a peur. L'interprète aussi craint d'avoir des ennuis. C'est une femme, elle a pris des risques elle aussi. Elle me conseille de ne pas provoquer les hommes du village :

– Si tu leur dis que tu vas t'en aller, ils vont t'emmener dans un village inaccessible, et on ne te retrouvera plus. Reste calme.

J'explose de colère :

– Calme ? Ne rien dire ? Mais on ne tient pas le coup ici, si on reste calme. Fuir c'est la seule chose qui nous aide à tenir, le seul rêve, et si on ne se le répète pas encore et encore on devient dingue !

Eileen promet :

– Dès que nous serons à Sanaa, nous irons à l'ambassade. Ce n'est qu'une question de semaines maintenant. Soyez patientes.

Je ne peux pas m'empêcher de lui répondre avec aigreur :

– La patience, c'est la seule chose dans laquelle on soit passé maître ici. Que croyez-vous que nous ayons fait pendant sept ans ?

La Jeep s'en va, c'est fini. Tout le village la regarde partir, et les gosses courent derrière dans la poussière, en criant. Nadia berce sa fille en pleurant. Je pleure aussi. Nous étions si près du but... Pour la première fois en sept années, j'ai eu le sentiment que j'allais bondir hors de ces montagnes. J'avais déjà pris mon élan. Mais les journalistes ne rapportent que des photos. Nadia est en robe bariolée, traditionnelle, à la musulmane, sa petite fille dans les bras. Et moi accroupie le long des vieilles pierres, en robe noire, voile noir. Je porte mon propre deuil.

Attendre. Patienter. Laisser filer le temps. A Londres, ce sera bientôt Noël. Les dates ici ne correspondent à rien. Parfois je dois faire un effort monstrueux dans ma mémoire pour situer les moments essentiels. La naissance des enfants. Haney, Tina, Marcus.

Ils nous tiennent prisonnières, bien plus efficacement que des chaînes.

La voiture n'est plus rien, même plus un nuage de poussière sur la piste que je regarde encore, bien au-delà des montagnes. Enfin je regagne seule le village de Hockail, en portant Marcus dans mes bras. Ahmed a décidé de rejoindre les journalistes à Taez et de me tenir au courant. Ils ont promis, plus que quelques semaines.

Mais j'ai Marcus dans les bras.

J'apprends la suite des événements, par une lettre de ma mère reçue quelques semaines plus tard. Après l'immense déception d'avoir vu repartir nos sauveteurs, une nouvelle bouffée d'espoir nous soutient, Nadia et moi.

Mon frère Ahmed a rejoint Eileen et Ben à Taez. Leur première visite fut pour le directeur de l'hôpital qui leur avait fourni la voiture et le chauffeur. Celui-ci a proposé de contacter le gouverneur de la ville, Muhsen Al Usifi, mais ce haut personnage étant en déplacement à Sanaa, le directeur n'a pu que renouveler sa promesse :

– Si le gouverneur est d'accord, elles pourront retourner chez leur mère. S'il veut entendre le point de vue des maris, il les fera convoquer d'Arabie Saoudite devant un tribunal. Elles devront alors demander le divorce... mais cela coûtera beaucoup d'argent, et l'affaire peut durer cinq ans... Il faut payer tout le monde ici. Les soldats que l'on enverra dans le Maqbana chercher les deux filles, les avocats, les juges...

C'est une histoire d'argent, depuis le début. Vendues, nous devrons encore payer pour notre libération éventuelle. Cinq ans de plus... cette seule idée nous replonge dans le désespoir. « Faut-il vieillir ici ? Jamais ! »

Eileen et Ben se sont ensuite rendus en avion à Sanaa, escortés par la police nationale, comme des fauteurs de troubles. Là, ils prirent contact par téléphone depuis l'aéroport avec le conseiller de l'ambassade, Jim Halley, qui les avait déjà aidés à leur arrivée au Yémen. Jim Halley vint lui-même les chercher pour les conduire à l'ambassade britannique, dans une Jeep blindée anti-émeute. Nous étions, semble-t-il, l'objet d'une véritable guerre... La Jeep a atteint les lourdes barrières métalliques qui protègent l'ambassade, le chauffeur a klaxonné, un planton armé a vérifié leur identité avant de manœuvrer les grilles. Eileen adoptait, avec ces gens, un comportement identique au mien. Elle se montrait volontairement agressive, et scandalisée que l'on supporte une telle situation, en tant que citoyenne britannique. Elle tenta tout ce qu'elle pouvait pour contacter les bons fonctionnaires, aux bons endroits. L'ambassade était extrêmement ennuyée par le fait que les deux journalistes soient surveillés de près par la police nationale. Cela n'était rassurant pour personne. Eileen et Ben ont obtenu la permission de passer la nuit à l'ambassade.

Leur plan était le suivant : Ben devait rapporter ses photos en Angleterre, les faire paraître dans l'*Observer* du prochain dimanche. Il devait également rapporter avec lui l'article qu'Eileen écrivit dans la nuit. L'ambassadeur et son conseiller estimaient plus prudent d'évacuer Eileen, avant que ne paraisse le papier en Angleterre. Si elle se trouvait encore au Yémen à ce moment-là, elle risquait tout simplement de ne plus pouvoir en repartir. On pouvait l'accuser d'espionnage, d'atteinte à la sécurité intérieure de l'État et la jeter proprement en prison. Le samedi matin, tôt, ils la mirent dans un avion, sous escorte.

Lorsqu'elle est arrivée à l'aéroport d'Heathrow à Londres, l'article était déjà dans les kiosques, notre histoire en première page, avec une photo de Nadia, dans sa robe longue et bariolée, « traditionnelle de la culture musulmane », aurait dit notre père... Elle portait Tina dans les bras.

Nous étions célèbres.

Ben et Eileen l'on échappé belle, car, ce que nous ne savions pas le jour de leur visite à Ashube, c'est que Gowad avait téléphoné au commandant militaire de la région du Maqbana pour l'avertir de la présence d'espions. Le commandant avait promis à Gowad d'intervenir, et peu s'en est fallu que les deux journalistes ne tombent dans un piège. Il était prévu de les faire arrêter dans l'après-midi même, mais la chaleur était telle ce jour-là que le commandant préféra reporter l'arrestation au lendemain matin à l'aube... Il n'imaginait pas que ces deux étrangers ne resteraient que quelques heures à peine sur son territoire, après un si long voyage... J'ai également entendu dire, plus tard, qu'ils avaient été arrêtés à deux reprises sur la piste en rentrant d'Ashube, par des hommes en armes, croyant que nous étions dissimulés dans la Jeep.

Ils avaient tous les deux mis leur vie en péril pour nous rencontrer, et je regrettais de m'être montrée si aigre avec Eileen. Toutes les rumeurs possibles et imaginables couraient à leur sujet. On savait maintenant qu'il s'agissait de journalistes et qu'ils avaient voyagé dans le Maqbana sous un faux prétexte. A vingt-quatre heures près, je pense qu'ils ne s'en sortaient pas. S'ils nous avaient emmenées encore moins. Ils auraient été accusés d'enlèvement, et ici on exécute facilement. Durant plusieurs jours, je n'ai rien su de ce qu'ils vivaient, et je mourais de peur qu'on les ait arrêtés.

La lettre de maman nous apporte d'autres bonnes nouvelles.

Non seulement notre histoire fait du bruit en Angleterre, car tous les journaux s'y intéressent désormais, mais les deux gouvernements sont mis en cause, et contraints de prendre l'affaire au sérieux face à l'opinion publique.

C'est la première attaque importante. Maman ne regrette qu'une chose et en souffre certains journalistes ont cru bon d'insister sur le côté sexuel. Viol à la une. Deux adolescentes violées au Yémen...

Je le comprends, mais c'est pénible. Que savent du viol ceux qui ne l'ont pas subi. Rien. Ils ne savent rien de l'humiliation, de la culpabilité que l'on ressent. On est sali à jamais, on voudrait ne plus le dire, ne plus savoir. Oublier. Même si le viol continue. Car rien n'est terminé pour nous. Tant que nous sommes prisonnières dans nos villages et « mariées », il continue. Être jetée en pâture de cette façon au public, c'est dur. Un prix de plus à payer pour obtenir de l'aide. Je n'y avais pas songé.

Je paierai ce prix. Car le dossier avance. Le gouvernement britannique avait préféré étouffer l'affaire, malgré les appels au secours de maman. Maintenant le secrétaire aux Affaires étrangères, et le secrétaire de l'Intérieur sont directement interpellés. Les journalistes leur ont créé un vrai problème diplomatique, qu'ils ne peuvent plus dissimuler. Eileen est un témoin oculaire, qui a rapporté précisément, avec talent et jusqu'au moindre détail, comment il était possible que deux adolescentes de mère britannique soient vendues par leur père et disparaissent au Yémen.

Comme toujours Abdul Khada est informé plus vite que les autres. Même en Arabie Saoudite où il travaille, il est en mesure d'avoir des renseignements sur le moindre événement, au moment même où il a lieu. J'imagine qu'il a des sources, ici et là en Angleterre, des amis qui lui téléphonent, lui communiquent toutes les rumeurs et les on-dit en vrac. Les hommes yéménites fonctionnent ainsi, comme un réseau, voyageant d'un pays à un autre, sans jamais perdre contact.

Lettre d'Abdul Khada ; en substance :

« Je sais que deux journalistes étrangers sont venus. Ils ne peuvent rien faire du tout, ne compte pas sur eux, et que Dieu te protège s'ils tentent quoi que ce soit. »

Curieusement, c'est la première fois que je n'ai plus peur de lui et de ses menaces. Plus peur d'aucun des hommes d'ici. Ils ne peuvent plus rien faire pour m'atteindre ou me blesser. Je me sens délivrée, au plus profond de moi. La liberté est proche, je la sens, j'ai l'intuition qu'elle ne va pas tarder.

Notre frère Ahmed nous rend visite à nouveau, il a quitté l'armée, mais cette fois il a eu énormément de mal à nous rejoindre. Les villageois l'ont dénoncé à la police comme un agitateur et un voleur ! Des choses auraient disparu lors de son dernier passage au village... Il arrive à la maison, en larmes, et épuisé.

– J'étais à peine arrivé à Ashube pour voir Nadia que les hommes m'ont encerclé. Sur ordre d'Abdul Khada, qui savait que j'étais en route. Je n'ai que le droit de vous dire bonjour. Je dois repartir directement ensuite. Ils m'ont carrément menacé. Si je n'obéis pas ou si j'essaie de vous aider, ils m'arrêteront.

Abdul Noor, notre voisin et frère d'Abdul Khada, vient d'ailleurs aussitôt contrôler la présence d'Ahmed. Il est moins agressif que les autres, mais de leur côté tout de même.

– Que vient faire ton frère ? Il veut vous emmener ?

– Pas du tout, il nous rend visite tout simplement. Il n'a pas l'intention de créer des ennuis. C'est mon frère, ma famille, il a quitté l'armée, et vient nous voir, c'est tout.

Le regard innocent, l'air calme, je m'efforce de ne montrer aucune agressivité, dans l'intérêt d'Ahmed. Abdul Noor me croit et lui donne l'autorisation de rester à la maison. J'ai suivi le conseil de la femme interprète, rester calme, ne pas montrer cette lueur de liberté qui brille en moi. Quelques jours plus tard,

Abdul Noor remonte à la maison, et apporte cette fois un message écrit d'Abdul Khada, ainsi qu'une cassette enregistrée par lui.

Je lis d'abord la lettre :

« J'ai reçu une copie de l'article de cette femme en Angleterre, tu dois écouter ce que je dis dans la cassette. »

Abdul Noor attend, je vais donc chercher mon magnétophone, et nous écoutons la voix du grand geôlier dans le petit haut-parleur :

« J'ai fait beaucoup de choses pour toi, et tu n'as aucune gratitude. Je pensais que tu étais heureuse, et que tu avais oublié ta famille. Je pensais aussi que tu avais enfin accepté le fait d'être mariée, et je m'apprêtais à t'autoriser à rendre visite à tes parents. Ta mère est une femme forte, c'est incroyable ce qu'elle a fait pour ses enfants, je la comprends. Si tu veux partir, fais-le moi savoir directement, et je te laisserai partir, librement. Mais tu devras laisser ton fils Mohammed. »

Il l'appelle toujours Mohammed, et moi toujours Marcus...

Je sais parfaitement, qu'il ne pense pas une seconde que j'abandonnerai Marcus. Il se croit tranquille en m'offrant la possibilité de partir. Ainsi si je reste ce sera de mon propre gré !

« Cet article ne t'apportera rien de bon, personne n'y fera attention. »

Il délire. Cet homme est paranoïaque. D'un côté il me propose la liberté, et flatte ma mère, de l'autre il brandit une menace à peine voilée. Ce changement de ton est réconfortant. Cela veut dire qu'il s'inquiète, que la situation évolue enfin en notre faveur, et qu'il est en train d'en perdre le contrôle.

Cette lueur de plaisir dans mon œil, il faut l'éteindre aussi, avant de regarder Abdul Noor en face. Il prend la cassette, la met dans sa poche. Une idée me vient.

– Est-ce que je peux la garder ?

En la faisant écouter aux hommes du village, je pourrai peut-être les convaincre de me laisser partir...

– Non. C'était juste pour que tu l'écoutes.

Je ne reverrai jamais cette cassette. Mais ça m'est égal finalement. Il ne s'agit que d'une intimidation maladroite. Il ignore que je ne le crains plus. Que je devine toutes ses astuces. J'ai vieilli, Dieu sait que j'ai vieilli toutes ces années, ici. S'il se montre serpent, je peux être serpent aussi. Je monte dans ma chambre pour écrire une réponse. Il attend que je lui dise : « Je ne laisserai pas Marcus... »

J'écris lentement, en m'appliquant, en bon anglais :

« Je veux partir, dis-moi quand je pourrai faire ma valise. »

Je ferme l'enveloppe, sachant très bien qu'Abdul Noor l'ouvrira, mais il faut jouer le jeu, et je la lui remets sans commentaire. Abdul Khada ne me renouvellera sûrement pas sa proposition maintenant qu'il sait que j'accepte ses conditions, cela me paraît évident.

Je file sur le sentier des femmes, pour voir ma sœur et lui raconter l'événement. Elle n'a pas l'air intéressée par mon récit. Il me semble que plus rien ne l'intéresse. Eileen a décrit le regard de Nadia dans son article : « des yeux morts ». C'est exactement cela. Un visage de statue, et des yeux morts.

– Parle-moi Nadia, qu'est-ce que tu penses de tout ça ?

– Rien. Rentrer à la maison ? Abandonner les enfants ici ? Tu sais que je ne pourrai jamais...

Je le sais, en effet. Il y a longtemps qu'elle a renoncé à se battre. Elle a accepté, et elle vit comme un zombi. Ils ont réussi à tuer en elle jusqu'à la plus petite parcelle d'énergie. Petite fille, ma sœur était si vive, si gaie. Ils ont assassiné la petite fille. J'ai devant moi un bloc de résignation, le si joli visage aux traits si pur, au sourire si charmeur, si tendre, s'est transformé en masque. Je m'efforce tout de même de ranimer une étincelle de rêve :

– Nous sommes bien d'accord, Nadia, la première qui peut partir d'ici laisse ses enfants à l'autre... La première qui regagne l'Angleterre se bat pour l'autre.

J'aimerais que ce soit elle la première. Je me sais capable de continuer à me battre, même ici et seule. Pas elle. Sans moi pour la stimuler, elle ne résistera pas. Mais cela, il est inutile de le lui dire.

Le lendemain, la voix d'Abdul Noor me parvient du toit de sa maison, en contrebas :

– Descends... il y a quelqu'un pour toi !

Le quelqu'un se nomme Abdul Walli, il est chef de la police, et Abdul Noor me prévient :

– C'est un homme très important. Tu dois lui témoigner beaucoup de respect, il a été envoyé par le gouverneur de Taez pour enquêter sur toi.

– Où est-il ?

– Il t'attend dans la maison de la famille de sa femme.

J'ai déjà entendu parler de cet homme, mais sans l'avoir jamais rencontré. On dit de lui qu'il est attentif à tous les problèmes des gens de la région. Mais avec nous, il ne s'agit pas d'un simple problème de culture, ou de troupeau.

– Qu'est-ce qu'il veut savoir ?

– Il est au courant de ton histoire. Les journaux anglais ont paru en Arabie Saoudite, en Lybie, partout... Le gouvernement veut savoir ce qui se passe, on lui a demandé de te chercher.

Ça n'a pas dû être compliqué pour lui, puisque la famille de sa femme habite le village... Abdul Noor m'accompagne au bas de la route vers leur maison. Mon voile est ajusté, comme toujours lorsque je dois aller au village et prendre le risque de me faire voir par des hommes inconnus.

La maison est pleine de monde, et Abdul Noor me dit d'aller dans la pièce réservée aux femmes et d'attendre.

– Je t'appellerai quand il voudra te parler.

La pièce réservée aux femmes est une véritable volière. Elles aimeraient savoir ce que peut me vouloir un homme aussi important, les questions fusent de tous côtés. Je voudrais tant qu'elles se taisent, j'ai besoin de calme. J'ai besoin de me concentrer sur cette entrevue si importante pour moi. Mais elles jacassent, jacassent... alors je les fais taire.

– Laissez-moi tranquille, ça ne vous regarde pas!

Il m'est arrivé souvent d'être dure, et aigre avec les autres femmes. Uniquement pour les faire taire et mettre un terme aux questions indiscrètes. Elles n'ont aucun sens de la discrétion et du respect de la vie d'autrui. C'est ainsi, et ce n'est pas leur faute.

Quelques minutes passent, dans un silence à peine teinté de murmures, puis Abdul Noor m'appelle. Je le suis dans une autre pièce, plus grande, plus confortable, réservée aux visiteurs masculins. Au fond, un homme est assis en tailleur, sur un coussin, vêtu comme un Saoudien d'une longue djellaba blanche. Il a retiré sa coiffe, et l'a posée à ses côtés. Des papiers sont étalés sur une petite table devant lui. L'homme est petit, et gros, avec des cheveux noirs et frisés, il est âgé d'une bonne trentaine d'années. Il a l'air important en effet, et dit poliment :

– Bonjour.

– Bonjour.

Il m'indique le sol, devant la table.

– S'il vous plaît, asseyez-vous.

Je m'assieds à terre, en tailleur comme lui, mais il me domine de la hauteur de son coussin. L'homme se tourne alors vers Abdul Noor et toujours poliment :

– S'il vous plaît, voulez-vous nous laisser seuls.

Il attend que l'autre ait quitté la pièce et refermé la porte pour commencer à parler :

– J'ignorais totalement votre situation dans ce village. Voudriez-vous m'en parler ?

Il y a bien longtemps qu'un homme ne m'a parlé aussi poliment... D'une seule traite, je fais le récit de notre histoire. Il réfléchit quelques secondes, puis se lance dans un discours d'explication sur les coutumes et mœurs de son pays et de sa religion. J'écoute en silence. J'attends la suite, le cœur battant.

– Avez-vous jamais songé à vous installer dans le mariage avec Abdullah ? Vous êtes mariée depuis de longues années, avez-vous ressenti de l'amour pour lui ?

– Non, jamais. Je le déteste et je n'en veux pas.

Je n'avais pas pensé que je pleurerais en répondant, mais c'est plus fort que moi, et il semble très gêné de cette émotion.

– J'ai vu votre sœur Nadia, avant vous, ce matin. J'ai eu avec elle la même conversation que j'ai avec toi en ce moment...

Il mêle le tu et le vous, mélange de culture.

– ... Elle m'a dit également qu'elle était malheureuse et voulait retourner en Angleterre, mais elle veut emmener ses enfants et son mari avec elle. Que pensez-vous de cela ?

Je me doute bien que Nadia n'a pas pu dire autre chose. C'est sa seule chance d'emmener Haney et Tina avec nous. Si elle rejette Samir, les enfants lui seront automatiquement retirés et confiés à leur père. Elle déteste Gowad et Samir autant que je déteste Abdul Khada et Abdullah. Mais, à cause des enfants, elle a toujours peur de montrer ses sentiments. J'en suis au contraire incapable.

L'homme reste assis, silencieux pendant un temps qui me paraît interminable. Il réfléchit, et j'attends respectueusement qu'il parle le premier, ainsi qu'on me l'a recommandé. Enfin, il se décide :

– Bien. Vous pouvez vous retirer. Au revoir.

Je me lève et quitte la pièce. Il n'a rien dit de précis, mais je suis certaine qu'en retournant à Taez, il va confirmer la version des journaux. Nous allons partir. Eileen avait raison, ce n'est plus qu'une question de semaines. Sept ans et quelques semaines supplémentaires, je ne suis plus à cela près. Je viens enfin de parler à quelqu'un d'influent dans ce pays, une personne bien plus puissante qu'Abdul Khada et tous les hommes de ce village.

Je remets mon voile et quitte la maison seule, pour remonter là-haut sur la colline. Au passage, Amina la femme d'Abdul Noor m'interpelle, pour savoir ce qui se passe.

– Mêle-toi de tes affaires !

Et je continue mon chemin, soulagée, délivrée d'un énorme poids. J'ai parlé, on m'a écoutée. Je ne leur appartiens pas, je ne suis ni de leur pays ni de leur culture.

L'Anglaise passe son chemin, grimpe la colline et retire son voile, pour respirer.

Ward et les deux vieux ne me posent pas de question. Ils savent qu'ils n'ont aucun pouvoir, que tout se passe en dehors d'eux, et que s'ils me posent une seule question, je leur répondrai avec insolence. Alors ils se taisent devant moi, et je me moque complètement de ce qu'ils racontent dans mon dos.

La vieille Saeeda a été la seule à se montrer affectueuse avec moi. Parce qu'elle était là tous les jours, et qu'elle a vu combien j'ai souffert et peiné, sous l'autorité mauvaise de Ward. Parfois elle disait pour me consoler : « Ne t'en fais pas, petite... Que Dieu soit avec toi. S'il pense que tu as raison et que ce que l'on t'a fait est injuste, il rétablira la vérité. »

« Dieu, peut-être, mais les hommes ? »

Aujourd'hui, il me semble que la vieille Saeeda a raison.

Nadia n'abandonnera pas ses enfants. Si on essaye de la séparer d'eux, j'ai peur pour elle. Quant à moi, je n'ai pas encore le courage de regarder les choses en face. Je raye de mon esprit l'idée de laisser Marcus derrière moi. Je refuse d'y penser maintenant. C'est une chose que je devrais faire, c'est inévitable, mais je refuse d'en souffrir à l'avance. Heureusement pour moi, il n'est pas encore en âge de poser des questions. Contrairement à Haney.

« Maman, tu vas me laisser ? »

Cela me brise le cœur, et j'imagine l'effet produit sur Nadia. Marcus, lui, baragouine à peine les quelques mots d'anglais que je m'efforce de lui apprendre. Dieu me protège, comme dit la vieille Saeeda, et fasse que si je dois abandonner mon fils, ici, il n'ait pas le temps de formuler la même question, avant que je revienne le chercher.

Deux jours après la visite d'Abdul Walli, les choses se précipitent. Le matin de bonne heure, alors que je suis déjà occupée à la cuisine, Abdul Noor vient me prévenir.

– On m'a demandé de vous emmener à la ville, toi et Nadia. Nous partirons demain matin à la première heure. Tiens-toi prête.

L'émotion fait trembler ma main au four, je contiens mal mon impatience.

– Pour quoi faire ?

– Quelqu'un veut vous voir.

« Qui est-ce quelqu'un, que nous veut-il, est-ce le gouverneur ? » Je n'ose pas poser la question de peur d'irriter Abdul Noor. Pourvu qu'ils nous laissent ensemble, Nadia et moi...

– Nous prendrons la même voiture ?

– Oui.

C'est la première fois depuis sept ans que nous allons voyager ensemble. Cette seule idée me paraît formidable.

– Et Marcus ?

– Non. Tu pars pour une journée seulement. Laisse-le ici. Nous serons de retour dans la soirée. Je t'attends en bas de la colline à cinq heures demain matin.

Il s'en va, sans me donner de détails supplémentaires. La journée est insupportable de longueur. La nuit infernale, impossible de dormir une seule seconde. Je ne cesse de retourner dans ma tête toutes les hypothèses. « Que va-t-il se passer ? Qui veut nous voir, pourquoi une journée seulement ? » Je compte les lézards au plafond, dans la pénombre. Marcus dort à mes côtés, si frêle, si maigre encore. Parfois je me demande s'il n'a pas hérité de la maladie de son père... Je repense à cette nuit d'horreur, lorsque pour la première fois on m'a enfermée ici avec Abdullah. A ce dégoût, cette humiliation qui n'ont cessé de me hanter. « Vendue. Qui de nos jours peut encore être vendue ? » On m'avait appris à l'école que l'esclavage était fini, que chaque être humain a des droits imprescriptibles.

A quatre heures du matin, Ward vient chercher Marcus et me tend le costume de ville. Une sorte de châle noir m'enveloppant des épaules à la taille, un voile, une chemise longue, et des jupons noirs recouvrant les jambes jusqu'aux pieds. Je porte en dessous le pantalon de coton habituel. Abdul Khada a ramené un jour ce costume d'Arabie Saoudite, je ne l'ai pas mis souvent. Ainsi vêtue, je ne laisse plus voir que mes yeux. Nadia porte une tenue identique, mais fabriquée au village. Malgré l'épaisseur de tous ces vêtements, les uns sur les autres, nous supportons la chaleur. Question d'habitude : être une femme arabe, dans un pays arabe. Les chaussures sont toujours les tongs en caoutchouc, dont la lanière craque régulièrement et qu'il faut remplacer chaque mois.

Je descends la colline face à la nuit et au silence. Le soleil n'est pas encore levé, c'est l'heure où les animaux de la nuit se taisent, et où ceux du jour ne sont pas encore éveillés. Le châle, la chemise longue et les jupons flottent autour de moi à chaque pas. J'aperçois de loin la torche d'Abdul Noor qui m'attend devant sa maison en dessous. Je connais parfaitement ce sentier, mais j'ai peur de trébucher avec tous ces jupons.

Il vient à ma rencontre, et ensemble nous descendons l'autre colline, qui mène à la piste où la Land Rover est garée. Une voiture qui peut transporter douze personnes, mais ce jour-là il n'y a personne d'autre que nous. La route jusqu'à Ashube se fait en silence, Nadia nous attend, debout sur le chemin et seule dans le noir. Elle monte à mes côtés, je me crois dans un rêve.

– Je n'arrive pas à y croire. Tu verras qu'en fait nous n'irons nulle part. On est là assises dans cette voiture, ça va durer quelques minutes et quelqu'un va tout gâcher, en nous disant de retourner au village, dans cette horrible maison.

– Calme-toi... Il n'y a pas de raison.

Personne ne vient nous arrêter et la Land Rover continue son chemin cahotique sur la route déserte, les phares dessinant des arcs dans la nuit à chaque virage. Nous approchons de Taez au moment où le soleil commence à poindre à l'horizon. Un soleil ocre et rouge, qui baigne la ville à nos pieds, d'une lumière étonnante. Le bleu de la brume venue des montagnes alentour, l'or sur les nuages lointains... jamais je n'avais vu cette ville ainsi. Un bijou lumineux d'espoir formidable.

La Land Rover emprunte la route qui descend du djebel Sabir, entre des champs de qat.

Nous ne nous sommes encore arrêtés nulle part, nous n'avons pas posé de question, mais dès que la voiture s'engage dans la banlieue, je demande avec un peu d'impatience :

– Mais où allons-nous ?

– Chez quelqu'un. Quelqu'un d'important.

Les hommes aiment bien entourer leur propos de mystère ici. Les femmes n'ont pas besoin de savoir où on les emmène, et ce que l'on va faire d'elles. Je suppose que cela leur donne le sentiment d'avoir un peu plus de pouvoir sur nous.

D'où que l'on soit à Taez, on contemple une montagne recouverte de maisons, et dominant la ville. Vue d'en bas, dans la chaleur, le bruit, la poussière et la saleté des rues du centre, cette montagne paraît toujours sereine et calme.

Le chauffeur de la Land Rover continue de rouler bien au-delà des petites rues des bas quartiers, comme s'il se dirigeait tout droit vers la montagne d'en face. Effectivement nous commençons à grimper et nous voyons le toit des maisons. La route est maintenant lisse, et le paysage magnifique. Partout des maisons superbes, parfaitement conçues et décorées. Un monde bien différent du reste de la ville qui s'étend à nos pieds, une planète différente des collines et des villages misérables du Maqbana. La voiture prend des virages aisés et larges, passe le long de hauts murs, et nous apercevons parfois, grâce à un portail entrouvert, de splendides jardins. Je n'avais jamais vu ici de telles maisons, si grandes, si belles, de vrais petits palais. Les fenêtres sont entourées d'arceaux blancs, sur la pierre brune, avec leurs ornements de stuc, comme des dessins d'enfants, superbes de proportion et de naïveté.

Au bout de la rue, la voiture s'arrête devant la plus belle des maisons, construite à même la montagne, juste au-dessus de nous, et entourée d'un mur immense. On dirait un palace rouge, aux vitres couleur d'arc-en-ciel.

Nous sommes devant un énorme portail d'acier.

Abdul Noor descend de voiture et appuie sur le bouton d'un interphone. Un policier armé apparaît, ils parlent un instant, et le grand portail s'ouvre devant la Land Rover, pour nous permettre de nous garer dans une cour intérieure.

C'est un spectacle extraordinaire pour nous qui vivons depuis tant d'années, quasiment au Moyen Age. Nous montons maintenant un escalier menant à une grande porte de bois, d'un blanc immaculé. Une femme nous ouvre, en costume traditionnel, et nous guide le long d'un couloir. Nous passons plusieurs portes, jusqu'à une vaste salle meublée de sofas et de chaises, des rideaux aux fenêtres, du papier peint aux murs, ainsi que plusieurs petits meubles, commode, coiffeuse, buffet, et dans un coin un immense écran de télévision clignotant, mais privé de son.

Jamais nous n'avons vu un tel luxe. La femme nous invite à nous asseoir et à retirer nos voiles. Elle me semble très jeune, moins de vingt ans, un air enfantin encore, calme et douce. Elle est luxueusement vêtue, tissu chatoyant pour la robe, or sur le pantalon, bijoux étincelants aux oreilles, et aux bras.

– Je suis la femme d'Abdul Walli, vous êtes ici dans l'une de nos maisons. Voulez-vous prendre le thé, du café, de l'eau minérale ?

Nous choisissons timidement l'eau minérale.

Cette femme nous est totalement inconnue. Sa famille habite

Hockail, puisque son mari m'a déjà interrogée chez eux, mais nous ne l'avons jamais rencontrée. Jolie, assez petite, richement vêtue, elle sert les boissons, et disparaît à l'arrivée de son époux. Abdul Walli est toujours vêtu de sa longue djellaba blanche, il avance avec aisance, suivi par Abdul Noor, humble, et obséquieux.

– Bonjour... je suis sûr que vous vous demandez ce qui vous arrive ? Eh bien voilà, j'ai exposé votre problème au gouverneur de Taez et il a demandé que l'on vous fasse venir, afin d'examiner les possibilités d'arranger votre problème. En attendant reposez-vous.

Et il repart, toujours suivi d'Abdul Noor. Même si j'en avais eu le temps, je n'aurais su quelles questions poser. Il valait mieux garder le silence et attendre. La femme est venue nous rejoindre, très courtoisement, avec une nurse et un petit garçon, pour nous faire la conversation. Nous apprenons ainsi que, devant sa maison, les policiers soumis aux ordres de son mari se réunissent à certaines heures pour mâcher le qat... Elle nous explique encore combien son mari est occupé, pris par ses fonctions et qu'il n'est presque jamais à la maison... Le petit garçon qui joue, la nurse qui le surveille, et nous qui attendons, le dos raide, de savoir qui va nous manger et à quelle sauce.

– Connaissez-vous ma famille à Hockail ?

– Non. Je ne suis allée qu'une fois dans votre maison, il y a deux jours.

– J'espérais que vous me donneriez des nouvelles...

– Je pense que tout le monde va bien.

Cette conversation mondaine, à un moment pareil, me démonte un peu. Nadia et moi avons complètement perdu l'habitude des relations humaines normales, en fait. Cette femme est la première à qui je parle sans arrière-pensée, ni acrimonie, ni haine, et de choses totalement anodines. J'éprouve un curieux sentiment d'irréalité. Tout m'a semblé irréel depuis ce lever dans la nuit, ce voyage à deux, la ville, cette maison superbe.

La femme nous laisse seules un bon moment, puis revient avec une domestique et un repas pour nous. Elle étale une nappe sur le sol, y dépose des assiettes, des fourchettes et des couteaux. Jamais je n'ai vu tant de nourriture en un seul repas. Du riz, du bœuf, du poulet, des sandwichs, de la soupe, des fruits, et une montagne de gâteaux inconnus et de toutes sortes. Le luxe insensé de cette maison est un dépaysement total. Nous aidons ensuite à débarrasser, puis nous nous asseyons à nouveau sur un sofa, pour attendre. Nadia n'a presque pas parlé. Je me suis contentée d'apprécier par politesse, et sincèrement, ce repas exceptionnel.

Le soir tombe, et Abdul Walli réapparaît.

– Vous allez rester chez nous pour la nuit.

– Et nos enfants ? Nous devions être de retour ce soir...

– Ne vous inquiétez pas pour les enfants. Vous pouvez passer la nuit ici.

Nadia a confié Haney et Tina à une voisine, Marcus est avec Ward. Abdul Noor a disparu, je suppose qu'il est retourné au village prévenir que nous restions à Taez. Peut-être devrais-je me méfier, mais quelque chose dans l'assurance et le comportement de cet homme me donne confiance. Il s'occupe de notre cas, c'est sûrement long et compliqué. Nous rentrerons demain, très certainement. Et puis cette maison est reposante, moderne, tentante. Nous regardons la télévision tout le reste de la soirée, confortablement installées sur un canapé, buvant du thé, mangeant des petits gâteaux délicieux. C'est le paradis tout à coup.

Puis Abdul Walli nous fait passer dans un salon encore plus spacieux, et luxueusement meublé, probablement son bureau, et j'aperçois... un téléphone ! Cette chose que je n'ai pas vue depuis des années. Un téléphone... je n'en crois pas mes yeux.

– C'est un vrai ?

Abdul Walli sourit de ma naïveté.

– Bien sûr, c'est un vrai.

– Vous pouvez le décrocher et appeler n'importe où ?

– Évidemment.

Je ne peux plus détacher mes yeux de cet instrument magique. Une idée fixe : décrocher et appeler maman... Nous discutons avec notre hôte, et je ne pense qu'à ça. Il raconte ce qu'il sait de la campagne de presse de maman, des articles dans les journaux anglais. J'écoute dans le brouillard, je rêve devant l'appareil, posé sur une table, si proche et si inaccessible. J'en suis malade. Soudain une question précise :

– Vous voulez toujours quitter le Yémen ?

– Oui, je veux rentrer à la maison.

Sur le ton léger de la plaisanterie, il ajoute :

– Supposons que vous viviez ici en ville, cela changerait-il vos sentiments ?

– Non. Je veux simplement rentrer à la maison.

Il ne fait pas de commentaires, et retourne aux généralités, la presse, le contenu des articles, les photos... comme s'il faisait le bilan d'une exposition, tandis que j'observe toujours ce maudit téléphone, noir et silencieux dans son coin.

– Mais si vous restiez en ville ? Avec vos enfants, pour y vivre, ça ne suffirait pas ?

– Non.

Il revient à la charge à plusieurs reprises, jusqu'au moment où je m'énerve et deviens agressive.

– Vous voulez rentrer ça dans votre grosse tête, une fois pour toutes ? Je veux rentrer chez moi. Je refuse de rester ici. Et je veux que ma mère continue à faire ce qu'elle fait, jusqu'à ce que nous puissions enfin partir ! C'est clair !

Nadia baisse les yeux, elle a toujours peur quand j'agresse les gens. Abdul Walli hoche la tête, et réfléchit un instant, puis se lance dans une patiente explication, selon laquelle, tous les efforts de maman pour attirer sur nous l'attention des médias ont mis le gouvernement yéménite en difficulté.

– Le gouvernement est très fâché de tout cela. Cette histoire prend des proportions qui m'embarrassent énormément.

– Je m'en fiche complètement. Nous avons besoin de cette publicité, et les gens doivent savoir la vérité. La vérité est que nous voulons rentrer chez nous depuis sept ans, et qu'on nous retient ici de force, contre notre volonté. Personne, aucun gouvernement n'a le droit de faire ça. Nous sommes allées trop loin maintenant pour reculer, ou abandonner, en échange d'un peu de luxe en ville...

Il se tourne vers Nadia.

– Êtes-vous d'accord avec votre sœur ?

– Oui, je suis d'accord avec elle.

La petite voix douce de Nadia a dit cela tranquillement et fermement. Quant à moi, je n'ai aucunement l'intention de me laisser marcher sur les pieds par cet homme, et de me fatiguer à écouter ses arguments. J'en ai marre de lutter contre les hommes yéménites. Marre. Radicalement. Depuis que je suis dans ce pays, j'y ai usé mes nerfs, ma santé, mon courage. Lutter pour avoir une personnalité, lutter pour survivre, pour manger, lutter pour demeurer un être humain. Je sais comment leur esprit fonctionne. Ils cherchent à abêtir les femmes. Pas d'école, pas de modernité, les réduire aux tâches quotidiennes, les envoyer dans les champs, puiser de l'eau, ramasser le bois, surveiller les troupeaux en plus de faire la cuisine et s'occuper des enfants et finalement accepter leur présence au lit comme un don du ciel ? Ils s'en tirent à bon compte. Et ils arrivent toujours à leurs fins, en refusant de nous écouter, ou en faisant semblant de ne pas comprendre nos problèmes. Aujourd'hui, nous ne sommes plus très loin d'atteindre notre but, la fuite est proche, je le sens, pas question d'abandonner maintenant, même devant ce grand ponte. En plus, la proximité de ce téléphone me rend dingue. Dire que je pourrais décrocher et parler à maman, comme ça, par magie, et que je ne peux même pas faire un pas vers l'appareil.

Abdul Walli nous salue pour la nuit, et on nous reconduit au premier salon. Là on nous donne des nattes pour nous coucher. Le sol est recouvert de tapis, et c'est assez confortable. Allongées côte à côte, nous chuchotons encore dans le noir. Obsédée par le téléphone, je fais des plans dans ma tête. J'ignore comment obtenir une communication internationale. Et dans ce pays, ce doit être long. Aucun espoir d'avoir assez de temps. Si cet homme était normal, il l'aurait proposé de lui-même. Comment peut-on priver des enfants de parler à leur mère, alors que ce serait si facile ? Je n'en peux plus de ces interdictions. Plus le but se rapproche, et moins je suis calme.

Le lendemain matin, rien ne se passe. Nous traînons dans cette maison, inactives, délaissées, sans aucune information sur notre sort. J'imagine qu'Abdul Noor va revenir nous chercher et nous ramener au village... Cette séparation d'avec les enfants ne me plaît pas. Que quelqu'un bouge au moins, propose une solution ! Enfin le maître de maison apparaît, et déclare :

– On va vous amener les enfants.

– Quand ? Nous les voulons maintenant.

– Ils arriveront dans les prochains jours.

Je n'obtiendrai pas de détails supplémentaires. Toujours leur goût du mystère. Maintenir les femmes dans l'incertitude.

– Comment vous entendez-vous avec Ward, votre belle-mère ?

– Très mal. On se déteste. Elle est odieuse avec moi, insultante, et me fait travailler du matin au soir. La plupart du temps à des tâches complètement inutiles.

Il semble écouter et comprendre, toujours calme et courtois. Puis s'en va. Et toute la journée, nous vivons au rythme de ses allées et venues imprévisibles. Il vient discuter un moment, repart je ne sais où, s'occuper de ses affaires et revient. Chaque fois avec une question qu'il a déjà posée, ou un argument déjà exprimé. Nous passons une nouvelle nuit dans le salon, toutes les deux, et le lendemain, troisième journée de notre séjour chez lui, je décide d'obtenir de plus amples informations sur ce qui se trame. Je me doute qu'il va esquiver, mais je me dois d'attaquer.

– Bon. Nous ne voulons pas retourner au village.

– Vous n'y retournerez pas.

La réponse me prend au dépourvu.

– Comment ? Vous voulez dire jamais ?

Il sourit.

– Vous avez ma parole.

Durant quelques secondes j'ai du mal à reprendre mon souffle et à encaisser la nouvelle.

– Et pourquoi ?

– Parce que vous n'avez pas besoin d'y retourner. Vous pouvez habiter ici, à Taez, pendant quelque temps.

Ça... j'ai du mal à y croire. « Où est le piège ? » Si c'est vrai, c'est un rêve. Une nouvelle étape, et non la moindre. Depuis mon séjour à Hays, loin de Nadia, je ne pensais qu'à vivre près d'elle, et cet espoir s'est réalisé. Maintenant nous sommes à Taez, ensemble, loin du village, la prochaine étape c'est l'Angleterre...

Abdul Walli me devient sympathique. Il a promis que les enfants allaient nous rejoindre, il nous permet de rester ici, loin d'Abdul Khada, de Ward et de la misère des montagnes. De plus il se montre paternel, compréhensif, malgré une certaine agressivité de ma part, et je n'ai plus l'impression qu'il me cache quoi que ce soit. Nadia a confiance elle aussi, je la vois rassurée, détendue, il ne lui manque que ses enfants, et la vie serait presque agréable, en attendant de rentrer chez nous. Puisque cet homme nous prend sous sa responsabilité, nous sommes à l'abri, en tout cas, d'une intervention d'Abdul Khada. Il est le chef de la police de Taez, ce n'est pas rien.

Ce que j'ignore, à ce moment-là, c'est que la police de Taez pendant ce temps interroge le directeur de l'hôpital, le chauffeur, l'interprète, tous ceux qui ont eu affaire de près ou de loin avec Eileen et Ben, dans le but de leur faire dire s'ils savaient ou non que ces gens étaient journalistes. Donc s'ils ont délibérément coopéré avec « l'ennemi » en somme.

Ma seule préoccupation est qu'Abdul Walli a tout de même des pouvoirs limités. La décision finale ne lui appartient pas, il applique les consignes du gouvernement.

Il nous fait comprendre que nous devons signer des papiers pour que les enfants nous rejoignent. Les lettres sont adressées « A qui de droit ». Dans ces documents, nous reconnaissons publiquement être mariées, en bonne entente, demeurer actuellement à Taez, et ne pas avoir de problèmes particuliers. Abdul Walli nous présente cela comme un formulaire administratif destiné à nous confier la garde des enfants. Moyennant notre signature, Haney, Tina et Marcus seront là à la fin de la semaine. Alors nous signons. D'une part parce que nous voulons récupérer les enfants le plus vite possible, et d'autre part parce que nous avons décidé d'avoir confiance en cet homme. Nous n'avons pas le choix de toute façon, il est le seul à s'occuper de nous. Notre unique intermédiaire avec le gouvernement.

Et nous attendons, prisonnières de ce palace doré. Nous avons l'autorisation de nous déplacer à travers la maison, et de monter sur le toit, pour prendre l'air. De là-haut, la vue sur la ville est superbe. Une magnifique cuisine moderne est installée avec réfrigérateur, évier, machine à laver, mixer... Toutes choses que nous n'avons pas vues depuis l'Angleterre. Sans compter les délices de l'eau courante et de l'électricité. Plus de corvées de puits, douche à volonté. Plus de torches puantes, plus de lézards aux murs, ni de serpents. Marcher pieds nus sur des tapis... laisser couler l'eau sur son corps... manger dans des assiettes avec des fourchettes... et surtout être ensemble... comme avant. Parler sans contrainte, dormir sans peur...

Du sommet de notre palace, nous pouvons contempler les policiers, installés dans un bâtiment à l'intérieur de l'enceinte, de l'autre côté du jardin. Ils portent des fusils, certains des mitraillettes, ils discutent entre eux, se promènent paresseusement à nos pieds. Nous nous sentons en sécurité, et presque libres.

Le lendemain de la signature des documents officiels, les enfants sont là. Abdul Noor et Shiab, le fils de Gowad, les ont convoyés jusqu'à Taez.

Haney, Tina, Marcus...

Marcus est en larmes, et je le berce dans mes bras, bouleversée. Avant de repartir, Abdul Noor me dit :

– Depuis que tu es partie, Mohammed n'a pas cessé de pleurer.

« Mohammed... Tu t'appelles Marcus. Tu es mon fils, et tu verras l'Angleterre, tu y grandiras, on te soignera, tu iras à l'école, et tu parleras notre langue. Ta mère est anglaise. » Ce soir-là, le coucher de soleil sur Taez est plus somptueux que jamais. Nadia a souri.

– Vos maris sont arrivés, ils attendent dans l'autre pièce, voulez-vous leur dire bonjour ?

Nous sommes assises dans la salle réservée aux femmes, lorsqu'Abdul Walli vient nous annoncer la nouvelle. Nous en parlions depuis plusieurs jours, le gouvernement les avait rappelés d'Arabie Saoudite, pour une conciliation, mais nous ne savions pas quand cela se produirait. Nous nous levons à contrecœur. Depuis que nous séjournons dans cette maison de Taez, véritable palace comparé aux villages où nous avons souffert sept ans, nous avions presque oublié les « maris ».

Ils sont là, assis tous les deux, gênés, ne sachant trop comment se comporter devant Abdul Walli. Abdullah vingt et un ans, Samir vingt ans. Des hommes à présent. Samir est devenu énorme, un vrai poussah. Abdullah est plus maigre que jamais. Nous choisissons le canapé le plus éloigné d'eux. Les politesses commencent.

– Comment vas-tu ? Comment va mon fils ?

Cela dure quelques minutes, puis Abdul Walli nous laisse seuls, et Samir s'inquiète aussitôt :

– Que se passe-t-il ? On a entendu des tas de rumeurs, on ne sait pas du tout ce qui se passe... On dit qu'il y a eu beaucoup d'histoires en Angleterre, et aussi que votre mère est venue ?

Nadia me laisse parler, et je n'ai pas peur de les mettre au courant, si tant est qu'ils ne le soient pas déjà...

– Maman fait tout ce qu'elle peut pour nous sortir du pays. Ce que vous nous avez imposé est illégal, nous ne l'accepterons jamais. C'est comme ça.

Abdullah reste silencieux, il n'a jamais beaucoup parlé, sauf pour se plaindre à son père de mes rebuffades. Au fond, je ne sais pas qui est ce garçon... Jamais su ce qu'il pensait, ni même s'il pensait sans le secours de son père. Ce qui est sûr, c'est que si je n'avais eu affaire qu'à lui, à lui seul, jamais il n'aurait posé la main sur moi. Ce mariage n'a jamais eu le moindre sens, et je me demande encore comment un garçon qui se sait haï et détesté à ce point peut s'obstiner. Même son fils ne l'intéresse guère... Les hommes ici sont presque toujours absents, ils connaissent mieux l'étranger que leur propre pays, et j'imagine que leurs enfants ne les intéressent que lorsqu'ils sont en âge de rapporter de l'argent à la maison.

Samir a demandé à Abdul Walli l'autorisation de téléphoner, et bien entendu il l'obtient. Ainsi qu'Abdullah. Ils appellent chacun leur père respectif, Gowad en Angleterre et Abdul Khada en Arabie Saoudite. Quelques minutes plus tard, Samir nous apprend le résultat de ces conversations :

– Nous ne devons pas divorcer. Nous ne devons pas quitter nos enfants.

– C'est ton père qui commande ?

– Mon père et Abdul Khada sont d'accord là-dessus. Et nous ne voulons pas non plus que vous repartiez en Angleterre pour nous faire des ennuis. D'ailleurs vous ne partirez pas...

– Pourquoi ?

– Parce que les enfants ne partiront pas.

– Et moi je refuse de retourner au village, Nadia aussi.

– Nous pouvons rester à Taez. Mon père et Abdul Khada sont d'accord, aussi longtemps que vous resterez ici avec nous, et les enfants aussi.

Voilà, c'est tout simple. Les fils arabes ne désobéissent jamais à leurs pères. Ainsi ils refusent tout autre solution. C'est un nouvel obstacle à notre départ. Même Abdul Walli ne peut rien contre cette décision. Il s'agit d'une affaire privée. Si les maris ne veulent pas que leurs femmes « voyagent » avec leurs enfants, on ne peut rien y faire...

D'espoir en déception, j'aurais dû m'y attendre. Les enfants continuent de nous maintenir en otage. Nadia ne supporte pas l'idée de les abandonner, je ne supporte pas celle d'abandonner Nadia. Point final pour l'instant.

La situation se complique car nous sommes à présent trop nombreux pour demeurer ici. Abdul Walli résoud le problème en nous installant dans un appartement, à cinq minutes en taxi de chez lui.

Les choses se déroulent si vite que je me demande si tout n'était pas prévu ainsi. Mais je m'accroche encore au fait que nous sommes maintenant en ville, et en relation avec Abdul Walli. Tout vaut mieux que de retourner à Hockail et Ashube, reprendre notre vie d'esclaves.

L'appartement est situé dans un quartier populaire, au bout d'une rue étroite et misérable, un bâtiment de trois étages délabré. Nous habitons au deuxième. Un grand corridor sépare deux chambres, au fond un salon, une pièce et une cuisine. Tous les murs sont bleu clair, le sol est recouvert d'un linoléum marron, seul « luxe » du salon, il y a des rideaux de coton bleu ciel aux fenêtres, et un tapis par terre. La médiocrité de cet endroit va de pair avec le quartier. Nous sommes à peine à cinq minutes de celui d'Abdul Walli et de ses maisons splendides, mais c'est un autre monde, de bruits, de poussière, et de cages à lapins en guise de logis.

Il y a une chambre pour Nadia, Samir et les deux enfants. Une chambre pour moi, Abdullah et Marcus. Il va falloir à nouveau partager la couche de nos « maris ». C'est inévitable. La loi du mariage au Yémen est stricte à ce sujet. Et ce ne sont plus des adolescents terrorisés par des jeunes filles anglaises.

Le résultat immédiat de la pauvre victoire qui nous a menées à Taez, le voilà. Ils ont apporté leurs matelas du village, et nous regardent les installer sur le sol de pierre, dur et froid. Aucun mobilier à part une télévision qui marche toute seule et sans interruption. En ville, les gens n'ont pas beaucoup de choses, mais ils ont la télévision... Dans la cuisine, un évier, une petite cuisinière à gaz, et une étagère. Il y a bien une douche dans la salle de bains, mais pas d'eau chaude. C'est un taudis comparé à la maison d'Abdul Walli, un taudis comparé à notre appartement en Angleterre... Mais je préfère ce taudis à la maison dans la montagne. Et Nadia aussi. De plus, nous n'avons pas à travailler du matin au soir, et j'ai bien l'intention de rester au lit le plus longtemps possible, jusque dans l'après-midi.

La vie s'écoule ainsi quelque temps, étrange, les deux garçons sortent tous les jours pour rejoindre des amis en ville. Nous ne demandons jamais où ils vont ni avec qui. Du moment qu'ils s'en vont et que nous sommes seules. C'est merveilleux d'être seules. Parfois nous recevons la visite de Mohammed le frère d'Abdullah, et de sa femme Bakela. Nous ne parlons jamais de la situation, chacun la connaît.

Au début nous ne sortons pas beaucoup. Effrayés par l'animation des rues, les gens, les voitures. Nous sommes devenues sauvages dans le Maqbana. Sept années de captivité nous font paraître cette liberté difficile à vivre dans cette ville inconnue. Même en étendant la lessive sur le balcon, j'ai le réflexe de mettre mon voile, de peur que quelqu'un me voit, et fasse des réflexions. Nous sommes devenues exactement comme les autres femmes du village, pudiques, effarouchées par le monde et l'activité de la ville, nous ne savons plus comment nous comporter.

Les enfants ne nous lâchent pas une minute, pleurent dès que nous quittons une pièce. Je suppose qu'ils ont peur de se retrouver abandonnés à nouveau. Haney est le plus angoissé de tous. Toujours accroché aux jupes de Nadia, pleurant dès qu'elle se lève pour aller quelque part, et hurlant : « Où tu vas maman... où tu vas... »

Les nouvelles d'Angleterre ne sont pas très brillantes. Maman rencontre beaucoup de difficultés. Elle s'est laissée entraîner à coopérer avec le *Daily Mail*, alors qu'elle avait promis l'exclusivité à *l'Observer*, et à Eileen.

« J'ai passé la journée de Noël avec Eileen et sa famille dans leur maison de Londres. Je ne sais plus où donner de la tête, ni quelles propositions accepter pour la presse... L'ambassadeur du Yémen à Londres a déclaré aux journaux qu'il savait que vous vous étiez mariées à Birmingham et que vous étiez parties librement vivre avec eux au Yémen. Il prétend que tous les problèmes ont surgi lorsque je me suis séparée de votre père, et affirme que si je veux me rendre dans son pays, toute liberté me sera accordée, ainsi que toute assistance pour ramener mes filles. »

Cela correspond à la dernière version de celui qui nous a vendues. Au début il avait reconnu devant les journalistes que nous étions parties en vacances, et que nous nous étions mariées là-bas en secret... La différence est probablement mince pour lui.

La vie continue à Taez, notre vie de femmes. Voilées. Je me sens physiquement mieux, moins fatiguée, moins dépressive, la nourriture est meilleure. Ici les femmes ne travaillent pas, les plus modernes se rendent visite, en général en taxi pour aller d'une maison à l'autre. Leur principale occupation est le bavardage, les ragots, les rumeurs. Au bout d'un certain temps, nous en rencontrons quelques-unes qui voudraient me parler, me poser des questions, je le vois bien. Mais on les a prévenues que j'étais agressive, et que la plupart du temps ma seule réponse était : « Mêle-toi de tes affaires. » Si bien que nous n'avons pas énormément de contacts avec elles, excepté les conversations classiques à propos des enfants.

Quant aux promenades, nous en faisons peu. Voir le monde au travers d'un voile est un exercice étrange. J'ai remarqué dans la rue que des femmes manquaient de se faire écraser par un vélo, une voiture. Il leur manque la vision de côté, elles regardent droit devant elles, et souvent baissent les yeux pour ne pas affronter le regard d'un homme.

Le temps s'écoule avec la monotonie de ces jours sans intérêt, en attente perpétuelle, décourageante. La patience et la longueur du temps.

J'ai toujours en tête le téléphone d'Abdul Walli. L'idée me démange. Il y a sûrement d'autres téléphones ailleurs, dans d'autres lieux, mais comment faire sans argent ? Ce sont les hommes qui détiennent l'argent, qui font les achats. Sauf lorsqu'ils travaillent à l'étranger et doivent en envoyer chez eux régulièrement. A Taez, nos « maris » étant sur place, nous n'avons rien que quelques misérables pièces.

Moi qui suis d'un caractère plutôt combatif, je n'ai toujours pas eu le cran de demander à Abdul Walli l'autorisation de téléphoner à maman. Et voilà qu'il me le propose ! J'imagine que quelqu'un d'important lui a conseillé d'agir ainsi, dans l'espoir que je dise à notre mère que nous sommes heureuses de vivre à Taez, que tout va bien, et qu'il n'est plus nécessaire de faire tant de bruit en Angleterre. Nous avons décidé Nadia et moi de jouer leur jeu. De leur laisser croire que le scandale est clos. Tout en sachant qu'il n'en est rien, et que nous ne céderons jamais.

Me voilà devant ce téléphone tant désiré. On m'indique les numéros à composer, je demande l'Angleterre, j'écoute le grésillement de l'appareil contre mon oreille, comme on écoute la mer dans un coquillage... Mon cœur bat. C'est Ashia... ma sœur Ashia qui décroche l'appareil.

– C'est toi ? c'est vraiment toi Zana ? C'est vraiment toi ?

Elle a du mal à y croire, à tel point qu'elle me pose d'étranges questions pour être sûre de mon identité. C'est dire le climat de suspicion qui doit régner chez nous. On craint peut-être de recevoir un coup de téléphone venant d'une femme chargée de leur dire des mensonges à mon sujet, du genre : « Je suis heureuse, tout va bien, je ne veux pas rentrer etc. » Étant donné la mauvaise qualité des communications entre les deux pays, ce serait tout à fait possible. Ils se sont déjà servi de cassettes enregistrées sous la contrainte, pourquoi pas de faux témoignages au téléphone.

Ashia me passe enfin maman, rassurée par mes propos. Je parle vite, je raconte vite, de peur d'être coupée, maman achève la conversation en disant :

– Je vais venir à Taez bientôt... Je serai là bientôt Zana... Je te rappellerai à ce numéro...

Bientôt... Bientôt... Je chante ce petit refrain dans ma tête, maman va venir bientôt... Nous ne l'avons pas vue depuis plus d'une année, en 1986, deux mois avant la naissance de Marcus... maman va venir bientôt.

Quelques semaines plus tard, on nous annonce que nous allons recevoir un appel téléphonique en provenance d'Angleterre, le lendemain dans la maison d'Abdul Walli. Encore une nuit de patience. Nadia dans sa chambre avec son gros « mari ». Moi dans la mienne avec Abdullah et mon dégoût. L'effacer, d'un coup de gomme, de ma vie, comme on efface un mauvais dessin. Si j'étais fée ou sorcière et que, d'un coup de baguette, je le fasse disparaître, j'oublierais tout.

Le lendemain maman est bien au téléphone.

– Vous allez bien ? Ne t'inquiète pas, je vais venir, c'est pour bientôt. Maintenant écoute-moi, je vais te passer quelqu'un au téléphone, quelqu'un qui veut vous dire bonjour, tu comprends ?

Je ne comprends pas très bien, mais je dis « oui », prête à faire tout ce qu'elle veut.

– Il s'appelle Tom, et tu peux lui parler, d'accord ?

– D'accord maman.

J'entends une voix d'homme, me dire : « Hello c'est Tom Quirke. »

J'ignore qui est ce Tom Quirke.

– Comment ça va ?

Un peu sur mes gardes, je réponds : « Ça va. »

– Zana ? Veux-tu toujours rentrer chez toi à Birmingham ?

– Oui, bien sûr, je veux toujours rentrer. Je le veux aussi vite que possible.

– Qu'est-ce qui te manque le plus là-bas ?
– Ma famille et mes amis.
– Dis-moi où tu habites ?
– Je suis à Taez, nous habitons un petit appartement. C'est mieux qu'au village.
– C'était dur au village ?
– C'était horrible.
– Est-ce que tu es malade ?
– Pas en ce moment, mais j'ai eu la malaria.
– Parle-nous de Nadia et des enfants...
– Nadia est trop intimidée, elle a peur de parler au téléphone. Elle attend comme moi de rentrer chez nous.
– Au revoir, Zana.
– Au revoir, Tom.
Curieuse conversation dont je ne saisis pas bien le sens sur le moment. « Peut-être un ami journaliste ? Ou un avocat... » Maman ne m'a rien dit de précis, elle a peur qu'on nous écoute, ou qu'on coupe la ligne si nous parlons trop de « l'affaire ».
La journée-téléphone n'est pas terminée, on me dit maintenant que notre père voudrait également nous parler. Sept ans qu'il nous a vendues et abandonnées ici, aux mains de ces hommes, et il veut nous parler ? Nadia refuse. Trop émotive pour affronter notre père. Qui n'a de père que le nom, sur un papier. Papier qu'il a volé d'ailleurs pour nous vendre... Je serre les dents, en attendant assise près de ce téléphone, qui me paraît menaçant. La sonnerie me fait sauter en l'air. Je décroche d'une main moite, mais le cerveau est solide, du béton.
– C'est Zana ?
– C'est Zana.
Je ne l'aiderai pas. J'attends de savoir ce que veut ce serpent.
– Pourquoi voulez-vous revenir ? Pourquoi ? J'en mourrai de honte, il ne faut pas faire cela. Tout le monde dit que vous êtes heureuses à Taez ; si vous m'aimez, ne revenez pas !
Il doit pourtant le savoir qu'on ne l'aime pas. A quoi rime ce chantage ?

– Il faut que vous restiez là-bas, le temps que les journaux oublient cette histoire...

Cette fois, je ne laisse pas passer :

– Ça t'arrangerait ? Tu serais trop content que ça s'arrête hein ! Ne compte pas là-dessus.

– Zana, je te jure que si vous rentrez, je me tue.

– Parfait.

Il s'accroche au téléphone, près d'une heure, en ne cessant de répéter la même chose. « Ne rentrez pas, c'est une honte de me faire ça, et je me tuerai, et je suis votre père, et ci... et ça... » « Tue-toi donc si tu le veux. » Je me contente à chaque fois de répondre à ce chantage de façon lapidaire.

– Il faut me croire, c'est scandaleux.

– Oui.

– J'ai honte pour vous...

– Ah bon !

– Je mourrai de honte.

– D'accord.

Mon cerveau est en béton. Si chacun de mes mots pouvait l'assommer de loin, et le faire disparaître lui aussi... s'il suffisait d'appuyer sur un bouton... Meurs donc, va te noyer dans la bière avec tes amis yéménites, dans un café anglais. Au moins tu es libre de mourir là-bas, toi. Pas moi. D'ailleurs tu ne mourras pas. Tu ne peux mourir de honte. Ce coup de téléphone est une lâcheté de plus, et tu n'es plus à ça près.

– Il faut rester à Taez, pour l'honneur de la famille.

– C'est ça...

– Je vais me tuer...

– Bon.

Il raccroche enfin. Je me sens sale de lui avoir parlé. Sale mais réconfortée. Plus solide encore.

Quelques jours plus tard, la rumeur nous apprend que le scandale en Angleterre s'est encore amplifié. Cette conversation que j'ai eue avec Tom Quirke passait à la radio. C'était un journaliste de l'*Observer*. On m'a entendue, en direct, parler depuis la maison d'Abdul Walli, chef de la police de Taez... Les journaux s'emballent à nouveau sur le sujet, et Abdul Walli se sent de plus en plus mis en cause. J'imagine qu'il est harcelé par ses supérieurs, furieux que cette affaire ne soit pas étouffée. Chaque fois que nous parlons avec lui de l'ampleur de cette campagne de presse, il essaie de nous persuader.

– Il faut accepter la situation, vous êtes mariées, vous avez des enfants, il est inutile de continuer. Dites à votre mère de faire cesser cela...

– Mais les journaux disent la vérité. Rien que la vérité. On nous a mariées de force, on nous a fait des enfants de force, on nous retient de force. Dans un pays comme le nôtre, c'est inadmissible.

– J'ai vos certificats de mariage.

– C'est impossible, ils n'existent pas.

– Regarde!

Il me montre deux documents rédigés en arabe, dont je peux déchiffrer l'essentiel.

– Ce qui est dit dans ces papiers est complètement faux. J'ai étudié le Coran, je sais qu'il y est interdit de forcer une fille au mariage, nous avons été forcées, donc je récuse ces documents.

Il a l'air ennuyé par mon obstination. Ce n'est pas un méchant homme. Je sais bien qu'il reçoit des ordres, et Nadia et moi le considérons toujours comme notre sauveur dans ce pays. C'est grâce à lui que nous avons pu échapper à l'esclavage dans les villages. Grâce à lui que nous ne sommes plus battues et contraintes aux travaux forcés. Il est le premier homme, et le seul au Yémen, à nous avoir traitées correctement, et nous le respectons pour ça.

Les semaines passent et, progressivement, Nadia et moi nous nous réhabituons au monde extérieur. Nous sortons en taxi avec les enfants, pour des promenades. La voiture vient nous prendre en bas de la maison, ainsi nous n'avons pas à marcher en ville. Puis vient le jour où j'ose arrêter un taxi dans la rue moi-même, faire des courses, réclamer de l'argent pour acheter des vêtements décents aux enfants. Un pantalon bleu ciel et un blouson pour Haney avec un petit bonnet de laine blanc et rouge. Une jupe froncée à rayures roses pour Tina avec un tricot de laine bleue, brodé de petite fleurs. Et pour Marcus, qui se tient debout et commence à courir partout, une grenouillère en éponge, facile à laver.

Nous sommes condamnées à rester là un bon moment, autant rendre cette vie plus confortable. La ville est surpeuplée, sale, difficile à connaître, mais comme nous n'avons quasiment rien vu du Yémen depuis notre arrivée, excepté les montagnes du Maqbana, et en ce qui me concerne, un petit bout de la mer Rouge, nous essayons de faire connaissance avec Taez. Parfois je me sens presque dans la peau d'une touriste anglaise, malgré le voile, et la robe longue.

Une fois, j'ai assisté à une exécution publique dans un square de la ville. Une foule de gens, femmes et enfants compris, était là pour regarder des condamnés se faire mitrailler jusqu'à ce que mort s'ensuive... Terrifiant. Irréel. Je vis dans ce pays violent. Moi-même victime de la violence des hommes. Impuissante.

Aujourd'hui trois femmes ont demandé à nous rencontrer chez Abdul Walli. Des femmes très différentes de celles que nous côtoyons habituellement. Elles semblent avoir de l'argent, un travail. Des femmes libres au Yémen, c'est rare. Armées de blocs de papier et de crayons, de livres, elles s'installent en face de nous avec aisance. L'une se présente comme la secrétaire du gouverneur de Taez. Les deux autres disent appartenir à une association féminine de la ville. Elles ont entre vingt et trente ans. Modernes, vêtues à l'occidentale de jupes et chemisiers, mais se débarrassant en arrivant de leur grand manteau et de leurs voiles, indispensables pour être « correctes » à l'extérieur.

La secrétaire du gouverneur, la plus jeune d'allure, parle la première :

– Nous sommes chargées de faire une enquête sur vous, et de rédiger un rapport. Le gouverneur aimerait en savoir davantage à votre sujet.

– Vous pouvez dire au gouverneur que ce ne sont pas ses affaires.

– Ne prenez pas les choses comme ça. Nous sommes venues en amies. Il n'est pas question d'utiliser contre vous les renseignements que vous nous donnerez. Tout ce que nous voulons savoir, c'est comment vous viviez, avant, et ce qui vous est arrivé, cela peut nous permettre d'aider d'autres jeunes filles dans votre cas.

Je ne m'attendais pas à cela. J'ai répondu de mauvaise humeur et agressivement comme d'habitude, alors que pour une fois nous avons affaire à des femmes responsables, intelligentes et préoccupées de la condition féminine dans leur pays.

Le récit de notre vie, dans les villages du Maqbana, les choque manifestement. Elles n'imaginaient pas que l'on puisse encore vivre ainsi. Planter et égrener le maïs à la main, cela appartenait pour elles à une époque révolue. Au moment où je conclus notre récit par ma formule habituelle « Je veux rentrer chez moi, nous sommes trop malheureuses ici », la secrétaire du gouverneur me répond fermement :

– Vous êtes des citoyennes de ce pays. Vous êtes yéménites, vous ne pouvez pas vivre ailleurs.

– Je sais parfaitement ce que je suis. Et parfaitement ce que je veux. Je suis anglaise et je veux rentrer chez moi.

C'est épuisant. Je me fais l'effet d'un robot, répétant et ressassant jusqu'à l'épuisement les mêmes choses et, particulièrement, qu'il est inutile d'essayer de me persuader. Je commence à craindre que ces femmes aient été envoyées uniquement pour cela. Elles utilisent les mêmes arguments qu'Abdul Walli : du fait que nous vivons désormais en ville, il n'y a plus de problème!

– Le problème est toujours le même. Nous voulons rentrer chez nous.

Les trois femmes se lèvent, avec leurs papiers, leurs documents, leurs bijoux et leur citoyenneté yéménite. Je vois bien qu'elles ne sont pas satisfaites par mes réponses, mais elles s'en vont poliment, sans autre commentaire. Match nul.

Maman est en route. Tout le monde ici est bientôt au courant. Elle doit venir en avion avec Jim Halley, le consul britannique, et un interprète du ministère des Affaires étrangères. Mais rien n'est simple pour elle.

Pour obtenir un visa, elle a dû se rendre d'abord à l'ambassade du Yémen à Londres, en compagnie d'Eileen et Ben de l'*Observer*. Là, une meute de photographes et de journalistes de télévision les guettait. Maman a dû s'accroupir au fond du taxi, qui est allé se garer plus loin devant un pub. Eileen a téléphoné à l'ambassade, pour expliquer la situation et demander que quelqu'un leur apporte sur place les papiers à remplir. Cela a pris une demi-heure. Après quoi le taxi est reparti à toute vitesse en direction de l'aéroport.

L'avion de la Lufthansa a atterri à Sanaa, où Jim Halley est venu chercher maman pour l'installer dans un hôtel, près de chez lui. C'est de là qu'elle m'appelle. De l'hôtel de Sanaa. Je l'entends parfaitement cette fois.

– Nous devons rencontrer le ministre des Affaires étrangères demain. Je ne sais pas s'il nous recevra, on prétend qu'il est très occupé.

– Tu arrives quand ?

– Je ne sais pas, il paraît qu'il y a du brouillard à Taez, j'ignore si l'avion partira avant un jour ou deux.

– On t'aime maman...

Il y a des jours, où pleurer est un vrai bonheur.

Abdullah, tout maigre, le teint gris, le regard en dessous, s'est assis à un bout du salon d'Abdul Walli. Il regarde ses sandalettes. Samir a posé son corps énorme sur le bord d'un divan, ses joues rebondies semblent mâcher perpétuellement du qat. Deux mains grassouillettes posées sur les genoux, il regarde ailleurs, lui aussi.

C'est la première fois que maman les voit. Le coup d'œil rapide qu'elle a jeté sur eux est une condamnation de mépris, sans appel. J'ai lu dans ses yeux ce qu'elle pensait...

Ils sont médiocres, indignes, sans aucun intérêt. Ils pourraient être cousus d'or, cela ne leur donnerait pas pour autant le droit d'avoir acheté ses filles. Ils pourraient être beaux, ils ne l'auraient pas plus. Ils l'ont compris, et se tiennent sur leurs gardes, préférant regarder le tapis ou leurs chaussures que d'affronter à nouveau le regard de ma mère. J'espère qu'ils se sentent humiliés.

Abdul Walli et sa femme nous ont donné l'hospitalité une fois de plus pour cette première confrontation, le jour de l'arrivée de maman. Demain, nous devons nous rendre au palais du gouverneur, avec les enfants, pour une réunion en présence du consul de Grande-Bretagne et un officiel yéménite.

On entendrait voler une mouche dans ce salon. Voyant que nous observons le silence, toutes les trois, Abdul Walli emmène les deux « maris » dans une autre pièce, le salon ou l'on « chique ». Alors, débarrassées des deux potiches, nous pouvons enfin tout nous raconter.

Maman a apporté des jouets d'Angleterre, une poupée pour Tina, un camion avec des petites voitures pour Haney, et un manège pour Marcus. Une bouffée d'Angleterre me serre le cœur. Birmingham, et notre enfance à nous. La poupée de Nadia, celle de Tina, alignées dans la chambre, mes disques que j'avais tant de mal à éloigner de Mo, mon petit frère. Mes bouquins... Notre enfance a été saccagée, avant que nous en soyions sorties. Et nous voilà mères de famille. Maman, grand-mère... si jeune encore. Tina lui sourit en tirant sur les cheveux de la poupée. Ébahi, Marcus contemple ce manège de toutes les couleurs, en hésitant à le faire tourner. Il est pâlot et a toujours l'air triste avec son front trop grand et ses petits yeux cernés. Tina et Haney, eux, sont magnifiques de santé. Je les verrais bien courir dans un jardin anglais, au milieu des fleurs.

Maman est épuisée, mais elle a meilleure mine que la dernière fois. Le combat la stimule.

Nous regagnons l'appartement « familial », où nous avons installé un lit à une place pour elle.

– Il n'est pas question que vous dormiez avec eux, en ma présence. Il faut que cela cesse. Tant que je serai là, je ne veux pas vous voir dans la même chambre qu'eux.

– Maman, si quelqu'un le dit à Abdul Khada nous aurons des ennuis. Tu connais leurs lois. Il est capable de revenir d'Arabie Saoudite et de faire un scandale.

– Je me fiche pas mal de leurs lois. Vous êtes mes filles, et il est hors de question que ces types couchent avec vous. Pourquoi as-tu encore peur de cet homme ?

C'est vrai, même absent, il me fait peur, comme s'il allait surgir dans mon dos et me battre, menacer de m'attacher sur le lit, pour que son fils accomplisse le devoir conjugal. Maman ignore une grande partie de ce qu'il m'a fait. Un jour elle le saura, mais pas maintenant. J'ai déjà trop de mal à essayer d'oublier.

Ainsi, Samir dort seul dans sa chambre cette nuit-là, et Abdullah dans le salon. Nous nous entassons avec les enfants sur des matelas dans l'autre chambre. Ils n'osent pas protester. Maman a dit un peu fort :

– J'aime mieux ne pas les avoir en face de moi, en tout cas le moins possible.

Le lendemain nous nous habillons pour cette réunion officielle chez le gouverneur. Maman regarde nos robes noires, les voiles, et se fâche.

– Habillez-vous normalement, vous êtes anglaises, et libres... Qu'est-ce que c'est que cette tenue ?

– Maman... on ne peut pas. C'est impossible de se présenter devant des gens aussi importants, en vêtements occidentaux. Ils n'aiment pas voir le visage des femmes, et.. enfin c'est mieux comme ça. Nous ne voulons pas les indisposer.

Il y a autre chose, que maman aurait du mal à comprendre. C'est que toutes ces années d'habitude ici, de dissimulation, nous ont imprégnées plus qu'elle ne l'imaginerait. J'aurais l'impression d'être nue, sans voile devant le gouverneur. De plus, je sais parfaitement que nous ne serons pas libres avant longtemps encore. Ce n'est que la première étape officielle, et je ne veux pas les provoquer de cette manière, au risque qu'ils renvoient maman par le premier avion, et nous renvoient aux villages.

Jim Halley, le consul de Grande-Bretagne, nous rejoint avant que nous nous rendions chez le gouverneur. C'est un homme à l'allure sympathique, très grand, avec des cheveux courts d'un roux flamboyant et un terrible accent écossais. La présence d'un homme, occidental, en complet, et qui parle notre langue, est un réconfort considérable, une vraie sécurité, pour Nadia et moi. Il y a des années que nous n'avons pas côtoyé un homme « normal ». Je veux dire qui ne se conduise pas comme un maître, en yéménite.

Le bureau du gouverneur est un immeuble de quatre étages,

moderne. On nous fait monter deux étages, puis nous attendons dans une vaste salle meublée de divans de cuir noir, de chaises, autour d'un immense bureau. Presque aussitôt la pièce se remplit d'hommes. Le gouverneur, trois secrétaires, le représentant du ministère. Abdullah et Samir, d'un côté; nous de l'autre avec Jim Halley et les enfants.

Le représentant du ministère, fonctionnaire classique, sourire servile, regard froid, grand nez de fouine et la quarantaine distinguée, parle un anglais très convenable, et c'est lui qui entame le débat. Il désire entendre notre version de l'histoire, alors que nous avons déjà tout raconté plus de dix fois...

Marcus est infernal, il court partout en voulant jouer, et ne cesse de crier. Je ne sais plus comment le tenir, et à un moment, le gouverneur dit en arabe d'un ton sec :

– Fais-le taire!

Mais on ne peut rien faire, quand un enfant de l'âge de Marcus a décidé de faire le diable. Plus je l'empêcherai de bouger ou de crier, plus il en rajoutera. D'ailleurs je décide d'ignorer l'injonction, et Marcus se calme de lui-même au bout d'un moment. Haney est assis sur les genoux de Nadia, ses grands yeux étonnés font le tour de tous ces gens inconnus. Tina dort, pelotonnée contre sa mère.

Je parle dans un silence presque religieux, à présent. Les hommes ont la tête baissée, comme des coupables, au fur et à mesure que je décris la manière dont on nous a traitées. Je m'efforce de ne pas être agressive, d'employer des phrases simples et neutres.

– Nous ne savions pas qu'on nous avait mariées, avant d'arriver au Yémen. On nous a forcées à coucher avec ces garçons.

– Êtes-vous heureuses maintenant ?

La question vient du représentant du ministère. Je le regarde bien dans les yeux, et réponds fermement :

– Non.

Il se lance dans une explication des lois yéménites sur le

mariage, que j'ai entendue des centaines de fois déjà, et conclut par la même mise en garde :

– Si vous deviez quitter le Yémen, vous ne pourriez pas emmener les enfants. Vous le savez ?

– Pourquoi ? Ce sont nos enfants. De toute façon, ils sont illégitimes. Ils n'appartiennent pas à leurs pères, puisque nous n'avons jamais été mariées légalement avec eux. Ces mariages se sont faits sans nous, sans notre accord, alors pourquoi ne pourrions-nous pas partir avec eux ?

Aucun homme d'ici n'aime entendre parler une femme de cette manière, et ils cherchent tous à m'interrompre. Mais j'insiste résolument. Je dois le faire pour moi-même et pour Nadia.

– Tout est faux dans ces mariages. Les papiers sont faux, je ne suis mariée à personne, et ma sœur non plus. Nos enfants sont à nous seules.

Jim Halley ne tente même pas de m'arrêter, je suis déjà allée trop loin. Le représentant du ministère demande la parole, pour exposer une hypothèse.

– Admettons que nous obtenions des visas pour vous tous. Iriez-vous en Angleterre avec vos maris ? Sinon, il n'y a aucun moyen pour vous de prendre les enfants... Si vous partez avec les hommes, vous pourrez emmener les enfants.

Nadia me regarde, je la regarde, et ensemble nous répondons :

– D'accord.

On aurait accepté n'importe quoi pour sortir du Yémen avec les enfants.

Il s'adresse ensuite à Samir et Abdullah :

– Et vous ? Qu'en pensez-vous ? Accepteriez-vous de partir en Angleterre avec vos épouses et vos enfants ? Si c'est possible bien entendu...

Les deux garçons hochent la tête en silence, seule marque de leur accord à cette proposition. Le représentant du ministère a l'air soulagé d'avoir trouvé une solution possible.

– Bien, nous allons nous occuper des visas des maris.

Cette conclusion signifie la fin de la réunion et nous sortons en bon ordre, tandis que je presse Jim Halley de questions.

– Vous y croyez ? C'est possible ? Ça va marcher ?

– Tout dépend du *British Home Office* maintenant, s'il accorde les visas aux garçons, c'est possible... cela veut dire aussi que vous devrez encore attendre cette décision, qui risque de prendre du temps, mais je n'y crois pas beaucoup. Je pense qu'ils vont refuser.

– Pourquoi ? pourquoi si c'est le seul moyen de nous faire partir d'ici ?

– Ils vont penser qu'il s'agit d'un complot, un plan organisé de longue date pour faciliter l'entrée de vos maris en Angleterre.

– Mais tout le monde sait qu'on les déteste ! Nadia et moi nous n'avons pas arrêté de le dire et de l'écrire, depuis des années...

– C'est un argument favorable en effet. La solution est peut-être là... Je dois leur faire remplir les formulaires de demande de visas, nous allons faire ça tout de suite.

Les deux « maris » doivent apporter la preuve qu'ils pourront subvenir à leurs besoins en Angleterre. Samir annonce à Jim Halley qu'il possède douze mille livres économisées en Arabie Saoudite. Abdullah pour sa part prétend que son père l'aidera, et qu'il obtiendra l'équivalent. On leur demande s'ils ont déjà fait une demande de visa pour l'Angleterre. Pour Samir, la réponse est non. Pour Abdullah également. Mon « mari » a pourtant séjourné en Angleterre pour soigner sa maladie, et j'espère qu'il ne ment pas. Jim enregistre leurs déclarations telles quelles.

Il faut attendre six mois avant d'obtenir une réponse. Six longs mois... Devant mon air désespéré, Jim promet qu'il va tenter de faire accélérer les choses, et nous quitte.

Maman rumine quelque chose. Je la connais, elle plisse les sourcils, ses yeux noirs se font petits, une lueur les traverse... Elle ne veut pas parler devant les garçons. Mais une fois que nous sommes seules dans l'appartement, entre femmes et enfants, les garçons sortis à la recherche de qat, maman s'explique :

– J'ai découvert qu'Abdul Khada et Gowad ont fait une demande pour leurs fils, en 1980... une demande de visas d'entrée en Angleterre, en s'appuyant sur le fait qu'ils étaient mariés à des citoyennes britanniques. Mais on exigeait qu'ils se présentent avec leurs épouses à l'ambassade pour un interrogatoire commun. Bien entendu ils ne le pouvaient, cela mettait fin à leurs espoirs puisque les mariages étaient illégaux. Alors ils ont abandonné leur idée. Mais leur demande est toujours à Sanaa, à l'ambassade britannique. Elle est restée sans suite. C'est la preuve que votre père vous a vendues à ces gens, essentiellement pour cette raison. C'est votre nationalité qu'il a vendue.

Si nous n'avions pas résisté, si je n'avais pas hurlé ma haine dès le premier jour, ils auraient réussi. Je comprends mieux maintenant pourquoi Abdul Khada a tout tenté avec moi. Les coups, l'abrutissement de ces six mois à Hays dans son restaurant... Et le viol imposé, tout de suite, sous la menace, dans l'espoir que je sois enceinte très vite, et que ce soi-disant mariage devienne effectif. Il s'en est donné du mal, avec ce fils malade... Il a fallu cinq années avant que Marcus naisse.

Durant quatre semaines, maman reste avec nous dans l'appartement de Taez. Nous protégeant de tout contact avec Samir ou Abdullah. Cela provoque parfois des bagarres.

– Je vais le dire au gouverneur, il va renvoyer ta mère en Angleterre... Elle n'a pas le droit de m'empêcher de coucher avec toi...

– Cause toujours, petit singe... ton père n'est pas là pour m'attacher au lit, ou me battre. Il a trop peur, ton père...

En attendant toutes les rumeurs circulent à notre sujet. On dit qu'Abdul Khada et Gowad ont soudoyé le gouverneur et que nous ne quitterons jamais le pays... Ou, au contraire, que nous partirons tous dans six mois... Quelqu'un nous téléphone en affirmant qu'il connaît le président, et se fait fort de nous faire sortir du Yémen en une semaine... Un autre affirme que notre père a envoyé une lettre au gouvernement, pour lui garantir que nous ne partirions jamais d'ici...

Aujourd'hui maman doit se rendre à Sanaa en avion, récupérer son passeport sur lequel Jim a fait prolonger son visa. Nous l'accompagnons toutes les deux à l'aéroport. Dans la salle d'attente des vols intérieurs, nos photographies sont affichées, avec l'ordre de nous interpeller. Nous sommes signalées comme fugitives... et les gardes doivent nous empêcher d'approcher des aéroports. Ces photos accrochées là aux yeux de tous sont la pire des humiliations. Considérer comme des criminelles évadées de prison deux femmes qui veulent seulement retrouver leur pays d'origine ! Les monstres... les monstres... On nous conduit de force, entre deux gardes, directement chez le chef de la police Abdul Walli.

– Pourquoi ?

Je hurle de rage.

– Pourquoi ?

– Tant que l'affaire ne sera pas réglée officiellement, c'est ainsi. Une femme ne peut pas quitter ce pays sans l'autorisation de son mari.

Par moments j'ai l'impression de baigner dans une mare d'hypocrisie immonde.

Une femme yéménite est de notre côté. La présidente de l'association féminine de Taez. Celle-là même qui nous a déjà interrogées. Moderne, jolie, arborant des vêtements occidentaux, éduquée, connaissant l'étranger, elle jouit d'une situation sociale rarissime dans ce pays.

Un jour, je lui raconte que lors de son dernier accouchement, une vieille femme du village a « opéré » Nadia pour faciliter la sortie de l'enfant, que l'incision pratiquée a été faite avec une lame de rasoir, sans désinfectant, et que Nadia en souffre toujours. La plaie suppure en permanence. Elle propose de nous emmener discrètement chez une de ses amies médecin.

On nous fait subir un check-up dans une clinique assez moderne. J'imagine que pour accéder à ce genre d'aide, il faut être riche, cultivée et avoir des relations. Nadia souffre d'une infection, qui nécessite un traitement antibiotique, qu'on lui remet aussitôt. Puis la femme médecin nous demande :

– Vous utilisez des moyens de contraception ?

– Non.

– Mais comment faites-vous ?

– On essaye d'avoir le moins de rapports possible...

– Vous avez de la chance de ne pas être tombées enceintes plus souvent...

Elle donne à chacune une provision de pilules, en nous expliquant bien comment les prendre.

– Chaque fois que je le peux, j'en donne aux femmes d'ici. Le seul problème est d'éviter que les hommes le sachent... Ils refusent la contraception, alors que la mortalité infantile est terrible chez nous et que beaucoup de femmes meurent en couches, faute de soins appropriés, et surtout d'information. En ville nous essayons d'améliorer cela.

Je pense aux femmes de Hockail et de Ashube... A mon accouchement sur le sol d'une maison fétide, puant l'étable et la fumée des torches. A cette femme qui m'arrachait le ventre comme elle l'aurait fait à une chèvre... Ces petites pilules bleues sont un cadeau magique. Maman est aux anges, et désormais chaque soir, elle nous chuchote à l'oreille :

– Tu l'as prise ? Tu n'as pas oublié ?

Je me priverais de manger plutôt que de ne pas avaler ma pilule. Même si maman doit cette fois encore repartir et nous laisser à la merci des garçons... Notre provision est de six mois. D'ici-là, nous aurons fui le pays.

Cette pilule que j'avale, au nez et à la moustache d'Abdullah, me redonne ma peau d'Anglaise. Il ne m'aura plus.

Un jour, sans avoir prévenu, mon frère Ahmed a sonné à la porte. Maman le regarde entrer et dit :

– Bonjour, monsieur...

Ce grand garçon de vingt-cinq ans est un inconnu pour elle. Son fils...

Je pousse Ahmed dans le couloir.

– Maman, c'est Ahmed... Ahmed, c'est maman...

Je répète en anglais pour elle, en arabe pour lui, et ils tombent dans les bras l'un de l'autre. Vingt-trois années les séparent. Ils ne savent quoi se dire. Elle le dévisage, le touche, le palpe.

– Tu es beau...

Ahmed a un visage doux, un regard doux, avec des sourcils épais, en fort accent circonflexe, qui accentuent encore cette douceur par contraste. Même son sourire est gentil. Un petit air de famille avec Nadia, et par moments ce même regard triste. Maman est si heureuse qu'elle lui tourne autour sans arrêt. La conversation n'est pas facile, je dois leur servir d'interprète. J'ai déjà raconté toute l'histoire d'Ahmed à maman, mais elle veut savoir, et savoir et savoir encore. On ne peut rattraper vingt-trois ans d'absence en quelques jours.

Ahmed est accompagné par un frère de notre père venu d'Arabie Saoudite. Il est plus jeune que lui, et lui ressemble beaucoup physiquement, mais pas du tout moralement. De caractère vif, intelligent, notre oncle Kassan, en apprenant notre histoire, fut extrêmement choqué par la conduite de son frère aîné. Il est de notre côté sans équivoque. Toute cette publicité autour de la famille lui a fait honte. Le nom de Muhsen a fait le tour des journaux, on dirait.

Ahmed, lui, a quitté l'armée, et il a un but.

– Demande à maman si elle peut m'aider à partir moi aussi. Je ne veux plus rester au Yémen. Si je pouvais vivre en Angleterre... et travailler là-bas, je serais moins malheureux.

Jim Halley est mis à contribution une fois de plus, mais dans le cas d'Ahmed c'est relativement simple. Il est sujet britannique par sa mère, et lui obtenir un visa n'est guère compliqué. Les hommes ont plus de chance. Ahmed retrouvera peut-être l'Angleterre avant moi.

Comment notre père a-t-il eu connaissance de la décision d'Ahmed, c'est encore un mystère du téléphone arabe. Mais il se met à entreprendre tout ce qui est en son pouvoir pour empêcher son fils de quitter le Yémen. Au début il me semble qu'il ne pourra pas grand-chose depuis l'Angleterre. Or je me trompe.

Un matin mon oncle arrive chez nous inquiet, et nous demande si nous avons vu Ahmed.

– Il a disparu depuis plusieurs jours, nous sommes très inquiets.

Installés tous les deux chez des amis à Taez, une famille très occidentalisée, dont le fils est médecin, ils attendaient comme nous le résultat des démarches. Ahmed n'est pas le genre de personne qui part sans prévenir.

Abdul Walli étant le chef de la police, et notre seul véritable contact avec les autorités, nous nous adressons à lui en premier. Il n'est au courant de rien mais promet de se renseigner très vite, et l'un de ses indicateurs rapporte la nouvelle en quelques heures : Ahmed est en prison. Pourquoi ? Qu'a-t-il fait ? Mystère pour l'instant.

Sans attendre un instant, je décide que nous allons nous renseigner nous-mêmes à cette prison, et toute la famille, Nadia, maman, mon oncle et moi, y compris les enfants, nous embarquons dans un taxi.

A l'entrée, devant une immense grille d'acier, un garde porte un fusil en bandoulière. Je l'apostrophe au culot.

– Je voudrais savoir si Ahmed Mushen est ici.

Il paraît surpris qu'une femme lui adresse la parole dans la rue, mais se montre assez aimable.

– Je vais demander.

Quelques minutes plus tard, il est de retour.

– Il est ici.

– Pourquoi l'a t-on mis en prison ?

– Je ne sais pas...

– Alors je veux le voir.

– Non, c'est défendu. Il faut une autorisation...

– Si, je veux le voir, c'est mon frère.

– Ce n'est pas la peine, il sera relâché bientôt.

– Qui vous a payé pour dire ça ? Ici tout le monde marche à l'argent. Il faut vous payer pour le voir ?

Une fois de plus la colère me fait hurler dans la rue. Le garde pointe son fusil vers moi, en grondant :

– Tu vas la fermer ?

– Vas-y tire ! Allez vas-y !

Mon oncle bondit du taxi et me prend par le bras en essayant de m'éloigner et de me calmer.

– Zana... Calme-toi... c'est inutile de crier contre un gardien. Il n'y est pour rien... tu deviens folle...

C'est vrai, par moments je deviens folle. Je ne contrôle plus mes nerfs. Je ronge mes ongles depuis des années ici. L'insomnie m'a déglinguée. En ce moment, j'ai l'impression que toutes ces histoires, ces palabres, ces attentes, vont m'achever.

Mon oncle me tire en arrière et m'oblige à remonter dans le taxi.

– Abdul Walli va s'en occuper. Si Ahmed n'a rien fait, il le fera sortir.

– Mais il n'a rien fait ! C'est un coup monté !

Quelques heures d'angoisse plus tard, un policier d'Abdul Walli se rend à l'appartement et nous donne des informations supplémentaires. Ahmed a été enfermé parce qu'il aurait voulu nous kidnapper avec son oncle afin de nous faire sortir du pays ! Convoqué par le gouverneur, il s'est présenté à son bureau sans méfiance, et on l'a arrêté sur-le-champ. J'avais raison. C'est un coup monté. Et je vais dire moi-même au gouverneur ce que j'en pense. Qui peut croire que mon frère ait voulu nous kidnapper ?

Je pars avec Nadia, en laissant les enfants à maman. Nous franchissons les barrières de sécurité, grimpons les étages, et lorsque la secrétaire du gouverneur, celle qui nous a interrogées chez Abdul Walli, nous fait entrer dans son bureau je suis tellement en colère que je ne fais plus attention à ce que je dis. Nadia me tire un peu par la robe, la secrétaire tente de me calmer, nous offre du thé. Mais rien n'y fait.

– Je veux qu'on fasse sortir mon frère de prison ! Vous entendez ? J'en ai marre de toutes ces histoires, on nous prend pour qui ? Pour du bétail ?

– Mais je ne peux rien faire, il faut attendre...

– Je refuse d'attendre, j'en ai assez d'attendre. J'attends depuis des années de rentrer chez moi ! Je n'attendrai pas une minute de plus !

Pendant que je vitupère ainsi, quelqu'un a dû contacter Abdul Walli, car il débarque furieux dans le bureau de la secrétaire.

– Qu'est-ce qui vous prend d'agir ainsi ? Vous êtes folles toutes les deux ! Personne ne vous a autorisées à intervenir...

– Je m'en fiche complètement de vos autorisations.

– Venez avec moi immédiatement.

– Je n'irai nulle part tant que mon frère ne sera pas dehors.

Le chef de la police de Taez n'a sûrement jamais eu affaire à une fille comme moi. Nous nous affrontons du regard quelques secondes... puis il cède.

– Alors viens, on va le chercher.

J'ignore si mon intervention a réellement gêné leur petit complot, peut-être ont-il eu peur que la presse soit mise au courant, par l'intermédiaire de l'ambassade. En tout cas, nous retournons aussitôt à la prison en taxi. Abdul Walli se rend seul dans les bureaux de l'administration, et une demi-heure plus tard, il ressort avec Ahmed. Mon frère s'engouffre aussitôt dans la voiture, pâle, et terriblement secoué.

– Un garde m'a battu. Ils m'ont menacé. Ils m'ont dit d'arrêter de me mêler de vos affaires... Que ça ne me regardait pas... Je n'ai rien fait... Je n'ai rien compris à tout ça...

Je rumine contre tous ces gens, ces officiels, ces policiers, ces gouverneurs qui font exactement ce qu'ils veulent, sans peuve, sans avocat, sans rien... Ici l'individu est à leur merci, et nous aussi.

Nous n'avons pas fini d'avoir affaire à la police. Un matin, alors que nous sommes seules avec maman dans l'appartement, on frappe à la porte. J'ouvre, c'est un policier en uniforme, béret sur la tête et fusil dans le dos. On dirait toujours qu'ils s'apprêtent à tirer... Derrière lui, un homme en djellaba blanche, l'air méchant, la voix courroucée.

– Votre mère est là ?

– Elle est là-bas.

J'indique à l'homme la pièce ou nous vivons, encombrée de matelas, aux murs nus, sans aucun meuble.

L'homme avance et s'adresse à maman sur un ton emprunté et en mauvais anglais :

– Myriam Ali... je vous signale votre visa touriste pour le Yémen expiré! Vous enfreindre la loi!

– Pas du tout, il n'est pas expiré. Il me reste quatre jours...

– Savez-vous ce qui arrive quand vous dépassez la date limite ?

Le policier à ses côtés saisit son fusil, le doigt sur la gâchette.

Maman refuse de se laisser intimider et répète sûre d'elle :

– Mon visa n'est pas expiré.

– Donnez votre passeport!

Maman lui tend son passeport, et il se met à le feuilleter avec circonspection. Maman insiste :

– Qui vous envoie?

Il ne répond pas.

– Rendez-moi mon passeport! Et sortez de cette maison. J'ai encore quatre jours, et je ne partirai pas avant! Ce que vous faites est ridicule!

L'homme en djellaba blanche lui rend le passeport l'air furieux, claque des doigts en direction du policier, et ils sortent tous les deux.

Cette façon grossière d'essayer d'intimider les gens, nous commençons malheureusement à en avoir l'habitude.

Il ne reste plus que quatre jours à maman. Quatre pauvres petits jours. Et c'est juste avant son départ que nous apprenons la dernière nouvelle. Le *British Home Office* retourne les demandes de visas de nos « maris ». Ils ont menti tous les deux. Samir n'a pas d'argent, et aucun moyen de subvenir à ses besoins en Angleterre. Quant à Abdullah, il a menti en prétendant ne jamais avoir demandé de visa auparavant. Demandes refusées. Jamais nous ne partirons avec les enfants. Si nous obtenons l'autorisation pour nous, il faudra les laisser au Yémen.

Partir en laissant Marcus derrière moi, c'est difficile à envisager. L'idée me ronge. « Ce pauvre petit bout qui marche tout juste, qui a tant besoin de moi, qui pleure dès que je vais quelque part sans lui... Et Nadia... »

Maman s'en va. Elle n'a pas le choix, et de toute façon, il vaut mieux qu'elle retourne en Angleterre pour nous aider; ici, elle ne peut pas grand-chose. Mais sa présence à nos côtés était un tel réconfort. Une telle muraille vis-à-vis des deux « autres ». Les « maris » menteurs, lâches. Ils ont menti exprès. Abdul Khada est à la tête d'une sorte de mafia d'hommes, dont mon père fait partie. Ils peuvent mettre Ahmed en prison, ils peuvent nous faire chanter. Ils peuvent tout.

Cette fois, nous sommes autorisées à accompagner maman, dans la Land Rover d'Abdul Walli jusqu'à l'aéroport de Taez. Les « maris » nous accompagnent. Le bâtiment est tout neuf, en verre, et l'on peut voir les avions atterrir et décoller.

Il nous reste maintenant dix minutes avant le départ. Dix minutes durant lesquelles nous avons l'horrible sensation d'être condamnées à vivre à perpétuité dans ce pays. Lui dire au revoir, l'embrasser, la regarder marcher vers la porte d'embarquement, vers cet avion... Alors que nous ne voulons qu'une chose depuis si longtemps, monter dans un avion, nous aussi, avec elle. Filer dans ce ciel... Mon Dieu, filer si loin que le nom de ce maudit pays n'existe plus dans ma tête.

Nadia pleure et Haney éclate en sanglots en même temps que sa mère; il a trois ans et commence à comprendre beaucoup de choses. Maman est partie en pleurant, s'est retournée en pleurant pour dire :

– Ne vous inquiétez pas... c'est pour bientôt, je vous le jure...

Abdul Walli l'accompagne jusqu'à la douane, et nous restons de l'autre côté de la paroi de verre, à faire des signes, les enfants dans les bras.

– Mamy s'en va Marcus... Dis au revoir à Mamy.

Samir et Abdullah ont dit au revoir, eux aussi, en hypocrites. Ils nous récupèrent maintenant. Avec leurs mensonges.

Nous attendons que l'avion s'envole, qu'il passe au-dessus de nos têtes, qu'il ne soit plus qu'un petit point.

Il faut rentrer. Sur le chemin de l'aéroport, la voiture nous arrête dans un parc où un grand manège pour les enfants a été construit.

Samir et Abdullah jouent aux pères de famille, pour la première fois. Les enfants s'amusent, et nos « maris » s'amusent aussi. Pour leurs enfants ils sont plus des frères que de véritables pères. Abdullah n'a jamais témoigné une marque d'affection à Marcus. Il ne lui a jamais acheté un vêtement ; si l'enfant a besoin de quelque chose je dois toujours le lui demander. Je crois qu'il ne s'est pas rendu compte qu'il était père. Ou bien ça ne l'intéresse pas. Pour lui, son fils s'appelle Mohammed, c'est à peu près tout ce qu'il sait.

Ce parc, ce manège, les enfants qui jouent avec leurs pères, et nous deux qui regardons en silence, le cœur gros. Scène factice de vie familiale au Yémen... Tandis qu'un avion vole vers l'Angleterre.

Qui peut savoir que, derrière le voile noir, les femmes pleurent, et pourquoi elles pleurent ? Mais les enfants se sont bien amusés.

Marcus est très malade. Il ne mange plus, a beaucoup maigri, et je le vois s'affaiblir de jour en jour, sans rien y comprendre. On dirait que la vie le quitte lentement. Cette fois, Nadia et moi l'emmenons nous-mêmes à l'hôpital.

« Les Anglaises de Taez » sont désormais fameuses pour la

plupart des gens de l'administration, et même dans la rue. Avec ou sans voile, on nous reconnaît. Cette notoriété équivoque s'avère utile, car on me dirige directement vers le bureau d'un médecin pour examiner Marcus, alors que la longue file d'attente habituelle s'étire dans les couloirs.

Ce médecin que je n'ai jamais vu semble lui aussi me connaître. Rien ne me dit qu'il est réellement médecin, d'ailleurs, c'est peut-être un simple infirmier. Mais ça m'est égal, je veux simplement savoir de quoi souffre mon enfant, et qu'on le soigne.

Le médecin nous emmène dans une salle équipée comme un laboratoire, où l'on fait des radios et des prises de sang. Il est jeune, la trentaine, grand, blond et sympathique. Il semble surpris par mon intrusion et examine attentivement Marcus.

– Il est très faible. Avant toute chose, il faut analyser son sang.

– Qu'est-ce qu'il a ?

– Je ne peux pas vous répondre. Il faut un examen.

Marcus geint, sous la piqûre. On lui prélève plusieurs échantillons de sang. Il est si pâle que j'ai l'impression qu'on lui enlève les quelques gouttes de vie qui lui restent.

– Revenez demain pour les résultats, nous verrons ce qu'il faut faire. Et présentez-vous directement ici, inutile d'attendre.

Le lendemain, après une nuit d'angoisse à surveiller Marcus, je me retrouve devant le médecin, et son air sérieux me glace le cœur.

– Qu'est-ce qu'il a ?

– Il a besoin d'une transfusion d'urgence, c'est grave. Il n'est pas loin de la mort, mais il a de la chance, on peut le sauver. Si vous ne l'aviez pas amené ici, il n'aurait pas résisté longtemps.

– Comment se procurer du sang ici ?

En Angleterre, dans les hôpitaux, on trouve du sang sur place, mais au Yémen, il n'y a rien de tel.

– Le mieux serait de prendre du sang à son père. Si le groupe est compatible...

– Je ne veux pas. Je refuse qu'il reçoive quoi que ce soit de son père.

Abdullah a été opéré en Arabie Saoudite, et Dieu sait quel sang douteux il a reçu en transfusions... Le trafic du sang dans certains pays est un danger public. De plus la seule idée que mon enfant soit ainsi lié à l'homme que je déteste me révulse. Je ne l'exprime pas devant le médecin, mais il semble comprendre ma répugnance.

Mon groupe, que je connais depuis l'école en Angleterre, n'est pas compatible. Le médecin prend une décision :

Votre enfant et moi partageons le même groupe. Je vais refaire un test par sécurité, et si ça marche, je lui donnerai mon sang.

Un second médecin vient lui prendre un sachet de sang, l'opération se fait en une vingtaine de minutes. Cet homme est merveilleux. Pourquoi fait-il cela ? Il ne doit pas donner son sang à tout le monde, c'est impossible. J'imagine qu'informé de notre situation, il s'efforce de réparer à sa manière le mal qu'on nous a fait ici.

On allonge Marcus sur une table d'auscultation. Il est si faible qu'il ne parvient plus à ouvrir les yeux. Le médecin cherche une veine sur ce petit corps fragile dont la peau est devenue grise, blême. Les bras sont trop maigres, il ne trouve pas de veine suffisamment apparente et solide pour supporter la transfusion. Seule une veine du front est parfaitement visible, en relief sous la peau fine.

– On va injecter le sang par-là, c'est la seule solution.

L'aiguille s'enfonce, tout mon corps se raidit, et Marcus se met à crier et à se débattre. Je dois le maintenir entre mes bras, je dois regarder le sang couler dans la tête de mon enfant, lentement, tout en l'empêchant de bouger. C'est terriblement impressionnant, la peur que l'aiguille se déplace, que le sang précieux s'écoule dans le vide... Au bout de quelques minutes, Marcus s'endort, et la transfusion continue. Nous restons là deux heures. Il est dans mes bras, mon visage est penché sur le sien, je respire doucement, guettant le moindre de ses réflexes, surveillant la lente progression du sang rouge dans le tube jusqu'à l'aiguille.

Et durant ces deux heures, je souffre d'une culpabilité monstrueuse. Je vais bientôt l'abandonner. La décision de partir, en le laissant ici, je l'ai prise au fond de moi, depuis longtemps. Mais là... de le voir dans cet état, en sachant qu'il sera seul à l'avenir... entre quelles mains ? Soigné comment ? Et s'il mourait ? S'il mourait même maintenant. Là dans mes bras... l'horreur me pétrifie.

Nadia attend dans un coin de la salle, nous n'avons prévenu personne. Je ne voulais pas que le père sache, et s'en mêle, je ne voulais pas qu'on lui prenne son sang. Je le vois malade son sang, pourri, mauvais. C'est plus fort que moi, je n'aurais pas supporté qu'il lui en donne une seule goutte. Mais à présent, il me faut de l'aide pour transporter mon fils. Nadia retourne à l'appartement, pour demander aux garçons de quoi payer un taxi.

Elle revient avec Abdul Walli, qui a l'air furieux de mon initiative. Nadia m'explique qu'elle n'a trouvé personne à la maison, ils devaient être partis mâcher du qat quelque part. Discuter interminablement entre hommes, je me demande bien de quoi. Boire du thé, mâcher du qat, palabrer, prend tout leur temps, et que les femmes se débrouillent.

Abdul Walli veut savoir ce qui se passe, mais je n'en sais pas grand-chose finalement. De quoi souffre mon fils ? Le médecin, venu régulièrement surveiller la transfusion, ne m'a rien dit sinon qu'il avait besoin de sang.

Il devait avoir raison d'ailleurs puisque Marcus reprend peu à peu des couleurs. Les joues blêmes sont devenues roses. Le visage est moins crispé, il dort, détendu, sa respiration est calme.

Nous le ramenons à l'appartement, et les jours suivants, il reprend régulièrement des forces, mange normalement. En le regardant jouer à nouveau par terre sur le matelas avec le petit manège de toutes les couleurs que maman lui a apporté d'Angleterre, l'angoisse me reprend. Il aura les mêmes problèmes de santé que son père, peut-être la même malformation, qui rendra nécessaire une opération. Je ne connais pas grand-chose à la médecine, et encore moins depuis que je suis prisonnière au Yémen. Lorsque je suis malade moi-même, je résiste seule le plus longtemps possible. Aucune confiance dans leurs médicaments, leurs décoctions bizarres. J'ai souffert de la malaria et m'en suis sortie quasiment seule. J'ai souffert de beaucoup de choses, sans même le dire. Le médecin du village m'a aidée quelque temps, surtout à dormir... Pour le reste, je me suis endurcie, tout en moi est devenu pierre solide. Je peux résister physiquement à beaucoup de choses, je m'en suis rendu compte.

Toutes les angoisses et les peurs que je dissimule dans ma tête, je n'en parle pas à Nadia, trop fragile. Et en dehors d'elle, il n'y a personne. A maman elle-même je n'ai pas tout dit de mes souffrances. Il y a des choses inexprimables. La souffrance de devoir laisser Marcus, le jour où je quitterai ce pays, est l'une de ces choses inexprimables. Indicible. Ma seule certitude, c'est qu'en tant que garçon, il ne souffrira pas. Laisser une fille dans ce pays, j'ignore si je le pourrais. Je ne sais pas. Je ne crois pas. Mais laisser un garçon solide et en pleine forme serait plus facile que d'abandonner un être faible qui devra lutter pour la vie...

Notre situation s'est figée depuis quelques semaines. Une complication à la yéménite, quasiment inextricable.

Du côté de Nadia, le problème est relativement clair si j'ose dire. Nous avons appris par Jim Halley que Samir pouvait finalement obtenir un passeport anglais car son père Gowad s'était vu conférer la nationalité britannique récemment. Un comble! Mais Samir ne semble pas pressé d'aller réclamer ce passeport à l'ambassade. Il me semble que c'est une chance pour Nadia. Elle pourra quitter ce pays la première, et avec ses enfants.

Je préfère partir après elle, redoutant toujours qu'elle n'ait pas la volonté de se battre seule. Je harcèle Samir, d'autant plus que mon propre passeport est prêt à l'ambassade de Sanaa. Maman avait laissé nos papiers à Jim de peur qu'ici à Taez, nous ne nous les fassions voler et qu'ils disparaissent comme les originaux.

Finalement Samir se décide. Nous allons partir à Sanaa, dans la Land Rover d'Abdul Walli, et récupérer les documents. Abdullah ne vient pas, je ne sais même pas où il est, il a quitté l'appartement sans laisser de message. Personnellement ça ne me gêne en aucune manière. Il ne me sert à rien, il peut bien disparaître où il veut.

Nous partons très tôt le matin comme d'habitude. La route de

Taez à Sanaa est asphaltée, le voyage dure environ quatre heures! En fin de matinée, nous arrivons dans la banlieue de Sanaa, où Abdul Walli a une maison, plus petite que celle de Taez, mais tout aussi belle. Il fait froid et humide dans la capitale. Froid et humide dans la maison qui n'a pas été habitée depuis plusieurs mois. Nous sommes dans un quartier riche, toutes les demeures voisines sont entourées de hauts murs, l'architecture est superbe. Les façades, ornées de dessins géométriques peints en blanc, soulignent chaque étape, chaque fenêtre. Certaines sont décorées d'albâtre translucide. Les plus luxueuses possèdent des fenêtres à doubles vitraux. Le soir, les lumières font resplendir chaque carreau. Un décor des mille et une nuits... Le contraste entre le quartier riche et les quartiers pauvres est énorme, ici comme à Taez.

Abdul Walli est fier de sa maison; ses voisins sont un avocat, un médecin, un industriel... C'est donc là que nous devons attendre les passeports.

Bientôt Samir revient de l'ambassade et nous fait part d'une complication. Son père n'a pas rempli un document indispensable et refuse manifestement de le faire.

Il semble évident que Gowad ne veut pas de Nadia en Angleterre, c'est pourquoi il empêche son fils d'obtenir ses papiers. Pour sortir du pays, avec ses enfants, Nadia doit en effet figurer sur le passeport de Samir. A moins qu'elle n'accepte de partir seule... comme moi. C.Q.F.D. Le filet tendu autour de nous est toujours le même, quoi que nous fassions. Nous attendons tout de même qu'on nous délivre nos passeports personnels. C'est quelque chose un passeport... Depuis mon départ en « vacances » en 1980, je n'ai jamais revu le mien.

Nous devons repartir à Taez demain, et plus personne ne parle de nos papiers. Les miens ne sont pas encore prêts. Abdul Walli doit les faire tamponner ou je ne sais quoi. Maman m'a pourtant annoncé dans une lettre que tout était en règle. On dirait que nous sommes venues inutilement, et je ne peux rien faire pour accélérer les choses. Je l'attendais ce passeport comme un trésor. J'en rêvais, je le voyais déjà dans mes mains, avec tous ses tampons, petit livre de la liberté.

La Land Rover nous ramène à Taez et Abdul Walli me montre un document, couvert d'une écriture arabe.

– C'est ton divorce.

Il remet immédiatement le papier dans sa poche.

– Quel divorce ?

Je suis sous le choc. Personne ne m'a jamais parlé de divorce.

– Pourquoi ai-je besoin d'un divorce ? Je ne suis même pas mariée.

– Tu es ici depuis assez longtemps pour connaître nos usages. Il te faut un document prouvant que tu n'es pas mariée. Quand le divorce sera prononcé, tu seras libre de vivre où tu veux. Ici à Taez avec Marcus, ou alors... en Angleterre, sans lui. Ce sera à toi de choisir.

– Et Nadia ?

– Nadia reste ici avec son mari pour l'instant.

– Mais qui a décidé de ce divorce ?

Abdul Walli a un geste fataliste.

– Peu importe, il te faut ce divorce de toute façon...

Apparemment, le gouvernement yéménite en a assez de moi. Le ministre des Affaires étrangères a pris contact avec l'ambassade britannique, en lui donnant le choix : ou Abdullah signe un papier m'autorisant à quitter le Yémen... ou il accepte le divorce.

Abdullah a accepté le divorce. Je me demande comment ils ont pu l'en persuader. Son père était contre, et il en a si peur ! Je vais interroger l'un des policiers d'Abdul Walli, assez compréhensif et qui m'a déjà renseigné plusieurs fois sur les rumeurs, et les rebondissements de notre affaire.

– Ils ont mis Abdullah en prison. Il est enfermé quelque part à cinq heures de route de la ville.

– C'est pour ça qu'il n'est pas venu à Sanaa, il est toujours enfermé ? Mais pourquoi ? Qu'est-ce qu'il a fait ?

– Rien... Sauf qu'il refusait de signer. Il ne cessait de pleurer dans sa cellule, son père lui avait interdit de divorcer. Il a fallu le convaincre...

– Ça veut dire qu'on veut se débarrasser de moi ?

Mon informateur ne peut répondre à ce genre de question. Mais Abdul Walli le peut, lui. Il savait tout et ne m'a rien dit. Cette façon de nous maintenir dans une incertitude permanente est effrayante. M'emmener à Sanaa, chercher un passeport qui n'existe pas, tout en sachant qu'Abdullah est en prison...

– Abdul Walli, c'est vrai qu'Abdullah est en prison ?

– C'est vrai, mais il va sortir.

– Pourquoi ne m'avoir rien dit ?

– Parce qu'il refusait. Il a refusé un bon moment. Ce n'était pas utile de t'en informer avant. Son père n'était pas d'accord, et les fils...

Obéissent à leur père. Refrain connu.

– Mais encore une fois, je ne suis mariée légalement a personne !

– Tu as signé un papier il y a six mois en arrivant ici...

– C'était pour avoir la garde des enfants, juste un papier administratifs... vous aviez dit qu'il n'y avait pas d'autre solution, à ce moment-là...

– Donc tu étais mariée, et maintenant tu divorces.

Subtil. Je n'en peux plus de tous ces papiers, de toutes ces tractations, ces dissimulations... La seule chose qui me fasse sourire intérieurement, c'est la tête d'Abdul Khada en ce moment. Pour remarier son fils il aura beaucoup de mal, et il lui faudra beaucoup d'argent. Plus qu'il ne pourra jamais en trouver. Qui voudrait épouser Abdullah ?

– Donc je peux partir ? Dès que j'aurai mon passeport ?

– Tu dois attendre trois mois.

– Pourquoi trois mois ?

– Pour que nous soyions certains que tu n'es pas enceinte.

Mes pilules ne m'ont jamais quittée depuis le départ de maman. Mais il n'a pas besoin de le savoir maintenant.

– Ensuite tu devras laisser Marcus à ta sœur.

– Comment être sûre que c'est elle qui le gardera ?

– En fait il devrait retourner chez ses grands-parents... puisque tu divorces. Mais Nadia est ta famille...

« Ward... l'horrible Ward et ses petis yeux méchants, s'occupant de mon fils. Le fils de la « putain blanche »... »

– Promettez-moi une chose. Que Nadia reste à Taez. Si elle reste en ville, ils ne viendront pas le chercher.

– C'est promis.

Promis par Abdul Walli. Il faut bien me contenter de cela. Il est chef de la police, il nous a aidées. A sa manière, mais cette manière était tout de même précieuse dans le désert où nous nous trouvions.

Marcus. Ma tête ne veut plus penser, elle n'a plus de plan, plus d'échappatoire à proposer. Marcus grandira sans moi. Avec Nadia, c'est une sécurité. Et j'espère simplement que, lorsqu'ils laisseront ma sœur s'en aller avec ses enfants, Marcus pourra la suivre.

Nous avons ce soir une grande discussion, elle et moi.

– Je n'ai pas peur que tu partes, Zana. Fais ce que tu peux là-bas pour me ramener en Angleterre. Je sais que tu feras tout. Tu es si forte.

– Mais tu n'as pas de passeport, celui de Samir n'est pas fait, Gowad refuse toujours de signer les papiers.

– Là-bas tu pourras les convaincre. Pars Zana, il n'y a que toi qui puisses arranger tout ça. Pars... je garderai Marcus, je le soignerai, je te donnerai de ses nouvelles, je t'enverrai des photos, il sera comme mon fils. Pars...

Avril 1988.

On dit que je suis vraiment divorcée. J'ai posé la question à tous les gens que j'ai pu rencontrer, chez le gouverneur, chez Abdul Walli. Tous m'ont répondu : « C'est vrai ». J'ignore si Abdullah est sorti de prison, j'ignore s'il est retourné en Arabie

Saoudite, j'ignore tant de choses; tant de choses se sont faites sans moi, malgré moi, contre moi. Dans ce dédale de mensonges et d'hypocrisie, j'ai souvent cru devenir folle. Par moments, je l'ai sûrement été.

Vendue, violée, mariée et divorcée, mère de famille, tout cela de force. Quand j'avais quinze ans à Birmingham, et que nous habitions Sparkbrook, au-dessus du petit bistrot de *fish and chips* de mes parents, je rêvais à Mackie. Je m'échappais sous tous les prétextes pour le rejoindre, je racontais que j'allais faire du baby-sitting chez une copine et nous allions danser le samedi soir. Que dansait-on déjà en 1980 ? Le disco, le rock et le reggae. Que danse-t-on maintenant en Angleterre ? J'ai vingt-quatre ans, et je n'ai plus dansé, je n'ai plus aimé depuis longtemps. Mackie, mon boy-friend, a dû rencontrer beaucoup de jolies filles.

Si je me regarde dans la glace miteuse de cet appartement miteux de Taez, je vois une femme. Les traits tirés, les yeux battus, le cheveu triste. Mes mains portent encore des traces de henné; j'acceptais de m'en mettre au village pour ne pas vexer les autres femmes.

L'Angleterre, Birmingham, maman, Mackie, mes sœurs et mon frère, les copains, l'école, le parc avec la balançoire... J'ai tant voulu retrouver tout cela depuis huit ans, et voilà que je ne m'en souviens presque plus. Des images, comme des cartes postales oubliées surgissaient parfois la nuit, quand je ne dormais pas au village. Je voyais une rue, pleine de boutiques, des vitrines remplies de robes, de jeans et de tee-shirts, de belles chaussures à talons. Un magasin de disques, d'où sortaient des bouffées de musique. Mais je ne voyais plus les visages, ils étaient flous. Celui de ma meilleure copine Lynette, par exemple... Elle riait, je riais avec elle... Je ne sais plus de quoi. Lynette a dû changer, m'oublier. Peut-être a-t-elle des enfants et un mari, un vrai, dans une maison à elle.

Marcus va bien. Nadia me dit : « Pars... et fais nous tous revenir... »

Avril 1988, et je n'ai toujours pas de nouvelles de mon passeport. Il paraît qu'il est retenu par les autorités du Yémen, il y manque un tampon. Un coup de tampon, et je devrai abandonner Marcus. Je le dois. Si je ne sors pas d'ici, personne jamais n'en sortira. Si je ne sors pas d'ici, je mourrai sous ce voile.

Abdul Walli vient d'arriver. Nadia le reçoit, les enfants accrochés à ses jupes comme toujours. Je regarde notre protecteur s'installer, sur les pauvres matelas qui nous servent de mobilier, de coussins, de tapis, et accessoirement de lits. Je le regarde en me demandant quel piège « on » m'a encore tendu.

– Tu pars dans deux jours à Sanaa. Tu peux faire ta valise.

Je reste un moment sans voix. Il a réussi. J'ai réussi ?

– Je pars vraiment ? Vraiment, vraiment ?

– Tu pars. Je vais te donner un peu d'argent, pour le voyage, et pour rapporter des cadeaux à ta famille en Angleterre.

Dès qu'il a tourné le dos, comme des folles nous sortons faire quelques courses, Nadia et moi. Mille rials... des petits billets, de jolis petits billets, mille rials, et je pars... Je danserais dans la rue, si c'était possible. En une seconde j'oublie tout, comme une gamine. Mes angoisses pour Marcus et l'avenir. La joie m'étouffe, à en pleurer. Je pars.

– Je vais me battre pour toi là-bas. J'irai voir tout le monde, je remuerai tous ces gens. Il faut qu'ils sachent. Il faut qu'ils interdisent ce trafic. Vendre des filles pour avoir la nationalité anglaise. Je dirai tout, sur notre père, sur les tribus du Maqbana... sur l'esclavage des femmes.

Nous achetons des petits flacons de parfum pour maman, Ashia et Tina. C'est la première fois que nous avons de l'argent. Il me faut des vêtements pour partir, quelque chose qui ressemble à un vêtement européen. Je découvre une sorte d'imperméable qui descend jusqu'au genou, et un pantalon. Il fait froid à Sanaa. Le vent nous glace les joues. Mille rials... il ne faut pas tout dépenser. Nadia doit garder ce qui reste. Elle a l'air heureuse, confiante.

– Tu devrais acheter ce petit sac en éponge pour le voyage.

Lorsque nous rentrons et que Samir est mis au courant, il déclare solennellement que, dès qu'il aura son passeport, Nadia et lui viendront me voir avec les enfants.

Je veux le croire. Après tout, l'Angleterre est aussi son rêve. Il arrivera à convaincre son père. Nadia a l'air d'y croire, elle aussi. Il faut croire. J'ai toujours cru, moi.

Je fais ma valise. Ma valise d'Angleterre. La même qu'il y a huit ans. La seule chose qui me reste, remplie des vêtements que je portais alors. Ma jupe à fleurs...

Les cadeaux prennent toute la place. Je marche dans un rêve.

– La pire des choses, c'est de te laisser ici, Nadia.

– Je tiendrai. Je t'attendrai. Ce n'est plus pareil maintenant.

C'est vrai, ce n'est plus pareil. Nous existons, le monde extérieur nous connaît, sait où nous sommes. Pour ma sœur et les enfants, je ne céderai jamais.

La Land Rover attend. Abdul Walli y glisse ma valise, tandis que je porte Marcus dans mes bras. Un policier en arme nous accompagne. Je me fais l'effet d'une prisonnière qui marche vers la liberté, ou d'une espionne qu'on va échanger. Mais mon fils, ma sœur et ses enfants, sont gardés en otage. Je la paye au prix fort cette liberté de me battre ailleurs, dans mon pays.

Nadia m'embrasse. Il faut partir, le chauffeur nous presse. Mes idées s'embrouillent, à l'instant où je fais glisser Marcus encore endormi dans les bras de Nadia.

– Vas-y... allez... vite!

– Le gouvernement m'aidera, j'en suis sûre.

– Moi aussi... Vite... Dépêche-toi de nous faire sortir...

Mon Dieu, toute cette peine. Marcus me regarde, il s'est réveillé.

– Vite... J'ai confiance.

Le soleil n'est pas levé, la Land Rover démarre dans la nuit. Je me retourne et ne vois rien dans la ruelle sombre. Marcus n'a pas pleuré. Il ne pleure pas quand il est dans les bras de Nadia. Il est toujours sage avec elle. Il ne souffrira pas, il est trop petit, il ignore ce qui se passe. Un jour, je lui raconterai son histoire.

Personne n'a pleuré. Il ne fallait pas.

Nous arrivons à Sanaa à l'aube, la Land Rover se gare devant l'aéroport, et je fonds en larmes.

Il n'y a qu'un seul vol direct par semaine pour Londres. C'est le mien. Je n'arrive pas à y croire. C'est là, devant ce guichet, dans cet aéroport où je suis arrivée à seize ans, que je commence à me rendre compte de ce qui m'arrive. Je vais quitter le Yémen, quitter Nadia, Marcus et les enfants. Je vais monter dans cet avion.

Abdul Walli règle les formalités, j'attends. Et l'angoisse réapparaît. Quelqu'un va venir m'arrêter, brandissant ma photo et criant que je suis une espionne, ou une évadée. Mon dos est si raide qu'il me fait souffrir. Je tiens ma valise comme une protection contre ma poitrine. Tout est en règle, on pèse mon bagage, on me le prend. Je suis là, plantée dans cet aéroport, les bras ballants, mon petit sac sous le bras, à guetter je ne sais quoi. La peur. Je guette la peur qui peut revenir d'une minute à l'autre.

Abdul Walli revient avec un homme en uniforme et me tend un bulletin bleu, que je dois remplir.

– Pour quoi faire ?

L'homme en uniforme se contente de répondre :

– Dépêchez-vous, nous en avons besoin tout de suite.

Les questions sont simples. Nom, prénom, date de naissance, lieu de départ, lieu d'arrivée. Londres est mon lieu d'arrivée. J'écris Londres, en lettres capitales et Grande-Bretagne.

Abdul Walli me tend mon passeport. Je l'ai. Il est là entre mes mains, rouge foncé, cartonné, tamponné, avec une photo prise à Taez, avec maman. Je l'enfouis dans mon sac, et coince le sac sous mon bras.

Il faut attendre, maintenant, à la cafétéria. Une demi-heure passe durant laquelle mon cerveau fonctionne à toute vitesse. « Abdul Walli m'a-t-il menti à propos de ce passeport ?

L'avait-il depuis longtemps ? Était-ce un simple retard de l'administration ? Et si la police surgissait ? Pour me ramener à la Land Rover et repartir à Taez. » Il faut attendre et je suis malade, physiquement malade. Mon ventre se tord de peur, j'ai froid, je n'arrive pas à ravaler ma salive.

Les haut-parleurs annoncent le départ du vol à destination de Londres. Abdul Walli me prend par le bras, il faut avancer jusqu'à la salle de départ. Il me tend la main, je ne vois plus clair, il me dit au revoir, je crois, mes oreilles bourdonnent.

Je dois encore attendre, dans la salle d'embarquement, seule. Il n'y a plus personne à mes côtés pour intervenir s'il se passait quelque chose. Il ne faut pas qu'on me prenne pour une femme arabe seule, je dégage mon imperméable, croise les jambes, secoue mes cheveux... Je suis une touriste anglaise qui rentre chez elle. Il y a d'ailleurs quelques touristes. Je suis une voyageuse normale. Une femme d'un certain âge s'assied près de moi, une Américaine, je lui demande :

– C'est bien l'avion pour Londres ?

Elle sourit.

– Oui, bien sûr. Où allez-vous ?

– Je rentre chez moi en Angleterre.

– Ah ? Vous êtes anglaise ?

– Oui, de Birmingham.

– Pardonnez-moi, mais de la manière dont vous êtes habillée, je vous aurais pris pour quelqu'un d'ici, et vous êtes si bronzée !

Je m'entends répondre :

– Je suis restée ici pendant huit ans...

Mon pantalon de mauvais coton, cet imperméable trop long, ce foulard que j'ai fait glisser de mes cheveux, ne suffisent pas.

– Ah oui, huit ans ? Nous ne sommes restés que trois semaines, avec un groupe... C'est si merveilleux, ce pays...

Elle bavarde, elle bavarde, et je commence à me sentir mieux. On ne va pas venir me kidnapper ici, à côté d'une Américaine, et devant tous ces gens...

– Nous avons parcouru tout le Yémen, j'ai adoré... Mais les

villes... c'est si vieux, si délabré, c'est dommage, j'ai vu des maisons superbes...

Elle ne me pose pas de questions sur moi, cela vaut mieux, je deviendrais agressive. Merveilleux le Yémen... elle a l'air si libre, si décontractée, susceptible d'aller où bon lui semble, de voyager autour du monde, même ici, en promenade.

Enfin, on nous demande de quitter la salle. En file indienne, nous passons une porte vitrée, en montrant nos billets à un fonctionnaire, et nos bagages à main à un autre. On fouille mon sac, on regarde mon billet... Ma gorge se serre, on me rend mon billet, j'avance avec les autres, vers le bus qui attend. Puis j'entends dans mon dos :

– Hé !

Ma nuque se raidit ; en me retournant, j'aperçois le fonctionnaire me faire signe de revenir. Cette fois j'en suis sûre, il va m'empêcher de partir. Je fais quelques pas vers l'homme en uniforme, en me heurtant à la file des gens qui se dirigent vers le bus. Il grommelle :

– Passeport !

Je lui tends mon précieux passeport flambant neuf, en tremblant intérieurement. Il se met à le feuilleter lentement, consciencieusement, en prenant tout son temps, et en me jetant des petits coups d'œil.

– Qu'est-ce que vous lui voulez à mon passeport ? On l'a déjà vérifié ! Les gens ne vous ont montré que leurs billets ici !

Il ne répond pas, il me fixe tout simplement.

– Vous savez qui je suis ? C'est ça ? Eh bien je retourne chez moi !

J'ignore comment j'arrive à adopter ce ton ferme, alors que je ne suis plus qu'un paquet de nerfs. Il plisse les yeux d'un air méchant, et s'apprête à ouvrir la bouche, lorsque son collègue intervient :

– Ça va, laisse-la passer, rends-lui son passeport.

Le fonctionnaire ravale sa protestation et me rend le passeport d'un geste brusque. Je gagne rapidement le bus, les passagers sont déjà montés à bord, et me regardent avec curiosité.

Dieu, j'ai eu si peur, qu'en montant la passerelle de l'avion, je n'y crois toujours pas. Ce n'est pas moi qui vais m'envoler. Je suis en train de rêver, je vais me réveiller dans ma chambre à Hockail, avec le hurlement des loups.

L'avion est très petit, je m'installe près d'un hublot, le siège voisin reste vide. Là-bas, à ma gauche, les bâtiments de l'aéroport. Je ne les quitte pas des yeux, tendue, je m'attends à voir rouler vers nous une voiture de police. La porte de l'avion va s'ouvrir, on va me faire descendre... Roule, mais roule donc... vas-y... décolle... fonce dans le ciel avant qu'on m'attrape à la dernière minute... Elle n'en finit pas cette minute.

L'avion prend de la vitesse, et bondit dans les airs. Une immense excitation m'envahit. Cette fois j'y suis. Au-dessous de nous, des champs immenses. Je n'ai même pas vu Sanaa disparaître.

– Vous désirez quelque chose ?

Je n'ai pas faim, je n'ai pas soif, j'ai surtout besoin de respirer. Nous sommes en période de ramadan, et seuls les étrangers demandent un plateau.

– Je veux bien oui, merci.

Pour leur faire comprendre qui je suis. Je ne jeûne pas, je n'ai jamais suivi leurs règles de ramadan, je n'ai jamais fait leurs prières. Je suis anglaise. Même si j'ai la peau brûlée par leur soleil.

– J'ai très faim.

Nous faisons escale dans un aéroport, j'ignore où exactement, mais nous sommes toujours dans un pays arabe. Des passagers descendent. L'attente est longue, on nous demande de rester dans l'avion ; d'abord cela m'a soulagée, maintenant je m'inquiète. Cette escale est trop longue, nous sommes immobilisés depuis plus d'une heure, lorsque j'aperçois roulant vers nous une voiture de police, des hommes en uniforme. Mon cœur s'emballe à nouveau. La voiture s'arrête à côté de l'avion, juste au-dessous de mon hublot deux officiers imposants, armés jusqu'aux dents montent à bord. Ils avancent lentement, la main sur leurs armes, ils sont devant moi, ils me dévisagent, puis vont jusqu'au fond de l'avion, et repassent dans l'allée. La tête penchée en avant, je contemple le sol, comme une femme arabe pudique, et cette fois je prie qu'ils passent leur chemin. Je prie tous les dieux de la terre.

Ils sont partis. J'ai encore la nuque penchée et les paupières serrées. Les articulations de mes doigts ont blanchi à force de crispation. Dix minutes plus tard, l'avion s'envole à nouveau, et j'entends les passagers discuter autour de moi.

– Il paraît qu'on recherche des terroristes palestiniens. Ils vérifient tous les avions.

Les heures se sont écoulées, abrutissantes, le vol devait durer huit heures, il nous en a fallu dix, à cause de notre escale. Lorsque le micro annonce que nous allons atterrir dans quelques minutes à l'aéroport de Gatwick, je suis lasse et dans un état bizarre. L'excitation est retombée, toute la fatigue du monde a ramolli mes muscles.

La première sensation en haut de l'échelle, c'est le froid, la nuit froide et le brouillard léger, pénétrant. Je me sens terriblement seule, comme si je flottais sur un océan. Personne ne m'attend, je passe la douane, tends mon passeport, je suis complètement vidée.

Au sortir de la douane, une femme en tailleur bleu sombre et chemisier blanc s'avance et demande :

– Vous êtes Zana Muhsen ?

Un accent impeccable, un véritable accent anglais. C'est formidable d'entendre prononcer une simple phrase comme celle-là.

– J'appartiens au service de l'aéroport, c'est bien vous ?

Elle me montre une photo, une vieille photo de moi. J'avais quinze ans la-dessus...

– Je ne vous aurais pas reconnue... excusez-moi, mais nous devons sortir par une autre porte.

– Qu'est-ce qui se passe ?

– Ne vous inquiétez pas. Il y a trop de journalistes dehors, votre mère vous attend ailleurs, je vais vous conduire.

Nous récupérons ma valise de cuir, fripée, ternie, au milieu des autres bagages modernes qui défilent sur le tapis roulant. Et je suis cette femme dans les couloirs, comme une somnambule. Les gens m'effraient. Personne n'est habillé comme moi. Je pourrais retirer ce foulard, mais j'ai encore peur. C'est idiot. Je suis libre, et me voilà effrayée de montrer mes cheveux, à tout le monde, ici.

Au bout du dernier couloir, une porte vitrée donnant sur le terrain, et un minibus qui attend.

– C'est pour vous. On va vous conduire à votre mère.

Nous longeons des avions en cours de ravitaillement ou de révision, deux voitures de police et leurs gyrophares s'alignent de chaque côté du minibus.

– Il y a des équipes de télévision, et des photographes partout, qui vous attendent. Je suppose que vous avez besoin de tranquillité, et que vous ne voulez pas affronter tout ce monde-là ? Après tout ce que vous avez vécu...

– Merci. C'est gentil. Je veux simplement ma mère.

Le minibus s'arrête près d'un hélicoptère à l'autre bout du terrain. J'aperçois maman, debout, encadrée par deux personnages, que j'ai d'abord du mal à identifier. Ce sont Eileen et Ben.

L'hôtesse, m'aide à descendre, s'approche de maman, et dit :

– Voilà votre fille, Myriam.

En me jetant dans les bras de maman, je ris et pleure tout à la fois, comme elle. J'entends des cliquetis d'appareil photo. Ben nous mitraille en tournant autour de nous comme un fou, mais je m'en fiche.

Nous devons maintenant monter dans cet hélicoptère, pour sortir de l'aéroport en évitant les journalistes. Eileen a tout organisé. Cet hélicoptère me terrorise et je grimpe à l'intérieur en fermant les yeux. Le paysage du Sussex défile dans le noir, le voyage est court. Nous descendons en baissant la tête sous les pales ronflantes, le vent fouettant nos vêtements. Au bord d'un chemin vicinal, une voiture nous attend, et l'hélicoptère nous abandonne.

Je voudrais rentrer à la maison. Je voudrais Birmingham, ma chambre, mes sœurs, mon frère, je voudrais... mais on nous installe dans un grand hôtel tout neuf. Eileen me raconte qu'il vient d'être rénové après un attentat à la bombe commis contre une personne du gouvernement.

– Maman, je voudrais aller à la maison.

– Nous irons demain, peut-être, ou après-demain. Ben et Eileen ont besoin de faire des photos tranquillement, en dehors des autres journalistes, tu comprends ? A la maison, ce serait impossible. La télé voudrait interviewer, et avant cela nous devons laisser Eileen finir son travail.

Dieu ! je ne comprends rien à toutes ces histoires de journaux, et d'exclusivité. Je suis fatiguée, je veux rentrer chez moi. Manger, dormir chez moi. Je ne veux rien faire d'autre que ça, et penser à Nadia.

J'ai laissé une partie de moi-même là-bas, ma sœur est ma chair, mon esprit, la moitié de ma vie d'esclave. On me demande de parler, de dire au gouvernement des choses intelligentes, de faire attention à mes propos afin de ne vexer personne, de ménager ceux qui peuvent nous aider, au gouvernement yéménite. Eileen me demande de lui faire confiance. Je sais. Il le faut. Mais tout est confus dans ma tête. A un moment j'ai même l'intention d'aller retrouver Nadia et les enfants...

Maman doit être sous pression, car elle prend cela très mal.

– J'espérais que j'aurais plus de reconnaissance. Qu'est-ce qui se passe ? Tu veux rentrer au Yémen ? Tu es tombée amoureuse de quelqu'un ? D'Abdul Walli peut-être ?

– C'est méchant ce que tu dis.

– Je sais, excuse-moi.

Eileen a entendu, et je vois dans ces yeux qu'elle se pose la question. Et si la petite Anglaise avait choisi le riche Abdul Walli, son protecteur, celui qui a arrangé son divorce. Qui l'a recueillie, l'a aidée à partir...

Lassitude, fatigue, écœurement. Ben et ses photos, qu'il veut prendre sur la plage, de nuit, dans le vent, avec mon imperméable trop long, mon pantalon yéménite, et mon foulard. Je sais qu'il fait son métier.

Il y a eu d'autres journalistes ensuite, d'autres photos. Il a fallu changer d'hôtel pour en éviter certains. Le lendemain soir, j'en avais vraiment marre. C'était ça, ma liberté ?

– Écoute maman, si on ne nous ramène pas à la maison demain, j'y vais toute seule.

Ils ont cédé.

Birmingham au printemps. Le centre ville. Nous approchons de l'immeuble de la rotonde, tout est pareil, tout ressemble à mes souvenirs, ou bien se sont mes souvenirs qui remontent à la surface, en marée. Les rues, le quartier, les magasins, les gens dans la rue, la lumière des vitrines. Souvenirs en tourbillons d'odeurs, et d'images, de sensations générales.

Mais je ne reverrai rien du passé.

Maman vit dans un autre appartement, depuis qu'elle est seule, et pour éviter les journalistes, qui doivent nous guetter encore, nous n'y séjournerons pas avant quelques jours. Mon amie Lynette nous a offert l'hospitalité chez elle.

Devant la porte d'entrée de la petite maison, au grand complet, comme pour une photo, toute la famille m'attend. Mo, Ashia, Tina. Changés, grandis, adultes. Ils m'apparaissent à la fois terriblement proches et étrangers. « Toute cette vie sans moi... Qui sont-ils devenus ? »

Ma tête se met à tourner dans les embrassades, les phares qui fusent de tous côtés. Je me rends compte que je ne parle que de Nadia. J'ai besoin de justifier l'absence de Nadia, en ne parlant que d'elle, et de là-bas. Chargée d'une mission, la liberté de ma sœur, chargée d'une sourde culpabilité, chargée de souffrance, ma seule communication avec les autres, c'est Nadia.

Lynette, Lynnie, ma meilleure amie arrive en courant vers

moi. C'est une femme, encore plus jolie qu'avant, les cheveux courts, si différente. Nous nous jetons dans les bras l'une de l'autre en pleurant. Elle ne peut rien dire d'autre que :

– Tu as changé... tu as changé... mon Dieu comme tu as changé...

Puis elle sourit à travers ses larmes.

– Qu'est-ce que tu as bronzé!

Je ne retrouve pas mon enfance. Là-bas au Yémen, j'avais figé des images, une fois pour toutes dans mon esprit. C'étaient celles de l'enfance, de l'adolescence à peine entamée. Le monde que je retrouve est forcément différent. Déconcertant. Et me fait peur... un peu.

Pendant un certain temps, il m'est difficile de me déplacer. Les journalistes font le pied de grue, sonnent à la porte, téléphonent, réclament des interviews que je suis incapable de leur accorder. Je redoute d'affronter la rue. Je dois me réhabituer à beaucoup de choses, aux vêtements, aux collants, aux chaussures, marcher tête nue, et revoir Mackie. Pour cela j'ai besoin de temps.

Avec le temps revient l'envie des petits plaisirs. Un gâteau à la crème... une tasse de vrai thé anglais. Et des frites. J'adorais les frites...

Quelque chose s'est imprimé en moi, inscrit définitivement. Je pourrais vivre mieux, si Nadia était de retour avec ses enfants. Mais seulement mieux.

Quatre haines dans ma tête. Mon père, Abdul Khada, Gowad et Abdullah.

– Maman... il faut que j'aille le voir.

– Qui ?

– Mon père... il n'y a que lui qui puisse aider Nadia.

– Il ne fera rien.

– Il faut que j'essaie.

Je m'habille comme une véritable Yéménite. Pantalons, robe

longue, foulard. Il faut lui montrer le personnage qu'il veut voir. Une femme musulmane respectable et respectueuse des hommes, donc de son père. Je peux jouer à cela, je l'ai supporté pendant huit ans, à cause de lui.

J'arrive en taxi, devant le petit café, où s'est arrêtée ma vie, en 1980. *Fish and chips* et odeurs de bière.

Il est derrière le comptoir, monsieur Muhsen. Je ne ressens rien. Absolument rien.

Il a vieilli, son cou est fripé, deux longues rides partant du nez rejoignent la moustache, il est mal rasé, son front commence à se dégarnir. Il a l'air surpris de me voir, quelques secondes seulement, puis s'exclame :

– Zana...

Et il se met à pleurer. Pas moi. Je passe devant lui pour m'installer dans la salle du fond. J'attends que les clients s'en aillent et qu'il vienne me rejoindre. Patience des femmes yéménites. J'ai appris cela grâce à lui !

Le dernier client parti, il s'approche de moi, la larme à l'œil, et cherche ses mots.

– Je... je suis désolé... désolé de ce qui s'est passé... voilà, si j'avais su plus tôt... enfin... comment vous étiez traitées là- bas...

Mon silence ne l'aide pas.

– ... Eh bien j'aurais... les choses auraient été différentes.

Il ment sans aucun scrupule. Tous ceux qui ont voyagé entre l'Angleterre et le Yémen, pendant ces années, et qu'il nomme ses amis, lui ont raconté comment nous étions traitées là-bas, en esclaves. Au début je lui écrivais, il n'a jamais répondu. Qu'il aille au diable avec ses mensonges, je n'ai pas besoin de reparler du passé. Je ne veux qu'une chose, son aide pour Nadia.

– Bien. Je suis de retour à présent. Comme tu le vois, je suis encore une musulmane respectueuse. Je t'aime papa, et je veux ton aide pour faire venir Nadia et son mari, afin que nous puissions vivre à nouveau comme une grande famille.

Il hoche la tête, en approuvant.

– J'irai voir Gowad. Tu as une plus grande expérience de la

vie maintenant, tu parles arabe, tu comprends mieux les choses. C'est tout ce que je voulais pour toi.

– C'est vrai. J'ai mûri. Tu iras voir Gowad ?

– Nous irons ensemble si tu veux.

– C'est bien. Je vais rentrer.

Ce n'était pas dur. Il suffisait de se transformer en bloc de pierre sous le foulard, d'entendre les mensonges habituels sans hurler, d'être une statue de haine froide et invisible.

Chez Gowad, le lendemain, à l'heure précise du rendez-vous, mêmes vêtements arabes, même foulard, même attitude. Salama est là. Elle vit en Angleterre, mais comme une femme de Hockail, et porte une nouvelle petite fille dans ses bras. Je la hais, elle aussi, d'avoir abandonné ses enfants à Nadia, au village. De lui avoir imposé la charge qui lui incombait à elle, la mère. Mais cette haine est toujours invisible.

– Pourquoi êtes-vous partis comme ça, en nous laissant nous débattre avec les enfants ? Nous ne savions même pas ce qui se passait, où vous étiez, personne n'en parlait. Pourquoi ?

– Je vais rentrer bientôt. Nadia et Samir vont venir ici avec les enfants.

– Je sais.

L'agressivité pointe le bout de son nez, je dois rester calme, polie. Me taire à présent. Écouter.

Mon père discute en arabe avec Gowad, que j'ai salué lui aussi, avec respect. Il y a huit ans, je ne comprenais pas un mot de leurs palabres, à la maison, alors qu'ils faisaient purement et simplement un marché. Mille trois cents livres pour Nadia, mille trois cents livres pour Zana... deux petites jeunes filles anglaises, bien pures avec leurs papiers en règle... Aujourd'hui, je comprends parfaitement leur langage. Gowad promet de faire le nécessaire.

– Ça prendra du temps pour les papiers, mais ils viendront.

En rentrant ce soir-là chez maman, en jetant le voile et les pantalons dans un placard, comme une comédienne lasse de son rôle, je n'y croyais pas. Et j'avais raison, rien n'est venu, à ce jour.

Certains journalistes ont tenté de faire parler Gowad, il leur a toujours fermé la porte au nez.

Pendant quelque temps j'ai pu profiter de l'aide de Tom Quirke, le journaliste du *Birmingham Post,* pour téléphoner à Abdul Walli à Taez. Le chef de la police se montrait rassurant, Marcus allait bien, Nadia et Samir me faisaient dire de ne pas m'inquiéter, qu'ils attendaient leurs papiers, pour bientôt.

1990. Des rumeurs nous sont parvenues selon lesquelles Nadia aurait eu un autre enfant. Si c'est exact, cela signifie qu'on l'a obligée à quitter Taez, et qu'elle n'a pas pu continuer à prendre de pilule contraceptive. Elle avait si peur d'être enceinte à nouveau. Depuis la naissance de Tina et cette horrible opération à la lame de rasoir...

A Ashube, je peux imaginer son calvaire quotidien. Haney, Tina, Marcus, un autre enfant, plus ceux de Salama... puisque Salama vit en Angleterre, elle.

Je n'ai jamais revu mon père, je n'irai que sur sa tombe.

Abdul Walli ne répond plus au téléphone. Il n'est pas là, il est en voyage, il est ailleurs...

Notre consul à Sanaa ne sait rien de ma sœur.

Les fils sont coupés.

Je me demande si elle tient le coup. Je l'espère. Physiquement elle a besoin d'être soignée, et ne le sera pas à Ashube, ni dans un autre village. Moralement, ils ont dû l'abattre.

J'ai retrouvé Mackie. Nous avons tenté de vivre ensemble, j'ai eu de lui un petit garçon adorable, tout frisé, tout noir comme son papa, ce qui ne doit pas faire plaisir à mon père. Mais aujourd'hui, je vis seule avec mon fils.

J'ai repris mes études, pour présenter l'examen que l'on passe à quinze ans. Je me trouve courageuse de faire cela. Le courage et la volonté m'ont donné la force de survivre. Là-bas comme ici, en Angleterre.

On m'a parlé de psychanalyse, de thérapie, je n'en veux pas. Je veux garder ma haine, ma force, et mon espoir.

Nous continuons à nous battre pour Nadia. Procès international, difficile, long. Convaincre la justice que nous avons été victimes d'un kidnapping, qu'on nous a bien vendues, et que ces deux mariages furent un viol de tant d'années, est affreusement compliqué. Nous ne sommes pas les seules dans ce cas, le monde entier est plein de misères semblables. J'ignore encore sur quel sommet, à quelle altitude de cette planète se cache la vraie liberté des femmes. Pas sur les montagnes du Yémen en tout cas.

Et le monde s'occupe de tant de choses plus importantes pour les hommes. La guerre, la politique, le pétrole... toutes ces images où j'ai vu courir des femmes et des enfants sous les bombes, fuir la famine, l'esclavage, la mort.

Mon fils est un otage, ma sœur et ses enfants sont des otages. Je veux qu'ils sortent du Yémen. Qu'ils soient libres de choisir l'endroit du monde où ils poseront le pied.

Moi, Zana, j'ai le redoutable privilège d'être l'otage libérée, celle qui a eu la chance de se faufiler à travers les barreaux de la prison. Mais on reste toujours un ancien otage. Le chantage, la violence, la privation de liberté marquent un être à tout jamais. Ceux qui sont restés là-bas, ma sœur, mon enfant vivent en moi, comme des poignards plantés dans ma chair. Je souffre de leur souffrance, ma liberté n'a pas de sens sans la leur.

J'ai mis au monde un petit garçon, il se nomme Marcus, et non Mohammed, il est né de mon ventre, de mon sang, de ma douleur. Il est le fruit d'un viol qui dura huit ans, mais il est à moi. Je dois avoir le droit de lui faire partager ma culture, afin qu'il ait lui-même le droit, plus tard, de choisir la sienne.

Ma colère ne s'est pas éteinte, je refuse d'être ce volcan qui meurt sous la lave, je n'ai qu'une vie pour me battre. Une mère à qui on retire le droit d'élever son enfant est une femme blessée à mort.

Souvent, dans le silence de mes nuits solitaires, j'entends mon cœur hurler comme hurlent les louves de là-bas, dans les montagnes, à la recherche de leurs petits. Je hurlerai jusqu'à ce qu'il m'entende.

A celle qui vient de lire mon histoire et qui va refermer ce livre, je dis : « Ne le referme pas sur l'oubli. Aide-moi. Laisse résonner dans ta mémoire ce cri qui est le mien et celui de tant d'autres femmes. » Toutes celles que la justice oublie et bafoue, là où les lois sont faites par des hommes qui les contrôlent, qui les considèrent comme moins que des animaux, qui leur prennent corps, âme et enfants.

Je réclame le droit d'ingérence dans ces pays. Je ne veux pas que l'on marie de force mon petit Marcus à treize ans. Je ne veux pas qu'on lui achète une femme comme une marchandise, avec un passeport en accessoire indispensable. Marcus aura six ans cette année. Nadia vingt-six.

Nadia, ma sœur, est une petite larme isolée, solitaire, dans cet immense chagrin du monde. Elle brille toujours pour moi. Ce récit est pour elle, pour mon fils. Je ne céderai jamais, Nadia, je te l'ai promis.

Tu seras mon fils, Marcus, je l'ai juré.

Crédits photographiques

P 1 : The Observer/Ben Gibson – p 2 : D. R. – p 3 haut : The Observer/John Reardon, bas : The Observer/Ben Gibson – p 4 : The Observer/Ben Gibson – p 5 : D. R. – p 6 : D. R. – p 7 : D. R. – p 8 : D. R.